# Angélique et la Démone

## II

*Éditions J'ai Lu*

ANNE ET SERGE GOLON | *ŒUVRES*

ANGÉLIQUE :

| | |
|---|---|
| ANGÉLIQUE, MARQUISE DES ANGES T. I | *J'ai Lu* |
| ANGÉLIQUE, MARQUISE DES ANGES T. II | *J'ai Lu* |
| LE CHEMIN DE VERSAILLES T. I | *J'ai Lu* |
| LE CHEMIN DE VERSAILLES T. II | *J'ai Lu* |
| ANGÉLIQUE ET LE ROY T. I | *J'ai Lu* |
| ANGÉLIQUE ET LE ROY T. II | *J'ai Lu* |
| INDOMPTABLE ANGÉLIQUE T. I | *J'ai Lu* |
| INDOMPTABLE ANGÉLIQUE T. II | *J'ai Lu* |
| ANGÉLIQUE SE RÉVOLTE T. I | *J'ai Lu* |
| ANGÉLIQUE SE RÉVOLTE T. II | *J'ai Lu* |
| ANGÉLIQUE ET SON AMOUR T. I | *J'ai Lu* |
| ANGÉLIQUE ET SON AMOUR T. II | *J'ai Lu* |
| ANGÉLIQUE ET LE NOUVEAU MONDE T. I | *J'ai Lu* |
| ANGÉLIQUE ET LE NOUVEAU MONDE T. II | *J'ai Lu* |
| LA TENTATION D'ANGÉLIQUE T. I | *J'ai Lu* |
| LA TENTATION D'ANGÉLIQUE T. II | *J'ai Lu* |
| ANGÉLIQUE ET LA DÉMONE T. I | *J'ai Lu* |
| ANGÉLIQUE ET LA DÉMONE T. II | *J'ai Lu* |
| ANGÉLIQUE ET LE COMPLOT DES OMBRES | |

*En vente dans les meilleures librairies*

ANNE ET SERGE GOLON

# Angélique et la Démone

## II

# PORT-ROYAL
# OU
# LA LUXURE

## 1

Enfin le départ avait eu lieu.

Avec quelques hommes d'équipage, les deux femmes et leurs bagages, Adhémar qui avait reparu après le départ du gouverneur Villedavray, Adhémar qui toujours geignard et craignant la mer ne pouvait envisager désormais de vivre en Amérique, sans être sous la protection directe de Mme de Peyrac, avec le frère Marc, Récollet, qui se décidait soudain à reprendre la route mais voulait aller reconnaître quelques fleuves et rapides de la presqu'île, avant de regagner Sainte-Croix par l'isthme de Chignecto, avec le jeune Alistair Mac Gregor qui voulait visiter à Port-Royal sa nombreuse parenté, car sa grand-mère française et son grand-père écossais étaient tous deux originaires du lieu, qu'ils avaient quitté jeunes mariés pour aller s'installer à l'île Monégan, avec quelques autres qui avaient envie de changement et quelques Indiens de passage, *Le Rochelais* avait quitté Gouldsboro pour se diriger ouest-sud-ouest vers l'établissement français et peut-être l'établissement européen le plus ancien de l'Amérique du Nord.

La terrible Baie Française tenait à sa réputation.

Si courte que fût la traversée vers Port-Royal,

une tempête se leva durant ce temps qui donna au petit yacht *Le Rochelais* vingt fois l'occasion de périr.

Franchir le goulet qui permettait de pénétrer dans le bassin de Port-Royal prit deux heures. Deux heures de luttes contre les cavalcades géantes des vagues aux crêtes écumeuses. Par instants, on apercevait, émergeant d'une brume pluvieuse, sur les deux flancs du navire, de hautes falaises noires chevelues d'arbres et dangereusement proches.

Vanneau et l'Acadien qui leur servait de pilote étaient couchés sur la barre pour la maintenir dans la bonne direction. Par deux fois, Cantor, qui avait le commandement du navire, culbuta et roula contre la rambarde pour avoir dédaigné de s'accrocher ou même de se lier en quelque point.

Par contre, lorsqu'ils atteignirent les eaux plus calmes du bassin, un brouillard à couper au couteau les y attendait comme une sentinelle rébarbative, barrant impérativement l'entrée et empêchant toute avance.

Le navire y pénétra cependant et fit quelques milles, plongé dans une opacité blanche et oppressante, puis le pilote proposa de jeter l'ancre.

— Nous devons être en face de l'établissement, mais pour descendre avec la chaloupe et aborder, autant savoir où l'on va. Et en continuant, on risquerait de heurter un navire à l'ancre devant le port. Lorsque le soir viendra, peut-être pourra-t-on distinguer les lumières des maisons?

Cette attente permit aux passagers et particulièrement aux deux femmes, Angélique et la duchesse de Maudribourg, de se reposer et de mettre de l'ordre dans leurs vêtements et leurs bagages. Bien qu'à l'abri dans la petite cabine du château arrière, elles avaient été fortement secouées. Le coffre aux scalps de Saint-Castine, mal arrimé, avait glissé et avait légèrement blessé Angélique à la cheville.

Un peu avant son départ Saint-Castine était revenu s'informer :

— M. de Peyrac a-t-il emporté mon coffre pour remettre au gouverneur de Québec ?

— Non, lui dit Angélique. Il n'allait pas à Québec et il est peu probable que nous nous y rendions.

— Alors, prenez-le avec vous jusqu'à Port-Royal. M. de la Roche-Posay aura l'occasion de le faire parvenir en haut lieu. Il faut que je puisse prouver ma bonne volonté à M. de Frontenac et à toute la clique...

Ce coffre de bois, lourdement cerclé de cuivre ferronné, était fort encombrant. De toute façon, il ne semblait pas indiqué à Angélique de promener une telle provende de chevelures anglaises en des eaux où grouillaient des centaines de navires bostoniens ou virginiens. Mais elle ne pouvait refuser ce service à Castine qui, lui au moins, était un allié sûr, grâce auquel les massacres abénakis suscités par les jésuites avaient été arrêtés à la rive ouest du Kennebec.

Et puis tant pis, elle avait pris ce coffre. Saint-Castine l'assommait avec des explications. L'espèce d'inconscience qui l'habitait tel qu'il était, centré sur ses propres préoccupations, ses Indiens, ses scalps, son beau-père le chef Mateconando, sa fiancée Mathilde, faisait à Angélique l'impression d'un détail incongru s'introduisant bêtement au sein de son cauchemar personnel et brouillant encore le fil de ses idées et de ses raisonnements.

Quelque chose se jouait autour d'elle dont elle ne parvenait plus entièrement à maîtriser la réalité, à saisir le sens, la direction, la vérité, quelque chose où son propre sort, sa vie, sa raison étaient en jeu, et aussi le sort de ceux qui lui étaient chers, et Saint-Castine était là à lui parler de ses scalps anglais.

Bon! qu'on l'embarque, ce coffre!

Elle voulait partir à tout prix.

Elle laissait son chat presque guéri aux enfants Berne. Maintenant que la petite bête avait échappé à la mort, qu'Abigaël et le bébé se trouvaient en bonne santé, rien ne pouvait la retenir à Gouldsboro.

Mais Colin, lorsqu'elle l'avait averti, avait pris l'annonce de ce départ avec une émotion inattendue, lui opposant un visage furieux, un regard de colère contenue.

— Non! tu ne partiras pas! Mme de Maudribourg peut très bien faire le voyage seule.

C'était un autre homme qu'elle avait devant elle... Barbe d'Or! Barbe d'Or l'inconnu! Se souvenant des paroles d'Ambroisine de Maudribourg, Angélique avait senti à nouveau se creuser en elle ce vertige d'inquiétude qui la laissait pantelante au bord d'une panique presque enfantine. Elle avait ressenti cela en lisant la lettre du père de Vernon... La soudaine absence d'un ami sûr... et même pire, la découverte d'un ennemi là où elle avait édifié en son cœur l'assurance d'une amitié ou d'une fidélité. Etait-il possible qu'il en fût de même de Colin?... Non! ce n'était pas possible. Elle avait vu Joffrey poser sa main sur l'épaule de Colin et les regards des deux hommes s'étaient croisés. Un tel regard entre deux hommes! Confiance, aveu, droiture. « Et maintenant! semblaient dire ces regards d'hommes, ces yeux bleus du Normand, ces yeux noirs du seigneur d'Aquitaine, maintenant, entre nous, c'est à la vie, à la mort. » Elle les avait vus par la fenêtre et *ils ne se savaient pas observés.* On ne peut pas se tromper sur un tel regard. Ou bien alors c'est qu'elle devenait folle, elle, Angélique... ou alors que tout n'était qu'apparence, mensonge... que la signification du monde visible lui échappait soudain... que les mots, les regards muets n'avaient plus le même sens, que tout devenait trouble, double. Les uns savaient, voyaient l'envers... et elle, seule, éperdue, ne voyait que l'endroit. Chacun de ces visages lisses, humains, de sa connaissance, qui l'entouraient, portaient-ils un masque?... Elle ne se sentait point assez habile pour en décider.

Si profonde était sa perplexité qu'elle avait mis un certain temps avant de répondre à Colin, et avec plus de calme qu'elle l'eût fait normalement.

— Pourquoi t'y opposer? Je ne comprends pas. L'enfant d'Abigaël est né maintenant. Rien ne me retient ici...

Colin se contenait avec peine. Une véritable anxiété et même une angoisse se lisaient sur ses traits, bien qu'il fît effort, la première réaction passée, pour parler modérément.

— M. de Peyrac sera contrarié de ne pas vous trouver ici à son retour! dit-il.

— Mais, précisément, c'est pour le joindre plus tôt que je veux me rendre à Port-Royal puisqu'il doit y faire relâche en revenant de la rivière Saint-Jean avant de regagner Gouldsboro.

Le gouverneur parut se calmer soudain. Une expression rusée et concentrée qu'elle lui connaissait bien, remplaça sur ses traits celle de la colère et de l'inquiétude tandis que ses yeux se fermaient légèrement. Il ressemblait à un gros animal qui vient de percevoir au fond de la forêt un bruit insolite et se recueille afin de discerner de quelle sorte de bruit il s'agit.

— Qui a dit que M. de Peyrac passerait par Port-Royal avant de regagner Gouldsboro?...

— Mais... n'est-ce pas lui-même, avant de partir?... Il vous l'a dit à vous aussi.

— Je n'en ai pas souvenance, marmonna-t-il.

Elle était restée ainsi debout devant lui, attendant qu'il parle de nouveau. Au fond d'elle-même, elle endiguait de toutes ses forces le flot prêt à déferler de sa défiance envers Colin. Pourquoi voulait-il la retenir? Etait-ce parce qu'il la considérait comme otage et ne voulait pas la laisser s'échapper? Etait-ce pour cela qu'il feignait de ne pas se souvenir que Joffrey devait passer par Port-Royal? Son peu d'aménité envers Mme de Maudribourg venait-il de ce qu'il devinait que cette femme intelligente et trop intuitive l'avait percé à jour.

Angélique se posait ces questions qui eussent pu expliquer l'attitude de Colin, mais elle se refusait de leur donner encore en elle-même une réponse affirmative ou négative. Elle n'avait pas assez d'éléments et de preuves pour trancher. Simplement, elle se les posait en essayant de faire taire sa peur et en se disant que, coûte que coûte, elle quitterait Gouldsboro, puisqu'il lui était encore possible de s'échapper.

Elle avait pensé spontanément ce mot « s'échapper ». Désormais tout ce qui lui paraîtrait mettre obstacle à courir au-devant de Joffrey, elle l'écarterait sans scrupule.

Il dut lire dans ses yeux sa résolution irrévocable et entêtée.

Il dit brièvement :

— C'est bon! Je vous laisserai partir. Mais à une condition! C'est que votre fils Cantor vous accompagne...

Mais ç'avait été le tour de Cantor de s'opposer avec violence et arrogance à sa décision lorsqu'elle la lui avait communiquée.

— Je ne quitterai pas Gouldsboro, avait-il déclaré. Je n'ai reçu aucun ordre de mon père à ce sujet. Libre à vous d'aller à Port-Royal avec Mme de Maudribourg, si cela vous chante, mais moi je ne bougerai pas...

— C'est un service que tu me rendrais en acceptant. Pour diverses raisons, Colin hésite à me laisser partir si tu ne m'accompagnes pas...

Cantor serra les lèvres et haussa les épaules avec irrévérence.

— Libre à vous de vous laisser gruger, reprit-il de plus en plus intraitable et supérieur, je sais où est mon devoir.

— Eh bien, où est ton devoir? demanda Angélique qui sentait la moutarde lui monter au nez, explique-toi au lieu de prendre des grands airs!

— Oui, expliquez-vous, mon enfant, intervint Ambroisine qui assistait à l'entretien. Votre mère et moi faisons confiance à votre jugement. Il faut nous éclairer et nous aider dans nos décisions...

Mais Cantor lui jeta un regard noir et, dédaigneux et très hautain, quitta la pièce.

Ce renouveau d'hostilité de Cantor avec lequel ses rapports avaient toujours été difficiles achevait de démoraliser Angélique.

— Votre fils est inquiet, murmura Ambroisine. C'est encore un enfant! Très amoureux de vous comme tout adolescent, fils d'une mère si belle, très fier de son père. Cela le rend intuitif... Il doit souffrir d'une situation qui nous échappe peut-être, sur laquelle il sait et devine plus que nous. Il faut faire confiance aux presciences de la jeunesse. C'est un état de grâce... L'autre jour, lui voyant l'air sombre, je le taquinais, lui demandant pourquoi il ne semblait se plaire à Gouldsboro. Il me répondit qu'il n'était pas dans ses goûts de se plaire en compagnie de bandits. Je crus à une boutade, à une dispute avec sa bande d'amis... Mais il s'agissait sans doute d'une autre estimation... Le gouverneur l'a peut-être menacé... L'enfant se tait, ne sait comment se défendre... Il faudrait qu'il ait confiance en vous, Angélique, il faudrait le faire parler...

— On ne fait pas parler Cantor facilement, avait remarqué Angélique soucieuse. Quant à sa confiance envers moi, je sais qu'il ne me l'accorde pas facilement.

Elle devinait trop bien que ce cœur ombrageux de Cantor n'avait pu accueillir, sans en être blessé, les ragots qui avaient couru sur elle et Colin cet été, d'où les airs intransigeants de l'adolescent.

Ambroisine observait son visage pensif. Elle dit d'un ton qui n'était ni affirmatif ni interrogatif...

— Et vous, vous avez donc toujours confiance en cet homme, ce Colin...

— Non, peut-être pas, dit Angélique, mais j'ai confiance en mon mari. Il possède une si profonde connaissance de l'humain. Il ne peut s'être trompé à ce point...

— Peut-être ne s'est-il pas trompé... Peut-être a-t-il seulement rusé, sachant à quel redoutable ennemi il avait affaire...

— Non, dit encore Angélique.

Elle rejetait l'idée que Colin fût un traître. Et elle se cramponnait à ce regard surpris entre Colin et Joffrey, un regard de connivence, d'entente, de communication.

Mais aujourd'hui qu'elle se trouvait devant Port-Royal, enfin échappée à Gouldsboro et à son climat oppressant, tout cela lui revenait et ses craintes retenues resurgissaient, l'étouffaient... Elle se souvenait de ce qu'elle avait ressenti, précisément, à l'instant où elle avait surpris le comte de Peyrac et le pirate Barbe d'Or échangeant ce regard de reconnaissance mutuelle, de connivence... Elle avait ressenti l'affreux sentiment d'être exclue de cette entente, une femme rejetée dans la nuit, écartée, supprimée, repoussée à ses naïvetés, à ses solitudes, à son espèce faible et combattue, faible et opprimée, faible et abandonnée... Les hommes!... Toute sa méfiance, née d'avoir connu trop de trahisons, lui remontait au cœur. Joffrey l'attendait-il derrière ce rideau de brume épaisse ou poursuivait-il sa route loin d'elle... Et Colin? Colin, l'avait-il bernée?... Non, pas Colin!... Elle ne savait plus. Il n'y avait désormais que Joffrey qui pourrait l'éclairer sur ce point. Son besoin de lui, de l'entendre et de lui parler, était celui d'une enfant perdue n'ayant plus de point d'appui en elle-même pour se cramponner et juger de la route à suivre. L'hostilité des protestants, des Anglais, l'hostilité et l'accusation détestable du père de Vernon, l'hostilité de Cantor, peut-être de Colin...

Cantor avait fini par l'accompagner. Alors qu'elle s'affairait à organiser son départ, elle l'avait vu surgir et s'entendre avec Vanneau pour la mise en état du *Rochelais*, afin de conduire Mme de Peyrac et Mme de Maudribourg à Port-Royal.

— Ainsi donc, tu ne m'abandonnes pas, lui avait-elle dit avec un sourire.

— J'ai reçu des ordres de M. le gouverneur! expliqua-t-il d'un ton sec.

Que lui avait dit Colin pour le décider? Les craintes étouffées continuaient à ramper en elle. Colin! Lorsqu'elle lui avait fait part de ses peurs, que quelqu'un rôdait, essayait d'empoisonner, de tuer, n'avait-il pas réagi bien mollement. Il aurait dû renforcer la défense, le contrôle. Et cette histoire de l'homme au gourdin de plomb, n'était-ce pas destiné à égarer ses soupçons? Ambroisine avait entendu deux de ses hommes dire qu'il avait des complices dans la baie. Mais avait-elle bien compris? Colin!... Lorsqu'elle avait parlé du bateau à la « flamme orange », il n'avait pas paru y attacher d'importance... Savait-il qui « ils » étaient... Ses complices!... Colin! Comme cela faisait mal d'y songer. Colin, leur ennemi! Non! Les trahissant, la trahissant, une certitude, tout à coup. Non, impossible! Et elle respirait profondément, à demi réconfortée. Mais l'hostilité de Cantor... Pourquoi? Qu'y avait-il en ce Cantor qu'elle ne pourrait jamais apaiser, conquérir?

Voici qu'il venait s'accouder à la rambarde non loin d'elle, regardant lui aussi vers la terre invisible.

— Tu nous as bien conduits en ce voyage, lui dit-elle.

Il haussa les épaules, comme méprisant un compliment qui risquait d'amollir son attitude réprobatrice.

— Cantor, interrogea-t-elle à brûle-pourpoint, que t'a dit Colin pour te décider à m'accompagner?

Il tourna vers sa mère son regard vert et elle admira sa beauté juvénile, dans cette irisation de la brume qui semblait adoucir ses traits et auréoler sa jeune silhouette vigoureuse, sa chevelure bouclée. C'était encore un enfant, non sans grâce, attendrissant dans le courage et la sévérité qu'il opposait à un monde troublé et âpre.

— Il m'a dit que je devais partir pour veiller sur vous, fit-il du bout des lèvres. Et il paraissait se moquer de la chose comme d'un prétexte destiné à le berner.

— Ne puis-je donc veiller seule sur moi-même? demanda Angélique en souriant et en posant la main sur la crosse de son pistolet qu'elle avait à sa ceinture.

— Vous tirez bien, mère, je ne le conteste pas, admit Cantor sans se départir de son ton hautain, mais il y a d'autres dangers dont vous n'êtes pas consciente...

— Et lesquels?... Parle... J'écoute.

— Non, dit Cantor en secouant sa crinière, si je vous disais qui j'accuse, vous ne l'admettriez pas, vous vous fâcheriez, et me traiteriez de jaloux et de nigaud... Alors ce n'est pas la peine. Il s'éloigna pour bien marquer son détachement. Qui avait-il derrière la tête? Qui n'osait-il accuser devant elle? Berne, Manigault?... Colin, encore... son père, qui sait?... Il était tellement excessif... Elle comprenait qu'il y avait en lui quelque chose qu'elle ne pourrait jamais vaincre et calmer. Comme c'était étrange et vain, l'existence...

Un jour, dans un instant de bonheur inouï, elle

avait conçu un enfant, et voici que cet enfant devenu homme était devant elle comme un étranger, ne semblant se souvenir que des douleurs qu'il devait à sa mère et non des joies.

La brume suintait autour d'elle poudrant sa chevelure de perles irisées... Elle avait froid et serrait sa mante contre elle, sentant renaître cette pesante appréhension, qui s'était un peu dissipée à son départ de Gouldsboro. Une ombre légère passa près d'elle et ce fut le tour d'Ambroisine de venir s'accouder à ses côtés. Elle portait sa mante noire doublée de rouge. Le rouge s'harmonisait avec ses lèvres qu'elle avait légèrement fardées, le noir avec ses yeux, sa pâleur liliale avec la blancheur d'albâtre des brouillards environnants. Elle était belle et paraissait grandie, moins indécise et hagarde que les jours précédents.

Port-Royal, établissement catholique, nanti d'au moins deux aumôniers oratoriens d'une grande piété, fréquenté par de nombreux religieux de passage, où régnait disait-on une ambiance patriarcale entre les nobles, possesseurs du fief, et la population paysanne, industrieuse et intelligente, lui conviendrait mieux que Gouldsboro, avec son mélange de religions et d'origines diverses.

Angélique fit effort pour lui sourire.

— Je gage que vos filles vont se réjouir de vous revoir. Elles ont dû s'inquiéter à votre sujet. Pauvres jeunes femmes!

La duchesse de Maudribourg ne répondit pas. Elle examinait Angélique avec attention.

— Vous ressemblez à la reine de Septentrion, dit-elle tout à coup, avec ces brumes irisées qui flottent autour de vos cheveux. Sont-ils blonds ou sont-ils blancs? On dirait un or pâle éblouissant. Oui, la reine des Neiges. Vous eussiez mieux joué le rôle de Christine de Suède que ce mousquetaire en jupons.

Le pilote acadien et Vanneau s'approchèrent

d'elles. Ils prenaient leur mal en patience, l'attente était un des éléments de la vie du marin. Eux aussi regardaient dans la direction présumée de Port-Royal.

— Les habitants doivent s'agiter, dit le pilote. Ils ont dû surprendre le bruit de notre chaîne, quand nous avons jeté l'ancre. Ils ne savent si c'est l'Anglais, et la plupart s'apprêtent à fuir dans les bois avec leurs chaudières.

— A moins qu'ils ne nous tirent dessus dès que le brouillard se dissipera, émit Cantor.

— Ça m'étonnerait qu'ils aient beaucoup de munitions, dit le pilote, on dit que le navire de la Compagnie de l'Acadie qui les ravitaille chaque été a été pris par les pirates.

Les yeux ouverts sur l'univers d'un blanc plâtreux qui les environnait, Angélique essayait de percer le mystère des vies cachées derrière ces brumes. Par instants, il lui semblait distinguer des parfums venus de la terre qui trahissaient l'activité des humains, odeurs d'étable ou de feu dans l'âtre, des bruits vagues, des échos incertains. Vers le soir, alors que tout s'assombrissait, le carillon d'une cloche d'église fut perceptible et presque aussitôt un vent froid balaya la surface de la mer, la gaufrant de petites vagues courtes, dissipant à demi le brouillard, et des lumières floues fleurirent soudain tout au long de la rive. Un autre coup de vent et le village de Port-Royal surgit tout entier à leurs yeux, dans le crépuscule, alignant, à mi-côte, ses maisons de bois à hauts toits penchés, avec chacun une grande cheminée au milieu, qui laissait échapper de paresseuses traînées de fumée se mêlant aux nuages passants.

L'établissement français comptait déjà environ quatre cents âmes. Aussi l'ensemble était imposant, les maisons s'étirant le long du rivage jusqu'aux vastes prairies des marais asséchés à l'extrémité du bassin, où se déployaient les arbres fruitiers, où paissaient vaches et moutons.

D'un bout à l'autre de l'établissement il y avait deux paroisses. Cela permettait de processionner entre les deux églises les jours de fêtes.

Hors les lumières dans les habitations, le bourg paraissait peu animé à cette heure. Un troupeau de vaches qu'on devinait à sa démarche dodelinante défilait non loin du bord de l'eau. Leurs meuglements et quelques cris d'appel de bergers résonnaient.

Cantor fit arborer le pavillon de son père, l'oriflamme frappée d'un écu d'argent que tout un chacun commençait à connaître dans les parages de l'Amérique du Nord. Il n'y avait plus qu'à espérer qu'on le verrait du rivage malgré la nuit tombante et que les gens se rassureraient. La chaloupe fut descendue et les passagers y prirent place.

Ils pouvaient distinguer, en s'approchant, un groupe important sur la rive, formé surtout de femmes et d'enfants. Bonnets et fichus blancs s'ébattaient dans la pénombre comme un vol de mouettes.

— J'aperçois déjà Armand, dit Mme de Maudribourg. Il a encore grossi, le pauvre homme, la chère doit être trop bonne à Port-Royal.

On pouvait s'attendre à de grandes scènes de retrouvailles. Les Filles du roi agitaient déjà leurs mouchoirs, mais certains hommes, armés de mousquets, hélaient.

— Etes-vous anglais? Répondez!

On commença à s'expliquer à quelque distance et quand la chaloupe aborda chacun était au fait.

Tandis que Marie-la-Douce, Delphine, la Mauresque, Henriette, Jeanne Michaud et les autres, ainsi que leur inséparable Armand, se jetaient aux pieds et au cou de leur « bienfaitrice », une femme distinguée, encore jeune, bien que le visage déjà fané et marqué, sans doute par de trop nombreuses maternités, vint au-devant d'Angélique. A sa toilette bourgeoise, sobre mais qui ne manquait pas d'élégance, à sa coiffure à la française qu'elle ne protégeait que d'un petit carré de dentelle retenu par une épingle ornée d'un camée, Angélique devina que c'était Mme de la Roche-Posay.

— Je suis heureuse de vous connaître enfin, dit-elle à Angélique avec aménité. Nous avons toujours eu de bons échanges avec Gouldsboro. M'apportez-vous des nouvelles de mon mari?

— Hélas non, je suis venue moi-même dans l'intention de vous poser la même question.

— Ils finiront bien par revenir, soupira Mme de la Roche-Posay avec philosophie. Les affaires de la Baie ne vont jamais sans beaucoup de palabres? Nos époux ont appris la patience avec les Indiens, mais nous qui les attendons du haut de notre promontoire, nous trouvons parfois le temps long.

Mme de Maudribourg remercia chaleureusement la châtelaine d'avoir pris soin de ses ouailles en son absence. Angélique vit jouer sur la physionomie de leur hôtesse la même surprise qu'ils avaient tous éprouvée à Gouldsboro en découvrant sous les traits d'une aussi jeune et jolie femme la bienfaitrice des Filles du roi.

Elle les conduisit jusqu'au manoir, moitié de pierre, moitié de bois, qui avait été construit sur le site de l'ancienne habitation de Champlain et où résidait la famille propriétaire.

Dans la grande salle, une rangée d'enfants bien peignés, gentiment vêtus, attendaient. Ils saluèrent les arrivantes, les filles d'une révérence, les garçons d'un salut impeccable.

— Mais l'on se croirait à la Cour, s'exclama Angélique, devinant qu'elle avait devant elle la nombreuse progéniture du marquis de la Roche-Posay, bien stylée par leur gouvernante, Mlle Radegonde de Ferjac.

Celle-ci se rengorgea. Elle réunissait en sa personne tous les signes de l'éducatrice pour nobles familles, certainement elle-même d'origine hobereaute remontant à Saint Louis et tombée dans la pauvreté comme eût pu être la tante Pétronille qui avait élevé et éduqué tous les enfants de Monteloup. D'un âge incertain, sèche, vraiment laide, sévère, elle ne paraissait cependant pas méchante, comme l'avait suggéré Castine.

— Je vous félicite pour vos élèves, lui dit Angélique. En nos contrées, c'est un vrai miracle de rencontrer des enfants de France aussi bien élevés.

— Oh! Je ne me fais pas d'illusions, soupira Mlle Radegonde de Ferjac. Dès que ces garçons seront grands, ils courront les bois et les sauvagesses, et ces filles, il faudra les envoyer au couvent ou en France pour les marier.

— Moi, je ne veux pas aller au couvent, dit une gentille fillette de huit ans à l'air éveillé, je veux aussi courir les bois.

— Elle n'a en tête que de marcher pieds nus, soupira la gouvernante en caressant les cheveux bien édifiés en boucles de sa pupille.

— J'étais ainsi quand j'étais enfant, sourit Angélique, et je crois qu'elle s'entendrait bien avec Honorine.

— Qui est Honorine?

— Ma petite fille.

— Quel âge a-t-elle?

— Quatre ans.

— Pourquoi ne l'avez-vous pas amenée avec vous?

— Parce qu'elle est restée à Wapassou.

Il fallut répondre à un très grand nombre de questions sur Wapassou et Honorine.

Durant ce temps des serviteurs étaient entrés, déposant sur la longue table de bois toutes sortes de plats garnis de victuailles et des pichets de boissons. Des chandeliers d'argent étaient allumés aux extrémités de la table.

— C'est parfait, Radegonde, dit Mme de la Roche-Posay avec satisfaction.

— Est-ce pour nous, tout ce déploiement? interrogea Angélique. Nous sommes confus de vous causer tant de peine.

— Il le faut, dit la gouvernante péremptoire. Ces enfants ont trop rarement l'occasion de se produire dans le monde. Dès que j'ai su qu'on avait entendu la chaîne d'ancre d'un navire dans le port, j'ai fait habiller les enfants et mis en route les cuisines.

— Et si ç'avait été l'Anglais?

— Nous l'aurions accueilli à coup de boulets, lança un pétulant petit garçon.

— Mais tu sais bien que nous n'avons plus de munitions, lui reprocha une de ses sœurs aînées.

— Oh! un soldat français, s'écrièrent-ils tous en découvrant Adhémar. Quelle chance! si l'Anglais arrive, nous aurons quelqu'un pour nous défendre.

Ils coururent à lui et lui firent fête.

— Vous nous apprendrez à tirer le canon, n'est-ce pas, soldat? lui demandèrent les garçons.

— Combien de temps restez-vous avec nous? interrogea Mlle Radegonde tournée vers Angélique et Ambroisine. C'est que dans deux jours nous donnons une petite fête en l'honneur de l'anniversaire du débarquement de Champlain en ce lieu. Nous jouerons une pièce de théâtre, il y aura festin...

## 2

Il n'était pas là. Elle avait toujours su qu'il ne serait pas là! Joffrey! La paix de Port-Royal lui tomba sur les épaules comme une chape de plomb. Une idée la traversa, fugitive et terrifiante. « Un piège! un nouveau piège!... » Colin avait raison de ne pas vouloir me laisser partir...

Tout lui parut suspect. Le calme du soir, la sérénité biblique des habitants, le rire des enfants, l'affabilité de Mme de la Roche-Posay. On lui cachait quelque chose. On savait! Elle seule ne savait pas. C'était irrespirable.

Elle était venue donner tête baissée dans un piège; qui le lui avait tendu?...

Elle écouta Mme de la Roche-Posay répéter qu'elle était sans nouvelles de son époux et se plaindre une fois de plus que ces messieurs en prenaient un peu trop à leur aise, prenant prétexte de la situation politique pour abandonner leurs épouses...

Que voulait-elle lui faire entendre?

Angélique, au cours du souper, tendit l'oreille à ces plaintes, cherchant à deviner les mots, le sens caché, la menace ou la mise en garde...

La châtelaine disait que M. de Peyrac voyait grand, qu'elle craignait que son mari ne s'illusionnât, que tout cela pour un établissement français se solderait par une nouvelle incursion des Anglais venant les piller et les ruiner par représailles et que, naturellement, cela arriverait en l'absence du marquis et lorsqu'on serait tout à fait à bout de munitions pour se défendre.

— M. de la Roche-Posay ne vous a-t-il pas laissé entendre combien de temps durerait cette expédition au fond de la Baie Française? demanda Angélique qui, elle aussi, se répétait dans le désir d'obtenir quelques bribes d'espoir.

— Pas plus que le vôtre! gémit la marquise, je vous le dis! Les messieurs ont autre chose en tête que nos inquiétudes.

Angélique se persuadait qu'il y avait dans ses paroles un sous-entendu ou un avertissement qui lui échappait.

Elle remarqua qu'Ambroisine de Maudribourg au cours du repas, contrairement à son habitude, ne cherchait pas à accaparer la conversation et à la mettre sur un sujet scientifique qu'on ne lui aurait certes pas disputé, mais, au contraire, restait silencieuse. Elle ne prononça pas un mot, mangeant du bout des dents, avec une expression d'anxiété et même d'angoisse sur son visage pâle.

Elle voulut accompagner Angélique jusqu'au seuil de la maisonnette qui lui avait été dévolue et où l'on avait fait déposer sa malle, son sac et le coffre aux scalps de Saint-Castine.

Angélique la sentait tendue, en proie à un souci grave.

Au moment de la quitter, elle prit les deux mains d'Angélique dans les deux siennes qui étaient glacées.

— Voici le moment venu, fit-elle d'une voix qu'elle essayait de raffermir. J'ai reculé ce moment, mais c'est lâcheté de ma part. Angélique, vous ne méritez pas que l'on vous trompe et que l'on vous mente. C'est pourquoi je parlerai, quoi qu'il m'en coûte... J'ai trop d'affection et de respect pour vous...

Angélique s'était accoutumée aux préoccupations oratoires et aux préambules alambiqués de la duchesse, mais, curieusement, cette fois, chaque mot atteignait en elle un point sensible d'angoisse et d'appréhension, une peur affreuse l'envahit. Elle sentait ses jambes se dérober sous elle, le cœur lui manquant, cette perte brusque de la sensation, comme dans une chute, un cauchemar. Qu'allait-il lui arriver encore?... Que lui faudrait-il entendre qui ruinerait les bases sur lesquelles reposaient sa vie et toutes ses affections?

— Je ne vous ai pas tout dit quand je vous ai demandé de m'accompagner ici, à Port-Royal, continuait Ambroisine, en réalité j'avais peur... Je savais qu'il viendrait... et je ne me sentais pas de force peut-être à résister à son charme... alors je me suis dit que si vous étiez là... cela serait plus facile... cela nous sauverait toutes deux de cette terrible tentation... Et maintenant que vous êtes là, je me sens un peu rassurée, j'ai moins peur... Mais il faut que la situation soit nette, que vous soyez avertie... Je ne peux vivre dans le mensonge... J'ai assez souffert d'être obligée de vous cacher les avances qu'il m'a faites... Ce n'est pas dans mon caractère de dissimuler ainsi... Pourtant, je m'y trouvais contrainte... il me l'avait demandé expressément...

— Mais de *qui* parlez-vous? réussit à placer Angélique.

— Mais... de *lui*, s'écria Ambroisine avec désespoir, de qui voulez-vous donc que ce soit?...

Elle lâcha les mains d'Angélique et se voila le visage.

— Joffrey de Peyrac, fit-elle d'une voix étouffée, votre époux... oh! quelle honte pour moi que cet aveu... pourtant je n'ai rien fait, je vous le jure, pour provoquer sa passion... Mais le charme d'un tel homme, comment y résister... Refuser, pour le moins, de l'entendre... Lorsqu'il me disait quel plaisir rare il éprouvait à converser avec moi, lorsqu'il me pressait de l'attendre à Port-Royal, il me semblait que l'inflexion même de sa voix me promettait un paradis que je n'avais jamais rencontré... Quelle épreuve pour moi, et quelle impasse que cette rencontre! Non seulement je craignais pour mon âme et son salut une tentation subtile et délicieuse mais vis-à-vis aussi de vous, Angélique, qui avez été si bonne à mon égard et bien qu'il m'affirmait que vous étiez l'un et l'autre, par un accord tacite, libres de vos amours, j'éprouvais mille remords. C'est une des raisons pour lesquelles je suis revenue si impulsivement à Gouldsboro... Fuir... le fuir... vous retrouver... Je suis peu préparée à de telles situations sentimentales bouleversantes...

Elle laissa glisser les mains de son visage et considéra Angélique d'un air perplexe et effrayé, cherchant à deviner sa pensée.

Angélique n'était pas en état de prononcer un seul mot.

Elle souffrait d'une façon étrange, comme en suspens, comme si elle ne pouvait décider de quel côté elle allait tomber, ni ce qu'elle devait accepter ou rejeter de ces propos qui transperçaient son cœur.

— D'une certaine façon, reprit doucement Ambroisine, pardonnez-moi de le dire, mais convenez qu'il est difficile de ne pas être séduite et fascinée par un tel homme. Un moment même, j'ai eu l'illusion qu'avec lui je pourrais être heureuse. Mais voyez, je suis franche. Je ne veux pas me faire passer pour meilleure que je ne suis... J'ai trop souffert par les hommes. Je crois qu'il y a en moi quelque chose de brisé... d'irrémédiable. Même avec lui... je n'aurais pu... Alors pourquoi vous trahir vilainement, vous qui êtes la plus exquise des femmes... Je préfère me conduire en amie loyale...

Elle voulut prendre les mains d'Angélique qui retira la sienne vivement.

— Vous ai-je blessée? fit Ambroisine. Vous lui vouez donc plus d'attachement que je ne croyais? J'avais cru comprendre qu'il y avait entre vous une certaine froideur.

— Qui a pu vous faire comprendre cela?

— Mais... lui... Comme je lui faisais remarquer que j'entendais mal ces déclarations de sa part, à lui, l'époux d'une femme si belle et séduisante, il me dit qu'on se lasse de la beauté quand elle n'est pas accompagnée de la fidélité du cœur, qu'aussi bien il s'était résigné depuis longtemps à ne point réclamer l'exclusivité de votre beauté, que vous aviez droit à votre indépendance.

— Mais, c'est fou, s'écria Angélique hors d'elle, il n'a pas pu dire cela... Ce n'est pas lui, *ce n'est pas lui!*... Vous mentez!...

Ambroisine la considérait atterrée.

— Oh! qu'ai-je fait? murmura-t-elle. Vous souffrez!

— Non! jeta Angélique farouche, j'attendrai pour souffrir d'être devant les faits...

— Qu'appelez-vous les faits?...

— Qu'il me le dise lui-même.

— Vous ne me croyez donc pas?... insista la duchesse. (Elle ajouta avec un égoïsme puéril.) Oh! que vous me faites mal!...

— A moi aussi vous me faites mal!... jeta Angélique dans un cri qu'elle ne put retenir.

Elle avait l'impression qu'elle allait éclater. En cris, en sanglots. Ou tomber là, raide morte...

Ambroisine parut enfin comprendre combien elle était atteinte.

— Qu'est-ce que j'ai fait? Oh! qu'est-ce que j'ai fait? répéta-t-elle. Je ne vous croyais pas si amoureuse!... Si j'avais su, je n'aurais pas parlé... J'ai préféré vous prévenir, par loyauté... Afin que vous puissiez vous défendre à temps... Mais j'ai eu tort...

— Non, fit Angélique avec effort, comme vous le dites, il faut être prévenue... à temps!...

## 3

Elle restait étourdie de ces révélations contradictoires. Pendant un assez long temps, lorsqu'elle se fut retirée dans la maisonnette qui lui avait été allouée, elle demeura assise sur le bat-flanc, garni d'un matelas de varech, sans même songer à s'étendre et à chercher un peu de sommeil.

Etourdie était le mot. Elle flottait entre deux eaux, elle était dans un état second. Elle essayait de s'imaginer Joffrey, s'adressant à Ambroisine en ces termes de séduction dont elle connaissait le pouvoir sur elle-même, la chaleur de son regard, l'inflexion tendre et caressante de sa voix, qui enveloppait la jeune femme d'un charme difficile à rompre ou à fuir.

Cela paraissait à la fois plausible et inconcevable... Plausible! Le charme ambigu, un peu déchirant, mystérieux de cette femme étrangère, surgie des eaux, l'éclat de ses dents au bord de la pulpe rose des lèvres dans ce sourire incertain, timide et difficile à naître qui était le sien, la gravité de ses larges yeux sombres, un vertige nocturne où bien des hommes devaient se laisser prendre, la fascination d'un esprit féminin formé de mille facettes surprenantes : science, sagesse, puérilité, gaieté et désespoir, candeur et ruse, et quoi donc encore... la beauté, la grâce... tout pour faire tomber un homme la tête la première dans le gouffre ouvert sous ses pas.

C'était plausible... même pour Joffrey de Peyrac... et, en même temps, inconcevable. Parce qu'il étaient tous deux liés à la vie, à la mort, et qu'il ne pouvait pas plus disparaître de son horizon que le soleil dans le ciel.

Mais, par instants, elle éprouvait comme la sensation d'une éclipse, une sorte d'anesthésie du sentiment qui lui ôtait la perception de ses rapports exacts avec lui et avec les autres. Elle les regardait évoluer autour d'elle comme sur un théâtre... Qui était fou? Colin, Joffrey, Cantor, les protestants, le père de Vernon, elle-même?... Quelle est la chose qui les avait rendus fous? D'où venait ce désordre qui frappait aveuglément à droite, à gauche! Fallait-il croire à Satan, à son pouvoir maléfique, malmenant inconsidérément comme des marionnettes incapables de lutter, les humains égarés?

Elle se dit que tout était détruit, que tout avait un goût de cendres et que l'on ne pouvait savoir comment cela était arrivé.

Mais, en même temps, elle demeurait ferme dans sa résolution de ne rien considérer en profondeur avant d'avoir revu Joffrey.

Elle s'étendit sur sa couche avec d'infinies précautions comme si elle eût craint de briser comme verre le fragile équilibre intérieur qu'elle était parvenue à recréer en elle.

Elle dormit. Elle s'éveilla et fut très longue à prendre conscience de l'endroit où elle se trouvait. Elle se souvenait du nom de Port-Royal mais ne parvenait pas à réaliser de quoi il s'agissait. Dès que la mémoire lui revint et le souvenir de la catastrophe, elle s'interdit d'y penser.

Seule la venue de Joffrey trancherait le dilemme, l'autoriserait à quitter cet état de semi-léthargie dans laquelle elle se réfugiait, l'autoriserait à se laisser à ce désespoir délirant qu'elle sentait poindre à l'arrière-plan de son esprit, à ce désespoir plein de cris et d'appels.

« Mon amour! Mon amour! Ne me quitte pas... Je n'ai que toi... que toi!... que toi!... »

Elle s'interdisait ces cris, que répéterait l'écho des falaises, ces cris de folie...

Non! Elle n'avait rien à craindre. Il fallait attendre simplement, comme le naufragé sur son île, en refusant de lâcher la bride à son imagination tourmentée. Mais...

... Jamais journée ne lui parut plus longue que cette journée de Port-Royal où chaque seconde lui demanda un effort de patience surhumaine.

Elle devrait en connaître d'autres, à la fois plus angoissantes et plus franchement dangereuses que celle-ci, plus tard, sur le golfe Saint-Laurent.

Mais celle qui se déroula avec une lenteur infinie, dans la quiétude du petit établissement de Port-Royal, lui laisserait à jamais un souvenir de plomb, de cauchemar imprécis, impossible à dénoncer dans les apparences, et pourtant hanté de la même impuissance à le dissiper.

Lorsqu'elle s'en souviendrait plus tard, elle s'avouerait qu'elle n'aurait pu en vivre deux, dans ce même état d'incertitude mortelle et sans un seul indice à portée qui pût l'aider à s'en extraire.

Dieu merci! Les incidents de la nuit suivante dénouaient cette crise larvée... Sans cela. Elle s'avouait avec humilité qu'elle n'avait jamais été si près de perdre son équilibre, sa foi, sa joie de vivre, et de s'avouer vaincue.

Que fit-elle au cours de cette journée, douce et sereine, au parfum de verger et de pain chaud, sur les rives du bassin de Port-Royal reflétant en mille nuances pastellisées le bleu de lin d'un ciel pur?

Le matin, elle alla visiter, en compagnie de Mme de la Roche-Posay, quelques familles du village, principalement celles qui comptaient plusieurs générations en ce lieu. Belles familles patriarcales, originaires du Berri, de la Creuse ou du Limousin et aujourd'hui fortement mêlées de sang indien.

Dans la plupart des foyers de Port-Royal, la bru révélait sous sa coiffe blanche paysanne les larges yeux noirs d'une petite sauvagesse micmac que le fils avait ramenée un beau jour de ses pérégrinations dans les bois.

Pieuse, active, bonne ménagère, elle donnait naissance à de beaux enfants aux cheveux et aux yeux noirs, à la peau très blanche, qui grandissaient sagement entre les travaux des champs, la messe du dimanche, les potées de lard et de choux. Bien des sauvages mic-macs, oints d'huile de phoque ou de graisse d'ours qui, sortant des bois, hantaient Port-Royal du matin au soir, s'asseyaient au coin de l'âtre à titre de parents venus visiter leur famille française et admirer leurs petits-enfants.

Une telle atmosphère venait de l'ancienneté de Port-Royal, les germes ayant eu le temps de prendre racine et de jeter des rameaux, ou encore de sa situation fermée, close, refuge presque insoupçonnable à l'abri du long promontoire qui fermait le bassin sur les rives duquel il s'était édifié.

Les agitations et les tempêtes de la mer ou du monde, qui battaient là derrière, ne semblaient pas pouvoir parvenir jusqu'à eux. Quand les délires de la Baie Française mettaient tous les navires en péril, le bassin, lui, restait calme. L'hiver, la neige y tombait avec une douceur silencieuse et non en flagellant sur son passage.

Ce retrait, ce calme, ôtait aux habitants le goût de s'évader vers l'horizon.

Avec l'aide des Hollandais qui, également, au cours de leur histoire, avaient eu Port-Royal entre les mains, les colons acadiens avaient asséché les marais et créé des arpents de prairies où paissaient désormais vaches et moutons, où s'étendaient de superbes vergers.

Bien qu'ils fussent pauvres, manquant, une partie de l'année, du nécessaire en fer, étoffes, munitions, surtout quand le navire de la Compagnie tardait à arriver de France, une certaine richesse bucolique se dégageait de cet actif établissement français, où lait, beurre, lard ne manquaient point, où fruits et légumes étaient abondants et savoureux, où chaque jeune fille devait avoir filé et tissé sa paire de draps de lin et chaque garçon savoir ferronner la roue d'une charrette avant d'être reconnus aptes à fonder un foyer.

Mme de Maudribourg essaya de se joindre aux deux dames dans leur promenade.

Mais Angélique n'était pas disposée à se montrer

aimable envers elle, bien qu'Ambroisine cherchât avec anxiété à capter son regard.

Le groupe de *La Licorne* s'était refermé étroitement autour de la « bienfaitrice ». Malgré ses naïvetés et cet aspect assez inconscient de certains de ses actes qu'Angélique était peut-être la seule à connaître la duchesse avait réellement un ascendant exceptionnel sur son entourage, autorité à laquelle n'échappaient ni le secrétaire à lunettes, ni la vieille Pétronille Damourt, ni même le rude Job Simon.

— Les Filles du roi sont honnêtes, instruites, gentilles, fit remarquer Mme de la Roche-Posay comme le groupe s'éloignait de nouveau avec Mme de Maudribourg. Je les garderai volontiers pour quelques-uns de nos jeunes gens, mais leur protectrice n'a pas l'air d'y consentir. Pourtant, elle n'a pas hésité à me les expédier sans me donner d'explications. J'ai dû les nipper, les restaurer plusieurs jours sur ma cassette. Elle est un peu étrange, vous ne trouvez pas?

Vanneau essayait d'obtenir de rencontrer Delphine du Rosier seul à seul. L'après-midi, Angélique monta avec les petits de la Roche-Posay la rude côte du promontoire à laquelle s'adossait l'établissement.

De la crête, on découvrait, d'un côté, parmi les feuillages agités par le vent, la mer verte et toujours tempétueuse de la Baie Française, de l'autre la calme étendue du bassin, brillant comme un étain poli, entre les troncs d'arbres.

Aucune voile de navire à l'horizon. Seules quelques barques de pêche. Ils redescendirent vers le village. Les garçons de la Roche-Posay s'entendaient très bien avec Adhémar. Pour ne pas les décevoir, car il était toujours attendri par les enfants, il consentit à examiner avec eux le canon d'une des plates-formes en tourelle d'angle qui défendait, en théorie, le port. Il avait quand même appris pas mal de choses au cours de ses années de service forcé. Il put leur expliquer le maniement de l'engin, comment on le nettoyait, le bourrait, l'allumait. En cherchant bien, il découvrit çà et là quelques boulets entreposés, qu'on monta en petites pyramides, près du canon. Cela prenait aussitôt un air rassurant. « Heureusement que vous êtes venu, soldat, disaient les enfants sous prétexte qu'il n'y a pas de munitions pour repousser l'ennemi, on laisse notre défense à vau-l'eau... » Adhémar se rengorgeait.

La journée passait ainsi, lente, douce, insupportable. Le soir venu, le ciel d'orage se chargeait de tension infernale, les visages sereins cachaient des peurs incommunicables. C'était secret, invisible et horrible comme tout ce qui était arrivé ces derniers temps, cela se passait au fond des âmes, chacun se croyant le seul à *savoir*. Cela stagnerait longtemps avant d'émerger à la surface de la réalité par le crime, la luxure, la folie, le désastre ou la trahison.

Pourtant le repas du soir dans la grande salle du manoir seigneurial fut une réception agréable. Mme de la Roche-Posay y avait convié, en sus d'Angélique et de la duchesse, quelques notables du pays, les aumôniers, le secrétaire Armand Dacaux.

Cantor était présent également. Ce fut lui qui déclencha l'orage parmi les humains, tandis que celui qui tournait dans les cieux en gros nuages pesants de pluie ne se décidait pas à éclater et ne s'annonçait que par de sourds grondements, des éclairs muets spasmodiques. Un vent tiède faisait onduler les champs de blé, et les hampes de lupins roses, bleus et blancs qui foisonnaient, si beaux et grands qu'ils donnaient à tout le village un air de fête permanente.

La chère était fine à la table des hobereaux : du crabe assaisonné d'une pointe de gingembre et d'un filet de liqueur, un gigot de venaison en croûte, des salades en abondance et, dans des corbeilles, les fameuses cerises de Port-Royal d'un beau corail vif. Au dessert, Mme de la Roche-Posay fit servir un vin tiré de la vigne sauvage. Il était noir comme l'encre et assez capiteux. La conversation fut aussitôt très animée. En bonne hôtesse, la châtelaine donnait aux convives l'occasion de briller. Elle avait entendu parler de la réputation de savante de Mme de Maudribourg et lui posa quelques questions points sottes.

Ambroisine se lança immédiatement dans un sujet ardu, mais qu'elle avait l'art de présenter avec tant d'habileté que chacun pouvait se croire, quelques instants, un esprit particulièrement ouvert aux sciences mathématiques. Son charme personnel aidant, elle retint l'attention générale. Angélique revoyait la scène qui avait eu lieu sur la grève de Gouldsboro, lorsque Ambroisine avait parlé de l'attirance de la lune sur les mers.

Le regard attentif de Joffrey fixé sur Ambroisine. C'était tellement insupportable qu'elle préféra chasser cette vision. D'ailleurs, c'est à cet instant que Cantor éclata. Ambroisine évoquait sa correspondance avec le savant Kepler. Cantor s'exclama :

— Encore cette sottise. Mais Kepler est mort depuis déjà belle lurette, en 1630...

Interrompue, Ambroisine le regarda avec étonnement.

— Si je ne suis pas morte, il n'est pas mort non plus, dit-elle en souriant légèrement. Encore récemment, un peu avant mon départ d'Europe, j'ai reçu un pli de lui traitant des orbites des planètes.

Le jeune garçon haussa furieusement les épaules.

— Impossible! C'est un savant du siècle dernier, vous dis-je.

— Seriez-vous donc plus au courant des savants que votre père?

— Pourquoi?

— Parce que lui-même m'a dit qu'il avait jadis entretenu une correspondance avec Kepler.

Cantor devint pourpre et allait rétorquer violemment lorsque Angélique l'interrompit avec fermeté.

— Cantor, assez! Il est inutile de batailler là-dessus. Après tout les noms de savants allemands se ressemblent, Mme de Maudribourg et toi vous devez faire confusion là-dessus. N'en parlons plus.

Mme de la Roche-Posay changea de sujet en proposant un verre de rossoli. C'était les dernières gouttes du fût qu'elle avait reçu de France l'an dernier. Si le bateau de la Compagnie tardait à arriver...

— Ces jeunes gens d'ici ont le sang bouillant, dit-elle, lorsque Cantor, après avoir courtoisement pris congé, fut sorti de la pièce, la vie qu'ils mènent les porte à ne redouter aucune autorité et même à la mépriser d'où qu'elle vienne.

Les maringouins commençaient à susurrer dans le crépuscule traversé d'éclairs silencieux. Les hôtes prirent congé. Angélique alla à la recherche de Cantor qui logeait dans un petit appentis attenant à une ferme. Elle eut la chance de le trouver.

— Quelle mouche t'a piqué tout à l'heure de te montrer si insolent envers Mme de Maudribourg?... Tout pirate ou coureur de bois que tu te considères, tu ne dois pas oublier que tu es chevalier et que tu as été page du roi. Tu dois courtoisie aux dames.

— J'ai horreur des femmes savantes, fit Cantor d'un ton supérieur.

— Parce que jadis, précisément à la Cour, tu as vu les comédies de M. Molière.

— Oh! je me souviens, c'était drôle. (Et Cantor s'anima à ce souvenir. Puis il s'assombrit, de nouveau.) N'empêche qu'on ferait mieux de ne pas apprendre à lire aux femmes.

— Ah! te voilà bien un homme! s'écria Angélique en lui ébouriffant les cheveux avec une gaieté mélangée d'irritation. Apprécierais-tu de me voir sotte et incapable de déchiffrer le moindre grimoire?

— Vous, ce n'est pas la même chose, dit Cantor avec l'illogisme des fils qui adorent leur mère, n'empêche qu'une femme est incapable d'aimer le savoir pour lui-même. Elles ne s'en servent, comme celle-là, que pour s'en parer comme des plumes du paon, et mieux séduire ces crétins d'hommes qui s'y laissent prendre.

— Mme de Maudribourg possède certainement une intelligence supérieure..., dit Angélique avec prudence.

Cantor serra les lèvres et détourna la tête d'un air buté. Angélique sentait qu'il brûlait de dire quelque chose, mais qu'il se tairait parce que « naturellement, elle ne pourrait pas le comprendre ». Elle le quitta en lui rappelant une fois de plus que les qualités d'un jeune seigneur comportent aussi celles de se montrer amène dans le monde.

Il avait le don de l'agacer et même de la décourager elle-même par l'insatisfaction qu'il éprouvait de la conduite de son prochain.

La nuit pesait sur ses épaules un poids de plomb. Elle trouvait la nuit fort épaisse et comme menaçante, et chaque maison, close sur la lumière de l'âtre, lui parut hostile et recelant un ennemi caché, qui suivait du regard sa démarche. Dans quelle demeure se cachait-il, préparant ses pièges?

Elle courut. Elle avait hâte de se réfugier dans son petit logis et même de s'y barricader, ce qui était assez sot.

Avant de parvenir à sa cahute, elle devait traverser une cour derrière l'habitation principale, puis, pour en sortir, une sorte de passage voûté, assez long, qui formait porte. Comme elle le franchissait, elle crut sentir que quelqu'un la guettait, tapi dans cette ombre épaisse.

Le temps instinctif d'enregistrer cet avertissement, et déjà deux bras — horreur! — la saisissaient par-derrière, paralysant ses mouvements. Leur force était irrésistible. On eût dit deux serpents brûlants cherchant à l'enlacer pour l'étouffer. L'obscurité était profonde sous le porche. On ne pouvait rien voir. Et sous l'effet d'une surprise horrifiée, aucun son ne parvenait à sortir de la gorge d'Angélique. L'étreinte de ces bras lui causait une sensation indescriptible et inusitée.

*Car ce n'était pas des bras d'homme.*

C'était doux, chaud et féminin, de même que la voix qui lui parlait à l'oreille — elle n'eût su dire en quelle langue — et qui lui causait la même impression de frayeur et de dégoût, lui donnait celle de glisser vertigineusement dans un piège mortel dont aucune force humaine ne pourrait la sauver. Ce fut si intense et terrible que peut-être se fût-elle évanouie d'horreur et de répulsion si un soudain éclair, traversant les nuées à l'horizon, n'eût illuminé l'obscurité du porche et qu'à sa lueur elle n'eût reconnu, proche du sien et la considérant avec étonnement, le visage d'Ambroisine de Maudribourg.

— Ah! c'est vous! réussit-elle à articuler tandis qu'il lui semblait que son sang se remettait difficilement à circuler dans ses veines. Pourquoi m'avez-vous fait cette peur stupide?

— Peur! Quelle peur! ma chère. Je vous attendais pour prendre congé de vous, c'est tout, et vous marchiez si vite, plongée dans vos pensées que j'ai dû vous arrêter.

— Soit! excusez-moi, dit Angélique froidement, mais... c'est enfantin. A l'avenir soyez plus simple! Vous m'avez causé une telle frayeur que j'en tremble encore.

Elle avait essayé de faire quelques pas, mais s'apercevait que ses jambes étaient de plomb et ne la portaient plus. Elle dut s'appuyer à l'entrée de la voûte. Elle respira l'air plus frais, cherchant à calmer les battements désordonnés de son cœur. Mais l'air, ce soir, était opaque, lourd, chargé de senteurs exacerbées par l'orage et ne la soulageait pas. Elle continuait à se sentir défaillante, habitée de cette angoisse qui lui ôtait jusqu'à la faculté de raisonner et lorsque de nouveau son regard se posa sur le visage d'Ambroisine, levé vers elle, la peur revint.

C'était subtil et encore incertain. La lumière sourde du feu qui brûlait bas dans l'âtre de la petite maison où elle habitait et qui venait jusqu'à elles par la porte ouverte, jetant des lueurs intermittentes, un peu roses, et jusqu'à la lumière des étoiles entre les nuages et leur reflet ténu à la surface de la mer, créaient autour d'elle et d'Ambroisine une semi-clarté, que déchirait par instants un éblouissant et silencieux éclair, jailli de l'horizon nocturne. Tard ensuite et loin on entendait rouler les grondements étouffés de l'orage. Cependant, même lorsque l'ombre retombait, Angélique pouvait voir Ambroisine, grâce à cette phosphorescence de la nuit où se mêlaient les différents reflets des éléments et il lui semblait que la blancheur de ce visage s'intensifiait jusqu'à émettre lui aussi une lumière anormale, et que le feu sombre des prunelles étranges où dormait une lueur d'or s'accentuait, se chargeant d'un pouvoir maléfique qui la laissait, elle, Angélique, incapable d'échapper à ce charme.

— Vous m'en voulez, dit Ambroisine d'une voix changée, vous vous êtes éloignée de moi, je le sens et cela m'est horrible!... Pourquoi, pourquoi? En quoi vous ai-je blessée, ma merveilleuse? Je n'aurais point voulu cela!... Combien m'indiffèrent des hommages qui ne peuvent émouvoir mon être, alors qu'un seul sourire de vous m'est plus précieux, plus délicieux, que tout au monde...

Ma merveilleuse!... Combien vous ai-je attendue!... Combien vous ai-je espérée... et enfin vous êtes devant moi, contre moi, si belle. Ne me jugez pas... je vous aime...

Elle avait noué ses bras autour du cou d'Angélique et elle souriait. Ses petites dents avaient l'éclat des perles, elles miroitaient comme des étoiles.

Les paroles semblaient venir de très loin comme portées par un vent sombre et étranger.

Angélique sentit sa chair se hérisser.

Il lui parut voir danser autour d'Ambroisine des langues de flammes qui s'assemblaient, écrivant sur le fond phosphorescent de la nuit des mots... ces mots qui rôdaient autour d'elle depuis qu'elle avait mis les pieds en Amérique, ces mots qu'elle avait lus, écrits de la main du Jésuite, sur la lettre au père d'Orgeval, ces mots fous, sans signification, ces mots rituels, invraisemblables, ridicules, et qui, surgissant subitement de sa pensée, s'imposaient à elle avec une effrayante certitude : *la Démone! l'Esprit succube!*

— Vous ne m'écoutez pas, fit tout à coup Ambroisine, vous êtes là à me fixer d'un air hanté. Qu'ai-je dit de si effrayant?

— Qu'avez-vous dit?

— J'ai dit que je vous aimais. Vous me rappelez notre mère abbesse... Elle était très belle, très froide, mais il y avait un feu terrible derrière son visage impassible.

Elle eut un rire doux, un peu ivre.

— J'aimais lorsqu'elle me prenait dans ses bras, murmura-t-elle.

Son expression changea encore et, de nouveau cette sorte d'aura, qui n'était peut-être visible qu'aux yeux d'Angélique, parut sourdre de toute sa personne, et surtout de sa face, de ses yeux et de son sourire, rayonnant d'une exaltation passionnée.

— Mais vous êtes plus belle encore, dit-elle avec tendresse.

Un sentiment indéfinissable la transfigurait, au point qu'Angélique se dit qu'elle n'avait jamais rencontré un être aussi beau. Cela avait quelque chose de supraterrestre. « La beauté des Anges », songea-t-elle.

Et son cœur défaillit mais cette fois sous la poussée d'une sensation inconnue, celle de se détacher de la terre, pour communiquer avec le monde irréel invisible aux humains. D'un élan intérieur qui ressemblait à celui que prend le noyé au fond de la mer pour revenir à la surface, elle échappa à ce vertige. La peur avait reculé devant un sentiment de curiosité intense.

— Qu'avez-vous, Ambroisine? Vous n'êtes pas dans votre état normal ce soir? On dirait que vous êtes possédée.

La jeune femme lança un éclat de rire strident, mais qui s'adoucit.

— Possédée! Quel grand mot!

Un sourire indulgent jouait sur ses lèvres.

— Comme vous êtes émotive, mon amie, et comme votre cœur bat! dit-elle en posant sa main sur le sein d'Angélique.

Une tendresse ardente vibrait dans sa voix.

— Possédée, non. Mais fascinée?... Certes, fascinée par vous! Oui, je le suis. Ne l'avez-vous pas compris tout de suite? Dès que je vous ai vue sur la grève, là-bas, à Gouldsboro, je suis tombée sous votre empire et ma vie a pris un autre sens. J'aime votre grand rire, si gai, votre violence, votre ferveur de vivre, la douceur de vos gestes envers les autres... Mais, plus que tout, votre beauté me bouleverse...

Elle posa sa tête sur l'épaule d'Angélique.

— J'ai tant rêvé ce geste, murmura-t-elle. Quand vous parliez d'Honorine, votre fille, j'étais jalouse. J'aurais voulu être à sa place et connaître la chaleur de votre corps. J'ai froid, dit-elle avec un frisson. Le monde est peuplé de terreurs. Seule, vous êtes le refuge et la volupté.

— Vous perdez l'esprit, dit Angélique qui, elle, perdait pied et n'arrivait pas à se dégager.

Une impression de demi-songe l'envahissait. Sur l'étoffe de son corsage elle sentait les ongles d'Ambroisine griffer légèrement et cela faisait à ses oreilles un bruissement terrifiant.

Pour détacher d'elle les mains qui s'agrippaient et forcer la femme à reculer, elle dut accomplir un immense effort.

— Vous avez trop bu, ce soir. Ce vin sauvage était fort.

— Ah! ne recommencez pas à vous conduire en dame de grande vertu! Certes, cela vous va à ravir. Vous savez bien composer votre personnage de séductrice. Tous les hommes s'y laissent prendre. Ils aiment la vertu, à condition qu'elle soit prête à faillir devant leurs passions. Mais entre vous et moi il n'y a pas besoin de ces ruses, n'est-ce pas? Nous sommes belles toutes deux et nous aimons le plaisir. Ne m'accorderez-vous pas un peu d'amitié malgré ce que je vous ai dit hier soir?...

— Non, je ne puis.

— Pourquoi? Pourquoi non, ma bien-aimée? Elle riait de son rire doux et bas qui avait quelque chose de charnel, d'envoûtant.

Un éclair qui vint projeter dans un coin sombre où se déroulait leur dialogue, une lueur crue et aveuglante, montra à nouveau aux yeux d'Angélique ce visage que transformait un sentiment de passion indescriptible et qui parait Ambroisine de Maudribourg d'une beauté surnaturelle. Oui, vraiment jamais elle n'avait vu un être aussi beau. A son tour, elle demeurait fascinée.

— Pourquoi non? Les hommes ont-ils tant d'importance pour vous? Pourquoi paraissez-vous si déconcertée par mon désir? Vous n'êtes pas naïve, que je sache. Et vous êtes sensuelle. Vous avez vécu à la Cour, même vous y meniez les plaisirs du roi, m'a-t-on dit. Mme de Montespan m'a conté à votre propos maintes anecdotes libertines. Les auriez-vous oubliées, madame... madame du Plessis-Bellière?... Sachant ce que je sais sur vous, je ne peux croire que vous refusiez un instant de plaisir lorsqu'il se présente...

Profitant de la stupeur d'Angélique, entendant évoquer Mme de Montespan et sa vie passée à la Cour, la duchesse de Maudribourg avait dégagé ses poignets des mains qui les retenaient.

Elle les frotta doucement, comme si l'étreinte d'Angélique les eût meurtris, et ses yeux brûlants continuaient à observer celle-ci dans la pénombre, que hachaient de temps à autre des lueurs fulgurantes.

Une soudaine expression d'amertume tordit sa bouche.

— Pourquoi vous montrez-vous si froide? Si un homme vous caressait vous vibreriez déjà d'une autre façon, j'en suis certaine. N'avez-vous jamais goûté ces plaisirs de la main d'une femme? C'est dommage! Ils ont leurs charmes.

Elle eut à nouveau son rire de gorge, à la fois irritant et charmeur.

— Pourquoi laisser aux seuls hommes le soin de nous rendre heureuses? Ils sont si peu doués, les pauvres pataudds!...

Elle rit encore, mais cette fois d'un éclat brusque, grinçant et métallique.

— Leur science est si courte! Tandis que la mienne...

Elle se rapprocha d'Angélique et ses bras lisses, au parfum tiède, l'enlacèrent de nouveau.

— La mienne est infinie, chuchota-t-elle.

Ses bras étaient d'une douceur veloutée, mais

leur suavité même causa à Angélique une horreur inexprimable.

Comme tout à l'heure quand elle avait été arrêtée sous le porche, elle avait l'impression qu'un serpent souple et d'une force irrépressible s'enroulait autour d'elle, se lovant avec une égoïste sensualité à son corps, l'oppressant d'une étreinte doucereuse et avide.

Qui a dit que les serpents sont froids, visqueux? Ce serpent-là, animé d'une vie chaleureuse, d'une tendresse bouleversante, d'un charme insinuant et impérieux, avec la lumière fixe et rayonnante de son beau regard humain fixé sur elle, elle savait qu'il était le Serpent, et qu'il surgissait tout droit des brumes enchantées de l'Eden, des splendeurs du jardin sans nom, aux premiers jours du monde, où s'épanouissaient toutes les splendeurs de la création, où toute chair était innocente...

Si forte était son impression qu'elle ne se fût pas étonnée de voir une langue fourchue glisser subtilement entre les lèvres rouges entrouvertes d'Ambroisine.

— Tu sauras tout, dit cette bouche près de la sienne, et je te devrai tout. Ne me refuse pas la seule volupté que je puisse connaître sur terre.

— Laissez-moi, dit Angélique, vous êtes folle.

Les bras qui l'emprisonnaient relâchèrent leur étreinte et la vision à la fois effrayante et paradisiaque parut s'effacer, tandis que retombait la nuit trouée d'éclairs. Les sons et les mouvements de la réalité alentour revinrent à la perception d'Angélique : le chant strident des cigales, le froissement des flots sur la grève.

Ce fut à peine si elle perçut le bruit de pas qui s'éloignaient tandis que la silhouette d'une femme courant se fondait dans la nuit comme un blanc fantôme.

# 4

Angélique se retrouva assise sur sa couche de varech, dans la petite maison de bardeaux. Elle était abasourdie, et en même temps l'incident qui venait de se passer et qu'elle n'était pas très sûre encore de ne pas avoir rêvé avait comme dissipé la tension oppressante qui l'avait hantée tout le jour. Il lui semblait être brutalement retombée sur ses pieds et elle en éprouvait un certain soulagement. Ainsi elle s'était posé maintes fois la question angoissante : « Qui est fou?... Colin, Joffrey, moi-même, les Anglais, les Huguenots, le père de Vernon? » Tout à coup la réponse éclatait en évidente clarté. C'est *elle* qui est folle. Elle, la duchesse de Maudribourg.

Et à cette lumière bien des choses lui semblaient se remettre en place : les propos de Colin et ceux des deux pirates qu'elle prétendait avoir surpris et aussi ceux qu'elle prêtait à Joffrey, et même les paroles d'Abigaël chargée de s'informer de la part des protestants si les Filles du roi demeuraient à Gouldsboro, méfiance qui avait blessé Angélique. Soudain, passait fugitivement le visage hautain du jésuite fronçant les sourcils lorsque Angélique lui avait dit : « Vous vous êtes opposé à ce que les Filles du roi demeurent à Gouldsboro. »

Et lui : « Moi? Je ne me suis pas mêlé de cette affaire... »

C'était bien pourtant Ambroisine qui lui avait dit, à elle : « Le père de Vernon s'y oppose absolument... Il craint pour l'âme de mes filles. »

Mensonges!... Travestissement de la vérité et des apparences par l'habileté d'un espoir égaré.

Il était assez inattendu que la révélation d'un aspect insoupçonnable de la personnalité de la duchesse, ses dispositions à des passions coupables qu'Angélique ne lui eût jamais prêtées, lui révélassent en même temps comme découlant de source sûre, que d'elle venaient tous les mensonges. Mais une logique se dégageait de ces événements troubles et décevants. La transformation d'Ambroisine, ce n'était pas une transformation. C'était son attitude première, celle qu'elle avait adoptée devant Angélique, de jeune femme d'œuvres, pieuse, dévouée, un peu exaltée de religion, puis dévoilant peu à peu les tourments cachés de son âme meurtrie, c'était ce personnage-là qui était un mensonge. La vraie Ambroisine, c'était celle qui tout à l'heure avait prononcé de si étonnantes paroles...

« Mais quelles étonnantes paroles? » s'interrogeait-elle, de nouveau déconcertée et doutant de bien saisir la situation. Un être désaxé, s'égarant à la suite de libations un peu trop généreuses, s'abandonnant à des déclarations amoureuses insolites, dont demain elle aurait honte.

Non, en cela même ne résidait pas la solution du mystère... Folle, désaxée, oui, mais de là à la charger de tout le poids de la cabale sanglante et si nettement concertée qui s'attaquait à elle et à Joffrey, n'était-ce pas tomber dans l'excès contraire?...

Puis, un aveu tombé d'Ambroisine lui revenait : « Nous sommes belles toutes deux et nous aimons le plaisir... »

Alors, un instant, il lui paraissait avoir capté entre ses mains la véritable Ambroisine, et non plus celle aux larges yeux de biche traquée qui gémissait : « Je ne peux supporter qu'un homme me touche... Vous ne pouvez savoir ce que c'est d'être une enfant de quinze ans livrée à un vieillard lubrique. »

Celle qui avait inspiré sa pitié. Qu'était-elle? Dangereuse, amorale ou pitoyable?

Comment savoir la vérité? Qui pouvait parler sans fard d'Ambroisine de Maudribourg? Ses protégés l'aimaient et la vénéraient visiblement.

Et elle s'avisait qu'elle n'avait jamais parlé avec quiconque de la duchesse de Maudribourg, de l'opinion que les uns ou les autres en avaient, ni avec Abigaël ni avec Joffrey.

Joffrey l'avait simplement renseignée sur le duc de Maudribourg, son mari, renseignements qui correspondaient à ce qu'Ambroisine lui en avait appris par la suite. Le comte avait reconnu aussi qu'elle était fort savante.

Mais ce qu'il pensait, lui, de la « bienfaitrice », elle l'ignorait, et cela lui causa, lorsqu'elle s'en avisa, une impression désagréable, comme chaque fois qu'elle associait dans sa pensée le nom d'Ambroisine à celui de Joffrey. Son mari ne lui avait pas tout dit au sujet de cette femme et même il lui semblait qu'il avait voulu lui cacher certains faits. Avait-elle donc été dupe? Les gens ne parlaient pas d'Ambroisine de Maudribourg, c'était un fait. Hasard ou réflexe, de crainte ou d'incertitude?

Elle évoquait la scène sur la plage de Gouldsboro quand elle avait vu tous les yeux des hommes présents, même ceux de Joffrey, fixés sur Ambroisine. La voyaient-ils en cet instant comme elle l'avait vue tout à l'heure? Transfigurée par on ne sait quelle flamme intérieure et joie surhumaine.

« Dieu! Qu'elle était belle! » se dit-elle avec effroi.

Quel homme pouvait résister à l'attirance de cette beauté si elle lui devenait perceptible? Est-ce là le charme dont se pare toute femme lorsqu'elle aime vraiment et que le désir la possède?... « Est-ce que j'ai cette tête-là, moi, quand Joffrey me prend dans ses bras?... Oui, peut-être? »

Mais encore! L'anomalie ne venait pas seulement de là. Une femme usant de ses charmes, retenant l'attention... Cela ne suffisait pas pour qu'Angélique s'écriât aussitôt : « C'est ELLE qui est folle! Les mensonges, tous les mensonges, c'est ELLE... »

Alors, repensant à la scène récente qui s'était déroulée entre elle et Ambroisine, elle comprit ce qui était insolite, anormal, c'était la frayeur absolument indescriptible qu'elle avait éprouvée lorsque Ambroisine avait noué ses bras autour d'elle.

Or, le fait en lui-même ne méritait pas tant d'effroi.

Bien qu'il fût pour la surprendre, car pas un instant jusqu'alors la pensée ne l'avait effleurée que la pieuse et ravissante veuve pût sacrifier au culte de Sapho.

Au contraire, si un soupçon l'avait effleurée, ç'avait été pour craindre la puissance du charme de Joffrey sur une nature qui paraissait douée de tous les attributs de la séduction féminine : beauté, jeunesse, intelligence, grâce, puérilité, et qui auraient pu user à son tour de ses armes pour conquérir cet exceptionnel personnage, ce grand seigneur du bout du monde que bien peu de femmes pouvaient considérer avec indifférence.

Angélique avait craint pour Joffrey. Elle devait se l'avouer franchement maintenant. Et voici que c'était à elle qu'Ambroisine faisait des déclarations...

Il y avait de quoi demeurer quinaude. Mais pas de quoi se pétrifier de terreur comme elle l'avait fait.

Au cours de son existence et surtout de sa vie à la Cour, elle avait eu à se tirer de situations plus épineuses que celles de refuser les avances amoureuses d'une femme. A la Cour, tous les plaisirs régnaient. C'était le poison dont se grisait cette foule avide, folle de contenter ses sens sollicités par toutes les jouissances terrestres.

Chacun buvait à la coupe qui lui paraissait la plus savoureuse ou la plus prometteuse de sensations nouvelles, le dixième commandement étant enfreint de toute façon, dès que le corps était en jeu. L'idée du péché ajoutait un piment supplémentaire aux délicieuses défaillances des sens et aussi la peur de l'Enfer auquel, naturellement, on voulait échapper. Heureusement les aumôniers étaient là pour ça...

Dans ce ballet mi-céleste, mi-infernal qui se menait à Versailles, la beauté d'Angélique l'avait placée maintes fois dans la nécessité de causer de cruelles déceptions. Mais c'était dans les règles du jeu.

Par expérience, et aussi guidée par son instinct naturel, le respect inné qu'elle avait d'autrui et qui la rendait indulgente aux passions humaines, s'il ne s'y mêlait pas de cruauté, elle avait acquis la science de préserver sa liberté et ses sentiments sans se faire d'ennemis. Sauf avec le roi, évidemment! Mais c'était une autre question.

Alors pourquoi cette panique qui l'avait paralysée au point même de la laisser un moment sans réaction comme un lapin stupide devant le serpent.

Le serpent! Encore cette image! « C'est parce qu'elle est folle, sans doute... la vraie folie inspire la peur... Non, j'ai eu peur dans ma vie et j'ai rencontré des fous... Mais, tout à l'heure, c'était autre chose! C'était comme toutes les terreurs mêlées... Le mythe terrifiant! Le Mal!... *Qui est-elle?* »

Elle se leva prise d'une inspiration subite. Il y avait quelqu'un à Port-Royal qui, peut-être, pourrait lui parler ouvertement sur la duchesse de Maudribourg, quelqu'un qui la détestait cordialement et ne le cachait pas. Connaître les raisons de cette antipathie aiderait peut-être Angélique à se faire un jugement plus exact sur l'étrange créature.

Elle sortit de la maison. L'orage lointain continuait de rouler au fond de l'horizon ténébreux. Mais un silence ouaté pesait sur le village. Il semblait qu'on dormît solidement et la conscience pure à Port-Royal.

Elle descendit la côte jusqu'aux premières maisons qui bordaient la plage.

En approchant du logis de Cantor, elle vit briller la lampe derrière la lucarne entrouverte et s'arrêta. Etait-il seul? Sait-on jamais avec ces jeunes gens! Mais, jetant un coup d'œil à l'intérieur, elle sourit. Car il s'était endormi la main encore tendue vers un énorme panier de cerises qu'il avait posé près de sa couche sur un escabeau. Malgré la forte musculature de son beau corps d'adolescent, sur lequel il avait jeté négligemment une couverture, il ressemblait toujours, à ses yeux, au petit Cantor joufflu, qui s'endormait jadis, chaque soir, comme un ange. Dans l'entremêlement de ses boucles d'un blond mordoré, son visage tanné, sa bouche renflée, un peu boudeuse — la bouche des Sancé de Monteloup — ses paupières aux longs cils soyeux, gardaient la candeur de l'enfance. Elle pénétra subrepticement dans la cahute et vint s'asseoir à son chevet.

— Cantor!

Il sursauta, ouvrit les yeux.

— Ne crains rien. Je suis seulement venue te demander un avis. Que penses-tu de la duchesse de Maudribourg?

Elle le prenait au débotté, afin qu'il n'eût pas le temps de se méfier et de se refermer sur lui-même à son habitude.

Il s'assit, à demi appuyé sur un coude, et la regarda d'un air soupçonneux.

Elle attrapa le panier de cerises et le posa entre eux deux. Les fruits réjouissaient l'œil et le palais. Ils étaient énormes, brillants et vraiment d'un rouge cerise étincelant.

— Donne-moi ton opinion, insista-t-elle. J'ai besoin de savoir ce que tu sais d'elle.

Il prit le temps de croquer deux cerises et de cracher les noyaux.

— C'est une putain, déclara-t-il enfin avec solennité, la plus effroyable putain que j'ai rencontrée dans ma vie.

Angélique n'osa pas lui faire remarquer que sa vie ne comptait que quinze années et que, dans ce domaine un peu particulier, elle était plus courte encore.

— Qu'entends-tu par là? demanda-t-elle d'un ton neutre, tout en prenant une poignée de cerises et en contemplant dans le creux de sa main leur rubis étincelant.

— Qu'elle débauche tous les hommes, dit Cantor, et même mon père... Elle a essayé... et même moi.

— Tu es fou, dit Angélique en sursautant. Veux-tu dire... Veux-tu dire qu'elle t'a fait des propositions?

— Mais oui! affirma Cantor avec un mélange d'indignation et de satisfaction naïve, pourquoi pas?

— Un gamin de seize ans... Une femme de cet âge... et puis... non, c'est impossible, tu perds la tête!

Qui était fou?... Tous, et chacun, semblait-il. Bien qu'elle fût préparée, depuis ce soir, à tout entendre, le renversement était trop brutal de l'image qu'elle s'était faite d'Ambroisine de Maudribourg, pieuse, pudique et même frigide, éloignée de l'amour et des hommes, un peu enfantine, guindée, dame d'œuvres, Ambroisine, agenouillée récitant le chapelet pendant des heures avec toute sa troupe fidèle.

— Les Filles du roi ont pour elle un respect, une considération filiale... Si elle était ainsi... elles le sauraient...

— Je ne sais pas comment elles se débrouillent avec elle, dit Cantor, mais, ce que je sais, c'est qu'elle a mis tout Gouldsboro à l'envers... Pas d'homme, vous dis-je, qui n'aurait eu droit à ses assauts et qui saura ceux qui ont succombé... J'ai mes idées là-dessus et ce n'est pas pour me donner de l'estime pour certaines gens...

— Mais c'est fou! répéta Angélique, s'il se passe tout cela à Gouldsboro ces temps derniers, je m'en serais aperçue...

— Pas forcément!...

Et il ajouta avec une sagacité surprenante :

— Lorsque tout le monde ment, on a peur, on a honte, on se tait pour une raison quelconque. Il est difficile de voir clair. Vous aussi, elle avait su vous circonvenir à sa façon. Et pourtant elle vous hait comme je ne pense pas qu'on puisse pousser plus loin la haine... « C'est ta mère qui te veut sage? me disait-elle lorsque je repoussais ses avances. Et tu veux lui obéir comme un bon petit garçon, comme tu es sot! Elle n'a pas à te garder pour elle. Elle croit que tout le monde l'aime et que l'on se rend de bonne grâce à son pouvoir, mais il est facile au fond de l'abuser en attendrissant son cœur. »

— Si elle a dit cela... s'exclama Angélique, suffoquée, si elle t'a parlé ainsi... à toi!... mon fils! alors... elle est véritablement *diabolique*...

— Oui, elle l'est! dit Cantor.

Il repoussa sa couverture et attrapa son haut-de-chausses.

— Venez avec moi, décida-t-il, je pense qu'à cette heure de la nuit je vais pouvoir vous fournir sur elle quelques preuves intéressantes...

Ils traversèrent une partie du village. Instinctivement, ils marchaient sans bruit comme ils avaient appris à le faire au contact des Indiens.

La nuit était encore profonde. Bien des chandelles, de ceux qui tardivement œuvraient, s'étaient éteintes. Cantor paraissait voir dans l'obscurité comme les chats. Il guidait sûrement sa mère. Ils parvinrent à une sorte de petite place où les maisons s'espaçaient au pied de la colline.

Cantor désigna l'une d'elles, assez vaste d'apparence avec un petit perron de bois. Elle était accotée aux premiers degrés de la pente qui montait vers les arbres et le sommet du promontoire.

— C'est là qu'elle loge, la « Bienfaitrice », chuchota Cantor, et je parie qu'à cette heure de la nuit elle n'est point seule mais en compagnie galante.

Il désigna à Angélique un rocher derrière lequel elle pourrait se dissimuler sans perdre de vue les abords de la maison.

— Je vais aller frapper à la porte, sur le devant. Si, comme je présume, il y a un homme à l'intérieur qui ne tient pas à être reconnu, il se sauvera par cette fenêtre sur l'arrière. Vous ne pouvez pas manquer de l'apercevoir et de le reconnaître, car il y a assez de lune qui passe à travers les nuages...

Le jeune garçon s'éloigna. Angélique attendit, les yeux fixés sur l'arrière obscur de la maison. Les instants s'écoulèrent. Puis il y eut un certain remue-ménage et comme l'avait prévu Cantor, quelqu'un enjamba la lucarne, sauta et prit ses jambes à son cou. Elle crut d'abord que celui qui se sauvait ainsi se sauvait en chemise, mais reconnut, flottant au vent de sa course, la bure du frère Marc, le Récollet, aumônier de M. de Saint-Aubin sur la rivière Sainte-Croix. Dans sa hâte, il n'avait même pas pris le temps de lier sa cordelière.

Angélique resta bouche bée.

— Eh bien! interrogea Cantor en la rejoignant un peu après. Il se déplaçait avec une telle célérité silencieuse qu'elle ne l'avait pas entendu revenir.

— Je suis sans parole, avoua-t-elle.

— Qui était-ce?

— Je te le dirai plus tard.

— Vous me croyez maintenant?

— Oui, certes!

— Qu'allez-vous faire?

— Rien... Rien, pour l'instant. Il faut que je réfléchisse. Mais, tu avais raison. Merci de ton aide. Tu es un bon garçon. Je regrette de ne pas t'avoir demandé conseil plus tôt.

Cantor hésitait à la quitter. Il sentait que sa mère était mortifiée et regrettait presque le trop complet succès de sa ruse.

— Va, insista-t-elle, va te recoucher maintenant, va dormir avec tes cerises.

Elle s'attendrit de le voir s'éloigner si jeune, si pur, si droit encore. Il avait la rectitude et la beauté de l'archange justicier.

Lorsqu'il eut disparu dans la nuit, elle descendit à son tour vers la maison, monta les degrés du perron pour frapper au vantail.

La voix d'Ambroisine s'éleva, irritée, de l'intérieur.

— Qui est-ce, par la fin? Qui frappe ainsi?

— Moi, Angélique.

— Vous!...

Elle entendit Ambroisine se lever et peu après la duchesse tirait le loquet et entrouvrait la porte.

La première chose qu'Angélique aperçut, en pénétrant dans la pièce, ce fut à terre près de la couche la cordelière oubliée du moine. Ostensiblement, elle alla la ramasser et la plia, tout en regardant Ambroisine.

— Pourquoi m'avez-vous raconté toutes ces histoires?

— Quelles histoires?

Une veilleuse à huile de phoque brillait sur un escabeau. Elle éclairait le visage pâle d'Ambroisine, ses yeux dilatés, sa somptueuse chevelure épandue, du même noir que la nuit.

— Que vous faisiez fi de l'amour, des hommes, que vous ne pouviez supporter que l'un d'entre eux vous touche?...

Ambroisine la considéra en silence. Une lueur d'espoir effleura ses traits tandis qu'un sourire quémandeur naissait sur ses lèvres...

— Jalouse?

Angélique haussa les épaules.

— Non, mais je voudrais comprendre. Quelle

nécessité aviez-vous de me faire de telles confidences? Que vous êtes une victime, que la brutalité des hommes vous a rendue à jamais incapable de connaître le plaisir, qu'ils vous répugnent, que vous êtes froide, insensible...

— Mais je le suis! s'écria Ambroisine d'un ton tragique. C'est vous qui m'avez poussée à cet acte insensé par vos refus. Ce soir, j'ai pris le premier homme qui me pressait de l'agréer pour me venger de vous, pour essayer au moins d'oublier les tourments dans lesquels vous me jetiez. Et, voyez-vous, n'est-ce pas affreux... un prêtre!... j'ai commis ce sacrilège... Détourner un homme de Dieu... Mais, depuis Gouldsboro, il me suivait, me suppliait. En vain, essayais-je de le ramener à ses devoirs. Vous n'avez pas compris pourquoi ce religieux avait voulu vous accompagner à Port-Royal. Eh bien! voici la vraie raison... Et je ne sais plus que devenir au milieu de tant de tourments, la concupiscence des hommes, votre dureté à vous...

Elle releva la tête brusquement.

— Comment avez-vous su que je ne dormais pas seule? Vous m'avez suivie? Vous vouliez savoir ce que je faisais? Vous ne me haïssez donc pas? Vous vous intéressez à moi!...

Il y avait une anxiété si angoissée et si avide derrière ces dernières questions que, fugitivement, Angélique ressentit s'éveiller sa pitié, et ce sentiment dut se voir dans son regard, car Ambroisine traversa la pièce et vint follement se jeter à ses genoux, l'enlaçant de nouveau, la suppliant de lui pardonner, de ne point la repousser et de l'aimer. Mais à son contact renaissait ce sentiment de répulsion et de peur qu'elle avait déjà éprouvé tout récemment.

Et elle voyait clairement la vérité, avec une lucidité effrayante. La femme qui se tenait là ni ne l'aimait ni même ne la désirait comme elle l'affirmait de sa belle bouche mensongère. Elle voulait seulement *sa perdition!* Poussée par une haine farouche, une jalousie implacable et on ne sait quelle volupté de destruction, elle la voulait déchue, morte, vaincue à jamais. Elle, Angélique!...

— Assez, fit-elle en la repoussant, assez, je n'ai que faire de vos transports! Réservez-les à vos dupes. Je n'ai été que trop la vôtre. Mais vous en avez fini avec moi...

A demi renversée, à ses pieds, Ambroisine de Maudribourg la considéra un instant en silence.

— Je vous aime, chuchota-t-elle d'une voix haletante.

— Non, répliqua Angélique, vous me haïssez et vous voulez ma mort. J'ignore pourquoi? Mais c'est ainsi, je le sens.

Le regard d'Ambroisine changea encore. Elle se prit à examiner Angélique avec une attention perçante et froide qui donnait la chair de poule.

— On me l'avait dit que vous n'étiez pas une adversaire facile, murmura-t-elle.

Angélique fit un effort pour s'arracher à la peur visqueuse qui à nouveau s'insinuait en elle. Elle se dirigea vers la porte.

— Ne partez pas, jeta Ambroisine tendant vers elle son bras nacré, et ses doigts écarquillés ressemblaient à des griffes, je vais mourir si je ne peux vous conquérir.

A terre, à demi nue, sur la plaque écarlate de son grand manteau de satin où la lumière faisait courir des reflets de sang, elle donna l'impression à Angélique qu'elle se trouvait mêlée à un cauchemar de l'Enfer de Dante.

— Je sais pourquoi vous me dédaignez, reprit l'autre, vous voulez réserver votre passion à celui que vous aimez. Mais lui ne vous aime pas. Il est trop libre de lui-même pour s'enchaîner à une seule femme. Sotte qui vous imaginez que vous régnez sur son esprit et sur son cœur...

— Personne ne règne sur lui, ni ne l'enchaîne... Il m'a choisie quand il l'a voulu...

Angélique, la main sur le loquet, sentait son cœur défaillir de doute et d'angoisse. Vulnérable dès que l'on parlait de lui, elle ne comprenait pas qu'Ambroisine avait trouvé le seul moyen de la retenir et de la faire souffrir et en usait avec délectation.

— Vous souvenez-vous lorsqu'il me parlait un soir sur la plage? Vous avez eu peur... et vous aviez raison d'avoir peur. Vous m'avez demandé : « De quoi parliez-vous avec mon mari? » Je vous ai répondu : « de mathématiques »..., parce que j'avais pitié de vous. Je pensais aux propos d'amour fous, bouleversants qu'il venait de m'adresser et je vous voyais si inquiète, si jalouse... Malheureuse! Vous avez bien tort de lui réserver tant de passion. Voyez comme il vous trompe sans scrupule... Vous ignoriez qu'il m'avait donné rendez-vous à Port-Royal. Vous ne saviez même pas qu'il y viendrait.

— Il n'y était même pas, rétorqua Angélique en se ressaisissant.

Avait-elle oublié sa récente découverte que toute parole d'Ambroisine était imprégnée de mensonges. Une fois de plus elle venait de tomber dans le piège.

— Il y viendra, dit la duchesse sans se laisser déconcerter, il y viendra, vous verrez... et pour *moi* seule.

## 5

Ainsi la chose paraissait claire à présent, Ambroisine de Maudribourg était folle ou pire, consciemment perverse, menteuse, destructrice.

La haine que lui avait inspirée Angélique, il n'y avait pas maintenant à se leurrer là-dessus. Mais née de quel sentiment cette haine... et dans quel but?... Jalousie instinctive de tout bonheur, besoin de nuire par instinct naturel, besoin d'abaisser, de pervertir ce qui paraît noble...

Pourquoi avait-il fallu que cela advînt alors que déjà ils se trouvaient elle et son mari aux prises avec ces dangers précis et imprécis, qui venaient de secouer Gouldsboro. Le drame de Barbe d'Or et de ses pirates. Elle-même, Angélique, et celui qu'elle aimait, vacillant encore, atteints dans leur confiance mutuelle, profondément blessés, désespérés, n'osant se le dire, n'osant se tendre les bras.

Alors qu'ils étaient ainsi en état de fragilité, de tous côtés, mystérieusement, et jusqu'au fond d'eux-mêmes, menacés, par leur propre faiblesse, quel hasard funeste avait fait surgir de la mer l'étrangère, la femme née pour semer la discorde, l'inquiétude, le doute, les tentations de la chair, les remords, les hontes secrètes, le silence... Un naufrage! le naufrage d'un navire nommé *La Licorne* attiré sur les bancs de Gouldsboro par d'invisibles naufrageurs. Les victimes se révélant plus dangereuses que les démons qui les avaient frappées. Une ronde infernale entraînant crimes, mensonges et attentats... Une conjonction de maux plus inattendus les uns que les autres. Une avalanche de morts suspectes, de calomnies, d'erreurs irréparables, commises dans un état d'insouciance qui paraîtrait inexplicable par la suite.

Dans ce fatras, ce mauvais rêve, ce grouillement de sensations inconfortables, impossibles à démêler, Angélique se rattachait à quelque chose de sûr, de certain, au moins pour elle. L'amour que lui avait témoigné Joffrey ce soir où il l'avait fait appeler : « Ça, expliquons-nous, mon cœur! »

C'est lui qui avait fait le premier geste et on aurait dit qu'il avait hâte de dissiper les ombres entre eux, de dresser un barrage d'amour qui serait aussi une défense contre le nouvel assaut qui se préparait contre eux.

Ambroisine de Maudribourg avait débarqué le matin même. L'intuition de Joffrey de Peyrac l'avait-elle averti? Elle aspira à le revoir de tout son cœur, l'appelant en elle-même, l'assurant de sa confiance et de son amour, en ce monde trompeur et décevant. C'était un fil ténu mais solide qui la reliait à lui et elle se répétait avec force qu'elle ne laisserait pas à la femme jalouse, la victoire sur ce point. Quoi qu'il arrivât, le souvenir des mots d'amour qu'il avait prononcés ce soir-là, le souvenir de son regard posé sur elle avec une expression énigmatique et ardente, comme s'il eût mesuré tout le prix d'Angélique à l'acharnement de ses ennemis pour l'abattre, ce souvenir resterait son viatique au cours de l'épreuve qui l'attendait.

Angélique guetta l'aube, assise un peu plus haut sur la colline. D'où elle était, elle pouvait voir les toits de Port-Royal surgir peu à peu d'une brume irisée qui était venue subitement de la mer un peu avant les premières lueurs du jour. Mais ce brouillard léger se dissipait déjà sous l'effet du soleil levant. Angélique était assise non loin de l'emplacement où le lord écossais Alexander, en 1625, avait édifié son fort, amenant sa recrue de tartans et de bérets à pompons en lieu et place du premier Port-Royal français ruiné et brûlé une dizaine d'années plus tôt par le corsaire virginien Argall sous les ordres des puritains de la Nouvelle-Angleterre. Le fort de lord Alexander avait été à son tour détruit, mais les Ecossais demeuraient, faisant souche de petits rouquins parmi les Acadiens aux cheveux noirs.

Tout ce passé de Port-Royal importait peu à Angélique ce matin-là, c'était pour elle un lieu sans nom, et plutôt un décor un peu fantomatique et dont l'apparente quiétude et amabilité s'apparentait mal aux révélations que lui avait apportées la nuit. La réalité ce n'était pas ce paisible village fleuri s'éveillant parmi le chant des coqs et le tintement des cloches appelant les fidèles à la messe du matin, c'était le personnage secret d'Ambroisine, son habileté pour confondre, abuser, paralyser les esprits et les langues, par la crainte, l'aveuglement, la fascination qu'elle éveillait.

Cantor avait raison. Lorsque les uns mentent, lorsque les autres ont peur, tout peut se passer sous vos yeux et jusque dans votre propre maison, sans que vous puissiez discerner d'où vient le trouble. Votre esprit orienté différemment ne comprend ni les signes ni les allusions, les interprétant mal. Ainsi en avait-il été pour Angélique livrée à Ambroisine... Et elle savait qu'elle n'en avait pas fini maintenant qu'un bout du fil avait été saisi, qu'elle n'en avait pas fini avec les découvertes amères... Les découvertes atroces peut-être... L'aube venait, d'un bleu lourd, du côté où avait grondé l'orage, révélant peu à peu le bassin aux reflet d'étain.

La brume tombait en rosée sur les bardeaux argentés et les buissons de lupins multicolores.

Un des oratoriens, M. Tournel, dans sa soutane noire, traversa la rue principale, suivi d'un enfant tôt levé qui lui servirait la messe.

Angélique attendit encore un peu. Lorsque le soleil, en glissant vers l'est, par-dessus la crête des monts boisés, annonça cette heure matinale qui est celle où l'on prend la route, où l'on s'en va aux champs, où le berger sort ouvrir la porte des étables, où la femme pieuse se dirige vers l'église, Angélique se leva.

Elle suivit le flanc de la colline. Un peu plus loin était une clairière traversée par un petit ruisseau, qui descendait ensuite en caracolant vers le village. Angélique aperçut celui qu'elle était venue chercher. Elle savait qu'il avait là son campement. Les reins serrés dans un pagne de toile, un homme se débarbouillait vigoureusement dans le courant du ruisseau. C'était le frère Marc.

Lorsqu'il aperçut Angélique, il s'effara, attrapa vivement sa bure qu'il avait jetée sur un buisson et l'enfila précipitamment, confus d'être surpris dans ce simple appareil.

Angélique alla jusqu'à lui, et tirant de sa poche la cordelière du moine capucin, elle la lui tendit.

— Vous avez oublié ceci, cette nuit, chez Mme de Maudribourg, lui dit-elle.

La confusion du religieux changea d'objet. Il considéra la cordelière comme si c'eût été une bête venimeuse, et une violente rougeur monta à son visage tanné de joyeux coureur de bois.

Il prit la cordelière, la noua autour de son froc, puis, tenant toujours les yeux baissés, commença à rassembler les quelques objets épars dans l'herbe autour du foyer où il avait cuisiné un bol de sagamité. Enfin il se décida à regarder Angélique.

— Vous me jugez, n'est-ce pas; j'ai trahi mes vœux de religion?

Angélique eut un sourire sans gaieté.

— Je n'ai point à vous juger, mon père, sur ce point précis. Vous êtes un homme jeune et vigoureux et c'est votre affaire de vous arranger entre votre nature et vos vœux. Mais je voudrais seulement savoir : Pourquoi elle?...

Le frère Marc respira profondément et parut sous le coup d'une agitation intérieure qui l'empêchait de trouver les mots adéquats.

— Comment expliquer..., explosa-t-il. Elle ne me laissait pas de répit. Depuis les premiers jours à Gouldsboro, je suis en butte à sa poursuite. Jamais je n'ai subi un tel assaut. Et elle m'attachait à elle par des artifices dont je reconnais la puissance sans pouvoir définir en quoi réside leur charme trompeur.

(Une mélancolie profonde abattit son excitation. Il hocha la tête.)

— On croit qu'il y a en elle quelque chose qui vous choisit, ou qui pourrait vous choisir si l'on se donnait la peine de l'aimer, d'avancer plus avant dans son mystère. Mais l'on ne rencontre que le vide. Rien, rien, que le vide. Un vide d'autant plus mortel qu'il se pare de toutes les grâces, de tant de mirages séducteurs... Rien... et puis, peut-être, tout au fond, comme le dard d'un serpent, une volonté effrayante de vous détruire, de vous entraîner dans sa propre perte, dans son propre néant... Sans doute la seule volupté qu'elle est capable de connaître. (Il se tut, les yeux fixés à terre.)

» Je me suis confessé à M. Tournel, reprit-il, et maintenant je m'en vais. Je crois que, de tout cela, j'ai quand même retiré un enseignement qui me sera utile, auprès de ceux que je dois édifier. Encore que l'être humain ne soit jamais prêt à écouter la voix de la sagesse, s'il ne s'est lui-même brûlé au feu des passions humaines. Quant aux sauvages, quoi leur apporter? Ils en savent plus long que nous sur les choses de l'âme. Heureusement, il me reste la forêt et les eaux qui vagabondent.

Comme il était très jeune et que peut-être pour la première fois de sa vie son être saignait d'un renoncement définitif à quelque chose d'essentiel, ses paupières rougirent brusquement tandis qu'il levait les yeux vers les frondaisons touffues où bourdonnaient les insectes.

Mais il se ressaisit.

— La forêt est bonne, elle, murmura-t-il. La nature a son mystère, elle aussi, sa beauté et ses pièges, certes, mais non pervers, et les bêtes elles-mêmes, dans leur innocence pleine de courage et de simplicité... Peut-être le reflet que nous avons, à travers les choses de notre Dieu Créateur, est-il moins éblouissant que celui que nous attendons des êtres humains, mais il est fidèle. (Il troussait son bagage et le jetait sur son épaule.)

« Je m en vais, répéta-t-il, je retourne vers les sauvages. Les Blancs sont trop compliqués pour moi. (Il fit quelques pas et se retourna, hésita.)

— Puis-je vous demander le secret, madame? Elle inclina la tête, affirmativement. (Il continua.)

— Vous, madame, vous, je ne sais pas... mais peut-être êtes-vous plus forte qu'elle. Cependant, prenez garde.

(Il se rapprocha et lui jeta tout bas comme un secret pressant.)

— Prenez garde! C'est une *démone.*

Puis il s'éloigna. Il marchait à grands pas. Elle l'enviait de s'enfoncer sous les ramures aux senteurs fauves.

## 6

Ambroisine, à Gouldsboro, avait dit à Angélique : « ... Ne vous semble-t-il pas qu'un danger vous menace... Un démon rôde autour de nous... »

Le démon, c'était elle. Combien habile de détourner les soupçons de sa personne en prenant les devants, en accusant la première...

Ce n'était pas Colin ou Abigaël qui trahissaient Angélique, c'était Ambroisine qui leur prêtait les propos *délictueux* susceptibles de blesser Angélique et de la faire douter de ses amis et Angélique l'avait crue, ou presque, tant Ambroisine savait leur donner de vraisemblance par l'intuition stupéfiante qu'elle avait des êtres et de leur comportement.

A petites touches, à petites phrases, elle s'était acharnée à la séparer de tous ceux qui pouvaient la protéger, l'éclairer ou l'avertir : Piksarett, Abigaël, Colin, le père de Vernon, son propre fils, et même et surtout Joffrey, son mari.

A propos de Piksarett : « On dit que vous couchez avec les sauvages... »

D'Abigaël : « Les protestants... Ils sont contre ce projet d'implanter des catholiques à Gouldsboro, mais ils ne veulent pas vous en parler parce qu'ils savent que vous y êtes attachée... »

De Colin... « Avez-vous vraiment confiance en cet homme?... Il me semble redoutable... Pourquoi le défendez-vous? »

Et Cantor... « Votre fils est inquiet... »

Et le père de Vernon... « Il dit que Gouldsboro n'est pas un lieu suffisamment sain pour mes filles. »

Et Joffrey... « Il n'aurait pas dû vous abandonner ainsi... »

Joffrey ne l'avait pas abandonnée. Il n'était parti qu'après le départ de la duchesse pour Port-Royal. Se méfiait-il d'elle? Mais alors, en ce cas, elle l'avait dupé en revenant presque aussitôt...

Lorsque Angélique analysait toutes ces ruses qui l'avaient peu à peu ligotée, elle sentait un frisson lui parcourir l'échine et lui hérisser la racine des cheveux et, dans l'effroi, une sorte d'admiration pour tant de génie malfaisant.

Quant à la circonvenir elle-même, quel choix dans ses paroles et sa comédie hypocrite. En se présentant à elle comme une victime à secourir, elle s'était attaché l'intérêt d'Angélique. En lui disant qu'elle aimait Gouldsboro, elle avait ému son cœur... Et elle se découvrait poitevine comme elle et elle lui disait : « Etes-vous allée cueillir la mandragore par une nuit sans lune? »

— Oh! Cantor, dit Angélique à son jeune fils qu'elle était allée rejoindre dans sa cahute après le départ de frère Marc, elle est vraiment... monstrueuse.

Et tout à coup, elle éclata de rire.

— A ce point bernée! Jamais... jamais je n'ai rencontré un être aussi instinctivement divinatoire des faiblesses humaines. Elle est prodigieuse...

Cantor la regarda sombrement tout en continuant à vider son panier de cerises.

— Vous riez, dit-il. Vous êtes comme mon père, les tours de Satan l'amusent et il s'ébaudit de son génie machiavélique comme d'une curiosité naturelle. Mais attention, nous n'en avons pas fini avec elle... Elle est là toujours à quelques pas de nous et nous tient en son pouvoir.

Soudainement, Angélique se souvint de la lettre du père de Vernon, des paroles transcrites qui l'avaient frappée au cœur, en lesquelles elle avait vu une accusation à son égard, ces mots du jésuite à son supérieur.

« Oui, mon père, vous aviez raison, la Démone est à Gouldsboro... »

Et s'il avait élevé son accusation, non contre elle... mais contre l'autre femme?

« La Démone est à Gouldsboro »...

Cette fois, le frisson qui s'empara d'elle la glaça jusqu'au cœur, le père de Vernon était mort, la lettre avait disparu, l'enfant aussi qui la possédait... Un vertige la gagnait!... A trop vouloir débrouiller l'écheveau, elle allait finir par croire à des visions. Une seule chose lui apparaissait urgente, il fallait se débarrasser de cette femme, la mettre hors d'état de nuire, l'écarter, l'éloigner à jamais, mais, comment...

Au-dehors, Port-Royal s'éveillait, s'ébrouait, s'animait. La matinée s'avançait et bientôt on viendrait s'informer de la comtesse de Peyrac, il faudrait qu'elle se présentât, qu'au grand jour elle rencontrât à nouveau Ambroisine, que la vie reprît son cours apparent. Elle irait s'asseoir à la table de Mme de la Roche-Posay et devant elle prendrait place la duchesse de Maudribourg, avec son visage d'ange meurtri, son beau regard intelligent, et peut-être aux lèvres un sourire contrit, charmeur, qu'elle lui dédierait. A cette seule pensée, la nausée s'emparait d'elle et elle réalisait qu'elle n'avait que son fils, cet adolescent farouche et intransigeant, pour partager son secret et l'aider.

A part lui, elle n'avait aucun recours et tout ce qu'elle pourrait essayer d'expliquer sur la duchesse de Maudribourg à son entourage passerait pour calomnie. Ambroisine était l'image de la vertu. Angélique s'aperçut qu'elle se trouvait isolée dangereusement et se souvenant de l'insistance qu'avait montrée Colin à la faire accompagner par Cantor, elle lui dédia un souvenir reconnaissant.

Maintenant qu'à son tour elle avait vu clair, il fallait sortir Ambroisine de leur existence à tous.

Mais l'affaire ne s'annonçait pas simple.

Sur quel navire la rembarquer? Le bassin était vide! Hors *Le Rochelais,* à l'ancre. Quelques grosses barques de pêche stagnaient au loin dans la brume de chaleur qui cachait l'autre rive et les polders retenus sur l'embouchure d'une belle rivière.

Les Acadiens de Port-Royal étaient pauvres. Leur unique vaisseau d'importance était en ce moment en expédition à la rivière Saint-Jean. Ils avaient depuis longtemps renoncé à concurrencer les flottilles de Nouvelle-Angleterre ou d'Europe, qui, l'été, venaient hanter les eaux de la Baie Française, quitte à acheter, à Boston, leurs provisions de morue pour l'hiver.

Port-Royal n'était même pas, comme Gouldsboro lui-même, un port de commerce ou de pêche. Aucune allée et venue de bateaux étrangers, arrivant, ou repartant, soit vers l'Europe ou toute autre lointaine direction.

Ils étaient donc là, tous, au bout du monde, bloqués sur quelques arpents de terre défrichés entre le ciel, la mer et la forêt indienne. Les éléments pesaient sur eux comme les murs d'une prison dont ils ne pouvaient s'évader et Angélique en avait, ce matin-là, une si oppressante perception qu'elle s'étonnait de la légèreté avec laquelle ce petit peuple perdu vaquait à ses occupations et à ses plaisirs. Préparant entre autres, avec joie, la fête prévue pour le lendemain. Tandis qu'Angélique se torturait l'imagination pour découvrir un moyen de hâter le départ d'Ambroisine de Maudribourg et de sa troupe. Mais encore une fois, comment?

L'embarquer sur *Le Rochelais*? Pour quelle direction? Sous quelle responsabilité? Il lui répugnait de mêler à nouveau Cantor à cette affaire...

Alors? On ne pouvait pas la tuer, comme le préconisait Cantor, la noyer, l'égarer dans la forêt indienne! Fugitivement, Angélique envia la bonne conscience de ces « assassins en dentelles » qu'elle avait connus jadis à la Cour, et qui si facilement, sans scrupule déplacé, payaient quelques coupe-jarrets des bas-fonds de Paris pour les débarrasser de personnes indésirables.

Elle n'en était pas là.

Par instants, parce que le soleil brillait, brûlant, que les fleurs étaient éclatantes, que les gens au seuil de leurs jardinets paraissaient simples et bons, s'effaçait le souvenir des maléfices entrevus dans la nuit de Port-Royal endormi. Puis le volet se rouvrait, se retournait, comme celui d'un triptyque, livrant des images contraires, l'Enfer contre le Paradis, la nuit contre la lumière, et elle revoyait Ambroisine nue et blanche sur le satin écarlate du manteau épandu, elle entendait la voix du père Récollet lui chuchoter :

— Prenez garde. C'est une démone!...

A plusieurs reprises, la duchesse essaya d'approcher Angélique afin de lui parler, mais celle-ci se déroba à tout entretien. Malgré la bénignité des apparences, la vérité entrevue au cours de la nuit avait été trop brutale. Des écailles lui étaient tombées des yeux et elle ne voyait en tout et en tous que stupre, luxure, ignominie, hypocrisie, et essayait, en échafaudant des plans de départ pour Ambroisine, de se libérer d'une situation si confuse.

Mlle Radegonde de Ferjac, s'agitant pour mettre sur pied sa représentation théâtrale du lendemain, complétait le tableau. Indifférente, elle, aux tourments secrets des passions humaines, elle mettait tout le monde sur les dents. Houspillant, réclamant, ordonnant, elle réquisionnait les petits sauvageons et sauvageonnes mic-macs qui traînaient dans les rues pour des danses, envoyait cueillir des fleurs, dirigeait les charpentiers qui lui construisaient un radeau destiné à servir de scène — de la plage on verrait mieux — taillait des costumes, déchirait des toiles, tressait des guirlandes. Elle n'admettait pas que quiconque se tînt en dehors de l'affaire.

Job Simon fut désigné d'office pour jouer le rôle du dieu Neptune, et Pétronille Damourt, à cause de ses grosses joues, celui d'Eole, père des vents. Elle leur remit à tous deux des feuilles calligraphiées par sa main durant les soirées d'hiver et leur enjoignit de répéter leurs rôles sans faillir. Elle courait d'un bout à l'autre de l'établissement, répétant : « Pourvu que nous n'ayons pas de brouillard demain! »

Elle voulait qu'Angélique fût Vénus et Ambroisine Phébé la Magicienne. On était en plein délire. Cependant Mme de la Roche-Posay sereine ou habituée, faisait des pâtisseries. Il y aurait festin.

Le lendemain, jour de fête, ne laissa à personne le loisir de se pencher sur ses problèmes. Au fond, c'était peut-être mieux ainsi. Aucune voile n'était apparue encore à l'horizon. Il fallut assister en grand apparat à la messe chantée. Les Indiens étaient venus en grand nombre de la forêt et avec leurs canots d'écorce, de l'autre côté du Bassin. Ils apportaient des peaux. Mais Mlle Radegonde de Ferjac fut intransigeante. Elle arrêta la traite, dès les premières velléités d'échange, envoya tous les chefs et « principaux » Mic-Macs se « matachier (1) » de la tête au pieds et les chargea de former une « haie d'honneur » sur le bassin en rangeant leurs canots autour du radeau où se jouerait la pièce de théâtre. Ils s'exécutèrent. Radegonde de Ferjac était devenue au cours des années l'un de leurs démons familiers et ils avaient appris qu'on ne lui résistait pas.

Après la messe qui se termina fort tard, le soleil continuant de briller, on servit à une grande table dressée dehors des cailles et des perdrix d'un « fumet admirable » comme l'aurait dit sans doute le gouverneur Villedavray, accompagnées des beaux choux mauves et bleutés de Port-Royal qui avaient réputation dans toute la Baie, ainsi que des navets d'Acadie, uniques au monde. Des vins et des fromages, suivis de tourtes aux fruits, complétèrent cette dégustation.

Ce n'était qu'un en-cas. On voulait donner aux acteurs le temps de se préparer. Des hommes transportèrent sur la grève les bancs des deux églises. Des femmes et leurs fils aînés mettaient en place d'énormes chaudières pour y cuire la sagamité des sauvages, de maïs et de poisson

(1) *Se matachier* : se peindre le corps en l'honneur de la fête.

bouilli, dont ils pourraient se rassasier après la fête. D'autres tables reçevraient parmi les colons, les grands sagamores. Il y serait servi des plats plus raffinés par une armée de cuisiniers en toges et en tabliers blancs qui se préparaient à surgir comme par miracle des cuisines du manoir.

Radegonde de Ferjac pressait le mouvement. Assistée d'Armand Dacaux dont elle avait fait, pour l'occasion, son secrétaire personnel, et qui la suivait pas à pas, une écritoire nantie de plumes, d'encre et de papiers pendue au cou, elle mettait la dernière main aux préparatifs. La crainte première de la gouvernante n'était pas une défaillance de mémoire possible de ses acteurs, dûment dressés par elle, mais l'arrivée inopinée du brouillard qui, surtout en été, pouvait s'inviter sans vergogne.

Par chance l'horizon restait pur.

Le radeau fut amené à quelque distance du rivage. Les canots indiens prirent place alentour. Les acteurs montèrent dans une barque pour se rendre sur les lieux.

— Ne m'obligez pas à faire cela, supplia Pétronille Damourt. Depuis que nous avons fait naufrage, j'ai peur d'être sur l'eau.

— Qu'est-ce que c'est que ces jérémiades, la rabroua vertement Radegonde de Ferjac. Allez! Montez! On ne vient pas en Amérique quand on a peur de la mer et des naufrages.

Neptune était magnifique, méconnaissable, dans une longue robe bleu-vert, sa tête chenue et barbue couronnée de papier doré. Il brandissait le trident d'un pêcheur de crabes. Cantor était de la partie avec sa guitare, et Delphine du Rosier en nymphe. Il y avait des anges, des « amours », des démons. Pour les grimer, Radegonde avait emprunté aux Indiens leurs pâtes spéciales dont ils se servaient pour se « matachier », bleues, blanches, rouges ou noires, et l'on avait des masques terrifiants, dignes de l'ancienne comédie grecque.

Les spectateurs prirent place sur les bancs. Ensuite, on pouvait s'asseoir à terre. L'idée du radeau était bonne. Le terrain s'élevant, chacun voyait de loin et entendait à loisir.

Angélique suivait le mouvement en essayant, par politesse envers Mme de la Roche-Posay, de ne pas trop laisser paraître ses préoccupations. C'était un réflexe d'éducation fortement ancrée dans son monde que la maîtrise de soi-même, et une telle qualité n'était pas vaine. Au cours de son existence Angélique avait pu apprécier maintes fois l'importance de savoir dissimuler ses sentiments : peur, colère ou impatience, sous un sourire naturel, une urbanité exquise qui endormait les soupçons de l'ennemi quel qu'il fût.

Mais elle n'oubliait pas qu'Ambroisine était aussi de la noblesse, et c'était peut-être à qui, des deux, renchérirait de gaieté et de sécurité apparente, pour convaincre l'autre du peu de cas qu'elle faisait de l'horreur et des vérités entrevues, au cours de la nuit précédente.

Par instants, Angélique apercevait Cantor qui se débattait avec sa guitare, sous les injonctions de Radegonde de Ferjac. Le pauvre garçon avait trouvé son maître. Il dut se coiffer d'une couronne de roses et monter sur le radeau pour accompagner les acteurs.

— Il est divin! se pâma Ambroisine de Maudribourg en se tournant vers Mme de la Roche-Posay et Angélique.

— Il a été page à Versailles, répliqua Angélique, et il a appris à se plier à tous les usages, à bien des caprices! C'est là-bas aussi, quoi qu'on en pense, une dure école de la vie.

Job Simon avait manqué sa vocation. Il aurait mieux fait d'être acteur que de piloter des navires aux antipodes. Sa voix de stentor bien timbrée scandait les strophes en vers du bon Lescarbot dont avait déjà retenti ici même l'écho de ces rivages au temps de la première colonisation. Captivée, la foule se laissait entraîner aux vicissitudes mythologiques qui accablaient les héros de l'action et tous les yeux des habitants de Port-Royal étaient fixés en direction du radeau et de l'horizon marin qui lui servait de décor. C'est ainsi qu'on ne « le » vit pas arriver. Lui, l'ennemi intime de Mlle de Ferjac : le brouillard.

Car il vint par-derrière.

Débordant de la Baie Française par-dessus le rebord du promontoire, il dévala en direction du village à la vitesse d'une avalanche. Lorsque à son haleine froide on le sentit arriver, il était déjà là. En quelques instants, de toute cette foule assemblée, chacun se retrouva quasi seul avec lui-même, et à peine la possibilité de distinguer son voisin. La rive, puis le radeau et les canots des Indiens s'effacèrent à leur tour. Les voix s'étouffèrent.

— Chaque année c'est la même chose, gémit la pauvre gouvernante, ces maudites « brouées » nous gaspillent notre fête.

Invisible, elle réclamait hautement que chacun demeurât à sa place. Le brouillard allait peut-être s'effacer... Pour faire prendre patience, elle annonça qu'on allait passer des corbeilles de profiteroles et de beignets.

Les acteurs hélaient à travers les limbes qu'on vînt les chercher. On leur fit porter à eux aussi message de prendre patience et quelques gâteaux. Les augures croyaient voir en ce brouillard particulièrement épais, mais comme poussé par un courant vif, la possibilité qu'il s'éloignât rapidement.

Une demi-heure s'écoula. La situation paraissait s'améliorer en effet. Tout à coup quelqu'un porta l'annonce qu'il y avait un navire dans le Bassin. On avait entendu le bruit de sa chaîne d'ancre se déroulant. Le temps que chacun apportât son témoignage et, les brumes pâlissant révélèrent au large la silhouette d'un petit trois-mâts immobile. Aussitôt il y eut une grande agitation. Le radeau, et ses occupants, commençait de reparaître lui aussi, mais on ne pouvait continuer la séance avant d'avoir identifié le nouvel arrivant. Il n'était encore qu'un vague fantôme, une ombre de navire que la brume par instants effaçait complètement.

Mais déjà Angélique savait qu'il ne s'agissait pas du *Gouldsboro*, beaucoup plus important, et Mme de la Roche-Posay elle aussi n'avait pas reconnu l'allure de leur petit cent-tonneaux, avec lequel son mari était allé assister Joffrey de Peyrac à la rivière Saint-Jean.

— Il s'agit peut-être du navire de la compagnie qu'on nous envoie d'Honfleur. Nous sommes fin août. Il n'est que temps qu'il arrive.

— Ce serait un bien petit bâtiment.

— Oh! Ils sont chiches!... Nous n'en attendons guère plus de nos commanditaires : on les connaît!...

On demeura dans l'expectative. Puis, comme un rideau tiré subitement, les dernières vagues des brumes s'effacèrent, révélant toute l'étendue du Bassin, et déjà à quelques encablures des chaloupes chargées d'hommes en armes, faisant force de rames vers la plage.

Il n'y eut qu'un cri.

— L'Anglais!...

Ce fut un sauve-qui-peut général.

Enjambant les bancs de bois, les gens se précipitèrent vers leur demeure pour y saisir les objets les plus précieux à mettre à l'abri des pillards ennemis. En l'absence de M. de la Roche-Posay, qui avait emmené la plupart des hommes au combat, la défense de l'établissement était nulle. Les Indiens eux-mêmes le savaient si bien qu'ils préférèrent s'écarter de la plage avec leurs canoës. Ils n'étaient pas venus pour se battre et, coutumiers de trafiquer avec les navires anglais, ils évitaient, dans cette contrée, de se mêler des querelles des Blancs.

Cependant quelques sagamores qui avaient des parents parmi les Acadiens se proposèrent et des paysans plus rageurs que les autres allèrent décrocher leurs mousquets.

— Soldat, crièrent les enfants de la Roche-Posay s'adressant à Adhémar, courons vite au canon. Voici l'heure du combat.

Dans les chaloupes les matelots anglais, pour s'exciter, poussaient des clameurs assourdissantes. L'embarcation de tête arriva à hauteur du radeau où s'agitaient les acteurs impuissants, assemblée de masques et de travestis.

— Mais c'est Phipps! s'exclama Angélique, reconnaissant l'homme de Boston qui accompagnait l'amiral anglais lorsque celui-ci avait relâché à Gouldsboro quelques semaines auparavant.

Et tout de suite elle songea :

« A-t-il vu Joffrey? Pourra-t-il me renseigner sur lui? »

La situation ne lui paraissait pas, quant à elle, tragique. Gouldsboro maintenait de trop bonnes relations avec la Nouvelle-Angleterre pour que, la comtesse de Peyrac présente, il n'y eût pas moyen de trouver un terrain d'entente avec les nouveaux arrivants.

Elle avertit Mme de la Roche-Posay, qui prenait l'événement avec résignation, ne l'ayant que trop prévu.

— Ne vous inquiétez pas. Je connais le capitaine de ce vaisseau. Nous lui avons rendu quelques services. Il ne refusera pas de parlementer...

Et toutes deux se dirigèrent vers la plage, pour essayer de se présenter en premier lieu à l'assaillant.

Mais Angélique n'avait pas pris garde aux manœuvres des enfants de la Roche-Posay entraînant Adhémar vers le port.

Elle commençait à faire des signes à Phipps et à le héler en anglais, lorsque la situation se détériora irrémédiablement par la faute de la trop belliqueuse progéniture du marquis de la Roche-Posay.

Le capitaine anglais, qui se distinguait en tant que puritain par ses vêtements noirs et son chapeau à haut fond, venait de lancer un grappin vers le radeau afin de le haler et de capturer cette surprenante assemblée de masques et de travestis.

Ce fut le moment que choisit Adhémar du haut de la tourelle d'angle pour mettre le feu à la mèche. La détonation retentit. Hasard ou habileté, un boulet siffla et passa exactement entre le radeau et la chaloupe qui basculèrent de concert, projetant tout le monde à l'eau.

— Victoire! hurlèrent les Acadiens, plus satisfaits de voir les Anglais barboter que soucieux du sort de Neptune et des siens.

La chaloupe anglaise avait bel et bien été touchée et coulait.

Le désordre fut à son comble et Angélique dut renoncer désormais à se faire entendre. La situation se transformait en bataille. Ce fut bref mais violent. Le coup heureux d'Adhémar demeurait unique. D'autres chaloupes abordaient un peu plus loin. Leur contingent de matelots solidement armés montèrent à l'assaut du petit fort et mirent la main sur Adhémar avant qu'il ait renouvelé son exploit. Un peu de mousqueterie acheva d'entériner la prise de Port-Royal, ce jour-là, par les forces anglaises. Voyant que tout était perdu, une partie des habitants, emportant leurs marmites et tirant leurs vaches par le licou, s'encoururent vers les bois, car on ne savait jamais à quelles extrémités pouvaient se livrer ces matelots de Nouvelle-Angleterre quand ils avaient décidé de mettre à sac un poste français. Les autres, dont faisaient partie Angélique et en général tous ceux qui se trouvaient sur la plage au moment de l'arrivée du navire, composant le public le plus proche et le plus important : Mme de la Roche-Posay, ses enfants et les gens de sa maison, la duchesse de Maudribourg et ses protégées, les aumôniers, les familles des notables, et même Angélique... furent encerclés, sommés de se tenir cois, tandis qu'on les parquait brutalement, sous la menace des mousquets, dans les limites de leurs propres bancs d'église.

Pendant ce temps les naufragés de la chaloupe et du radeau s'occupaient de leur mieux à regagner la rive.

Phipps et Neptune furent les premiers à sortir de l'eau, se foudroyant du regard. L'un y avait perdu son chapeau puritain, l'autre la couronne dorée.

Phipps écumait. Si ses premières intentions étaient loin déjà d'être pacifiques, elles étaient devenues maintenant franchement meurtrières. Il ne parlait plus que « harts et gibets » et de réduire en cendres jusqu'au dernier cabanon de ces maudits « mangeurs de grenouilles ». Il les connaissait trop bien pour vouloir leur accorder ne serait-ce qu'une parcelle d'indulgence. Ce colon de Nouvelle-Angleterre était né dans un petit établissement du Maine. C'est dire que son enfance s'était déroulée parmi les attaques incessantes des Canadiens et des sauvages à leur dévotion et qu'une bonne partie des chevelures de sa famille servaient de trophées dans les wigwams abénakis ou aux murs des forts français.

— Je t'apprendrai à jouer au héros, hurla-t-il lorsqu'on lui amena Adhémar ligoté. Allez, déracinez-moi la grande croix là-bas sur la plage et dressez-moi une potence à la place pour ce pendard!

A ces mots, Adhémar, qui avait acquis assez de

notion d'anglais durant son voyage à l'est du Kennebec, vit, une fois de plus, sa dernière heure venue.

— Madame, sauvez-moi! supplia-t-il cherchant Angélique parmi la houle des têtes.

Le tapage était à son comble. Les gémissements des rescapés du radeau, dont était la malheureuse Pétronille Damourt sauvée à grand-peine de cette nouvelle noyade, se mêlaient aux cris de protestation des habitants voulant retenir les matelots anglais qui commençaient à défoncer à la hache les portes de leurs maisonnettes.

Phipps arrêta d'un ordre ce début de mise à sac. On verrait plus tard! Et s'il fallait brûler tout, on brûlerait! Auparavant il voulait s'assurer un butin plus sérieux et particulièrement s'approprier la charte — commissions et lettres royales — que possédait le marquis de la Roche-Posay et qui prouvait que le roi de France entretenait indûment des colons en des lieux qui appartenaient par les traités à l'Angleterre.

Il commença de monter vers le manoir.

Angélique estima venu le moment propice pour agir.

— Je vais essayer de le joindre, confia-t-elle à la marquise de la Roche-Posay, il le faut absolument avant que cela tourne plus mal. De toute façon, il doit pouvoir nous dire ce qui s'est passé à la rivière Saint-Jean. Apparemment, il en revient tout droit et, si j'en juge par son humeur, les événements n'ont pas dû lui être favorables. Peut-être aurons-nous par la même occasion des nouvelles de nos époux...

Elle se souvenait que lorsque William Phipps avait relâché à Gouldsboro avec l'amiral gouverneur de Boston, on avait signalé dans son équipage un Huguenot français, réfugié de La Rochelle, qui s'était révélé être vaguement parent des Manigault. Ceux-ci l'avaient reçu à leur table, en bon voisinage, pendant ces quelques heures d'escale.

Elle eut la chance de le reconnaître parmi ceux qui les gardaient et se faufila jusqu'à lui, se fit reconnaître, lui rappela sa visite chez eux.

— Je dois absolument parler à votre capitaine, lui dit-elle.

Elle n'eut pas de peine à le convaincre, car l'homme avait vu que M. et Mme de Peyrac entretenaient d'excellentes relations avec le gouverneur de Boston. Il l'autorisa donc à quitter les autres prisonniers et l'accompagna lui-même jusqu'à l'habitation.

Dans la grande salle, Phipps et ses hommes cherchaient furieusement les documents dont ils voulaient se rendre possesseurs afin de prouver leur bon droit et la mauvaise foi française. A coups de hache, ils défonçaient les buffets, les armoires, tandis que d'autres s'essayaient de crocheter les coffres, désireux de trouver au surplus des bijoux ou des toilettes de prix dont on dirait que ces catholiques dépravés étaient toujours bien pourvus.

Angélique arriva pour voir Phipps jeter à terre les pièces de faïence d'un vaisselier.

— Vous êtes fou, lui jeta-t-elle, employant sa langue, vous vous conduisez comme un vandale! Ce sont des objets de valeur. Prenez, si vous voulez, mais ne cassez pas!

L'Anglais se retourna, hors de lui :

— Que faites-vous ici? Vous! Retournez avec les autres!

— Ne me reconnaissez-vous pas? Je suis Mme de Peyrac, je vous ai reçu il y a quelques semaines, et mon mari vous avait tiré d'un mauvais pas un jour de tempête.

Ceci ne calma nullement l'irascible.

— Votre mari! Oui-da! Il m'a joué encore un beau tour là-bas.

Angélique le pressa de questions. Il avait donc

vu son mari? Il n'avait rien vu du tout. Le brouillard était là, s'ajoutant à sa malchance, alors qu'il guettait avec tant de constance ces damnés officiels de Québec, bloqués dans la rivière. Ce brouillard lui avait caché les manœuvres de la petite flotte de Peyrac. Comment s'étaient-ils arrangés tous pour lui filer au nez et à la barbe? Ces maudits Français! Un butin et une prise de combat qu'il s'était juré de ramener au Massachusetts à titre d'échange avec les intraitables de là-haut, de Québec, ce féroce Canada, à titre de vengeance aussi, le sang de tous les massacrés de la Nouvelle-Angleterre réclamant justice...

Il parlait un peu confusément comme les gens taciturnes qui n'ont pas l'habitude de se raconter ou de s'expliquer. Son ressentiment n'en était que plus violent, bouillonnant en lui sans trouver d'issue à ses rancœurs accumulées.

— Ils ont tout ruiné là-bas... ces sauvages venus du Nord avec leurs maudits prêtres papistes, établissements ruinés, colons massacrés, on les arrête difficilement.

— Je sais. J'y étais moi-même, il y a quelques semaines. A Brunschwick-Falls et je n'ai échappé que de justesse. Vous savez que j'ai réussi à sauver quelques-uns de vos compatriotes et à les ramener en sûreté à Gouldsboro?...

— Alors pourquoi le comte de Peyrac m'empêche-t-il de combattre ces fauves, de me saisir au moins de leurs têtes carnassières puisque j'en ai l'occasion?

— Pour arrêter la guerre?... mon pauvre ami! Vous n'ignorez pas que c'est lui aussi qui a empêché le baron de Saint-Castine d'y entraîner ses Etchemins, comme il en recevait l'ordre formel de Québec. Autrement, ce n'est pas seulement les établissements de l'est du Kennebec qui auraient brûlé mais tous ceux des îles et des rives du Maine et de la Nouvelle-Ecosse. La guerre ne s'est arrêtée que grâce à lui mais la moindre étincelle peut entraîner une catastrophe pire encore contre laquelle toute son influence ne pourra plus rien...

— Mais il faut pourtant mettre au pas ces maudits papistes! hurla Phipps, désespéré. Si nous ne rendons pas coup pour coup, ils finiront par nous exterminer, si nombreux que nous soyons. Quelle situation! Là-haut cette poignée de fanatiques dans leur neige et leurs forêts, et nous ici dix fois plus nombreux mais comme des moutons bêlants... Moi, je ne suis pas de cette espèce. Je suis né au Maine. Je leur apprendrai que ces lieux m'appartiennent et j'y consacrerai ma vie s'il le faut! De toute façon, je ne peux rentrer à Boston les mains vides. Rien à faire... Port-Royal va payer pour Saint-Jean... Il me faut des otages et aussi cette charte du roi de France...

Il cherchait des yeux où la trouver...

— Ah! ce coffre là-bas peut-être?...

Angélique reconnut, dans le coin de la salle où on l'avait déposé à son arrivée, le coffre aux scalps de Saint-Castine. Elle s'interposa vivement.

— Non, pas ce coffre! Je vous prie. Ce sont mes affaires personnelles.

Elle le devança, pour aller s'y asseoir résolument.

— Je vous demande de ne pas le forcer, monsieur, dit-elle avec fermeté. Mon mari et moi nous sommes bons amis des Anglais, puisque nous tenons même nos droits sur nos terres du Grand Conseil du Massachusetts, mais il y a des gestes que nous ne saurions admettre sans être obligés de porter plainte à leur sujet, considérant celui qui les commettrait comme un pirate sans foi ni loi, n'agissant pas au nom de son gouvernement. Ecoutez-moi, dit-elle le voyant déconcerté, asseyez-vous et calmez-vous. (Elle lui désignait un escabeau devant elle.) J'ai une proposition à vous faire qui, je pense, arrangera tout...

Phipps la considérait avec méfiance. Angélique frémissait à l'idée qu'elle était assise sur trois cent cinquante scalps arrachés à des crânes anglais par les sauvages Abénakis. Il lui semblait, avec horreur, que leur odeur faisandée s'infiltrait à travers les interstices du coffre. Mais son autorité eut raison des réticences de l'irascible puritain anglais.

Il s'assit et comme il était resté trempé de sa baignade, une mare d'eau commença à s'étendre autour de lui, qu'il considéra tristement.

— Ecoutez, reprit Angélique persuasive, que voulez-vous au juste?... Des otages? Par lesquels vous pourrez faire pression sur Québec afin d'obtenir le juste respect de vos traités ou pour échanger avec les prisonniers qui ont été emmenés en captivité dans le Nord par les Abénakis et les Canadiens?... Or ici, il s'agit d'Acadiens, vous ne l'ignorez pas. Des Français, certes, mais qui sont tellement abandonnés de leur gouvernement et de l'administration royale qu'ils commercent avec Boston et Salem pour ne pas périr... Soit, je l'admets, vous pouvez emmener Mme de la Roche-Posay et ses enfants, mais qui s'en préoccupera à Québec?...

Phipps le savait. Il y avait déjà songé. Soucieux, il poussa un profond soupir, et dénoua son collet de linge blanc pour l'essorer avec mélancolie. Puis il vida ses bottes de peau de phoque l'une après l'autre.

— Alors, que me proposez-vous? soupira-t-il derechef.

— Ceci. Il est arrivé récemment ici, à Port-Royal, une grande dame française très riche et très considérée, accompagnée de jeunes femmes qu'elle devait amener à Québec, en vue de les marier avec des officiers et de jeunes seigneurs canadiens. On les attend encore en Canada, car son navire a fait naufrage dans nos parages. On ne sait que faire d'elles. Je vous propose. Emmenez-les toutes! Cette noble dame a tant d'alliances que sa capture peut émouvoir jusqu'au roi de France lui-même et de toute façon elle est si riche que, même après la perte de son navire, vous pourrez encore obtenir d'elle une importante rançon. Et je crois même (Angélique se pardonnait intérieurement de donner un petit coup de pouce à la vérité) qu'il y a parmi les dames qui l'accompagnent la fiancée d'un haut personnage de Québec...

Les yeux durs de l'Anglais se rétrécirent sous l'effort de la réflexion. Il fronça le nez, renifla.

— Mais s'il se rendait à Québec, comment ce vaisseau a-t-il pu échouer sur nos côtes? interrogea-t-il, car en tant que marin la chose lui paraissait suspecte.

— Les Français ne savent pas piloter, dit Angélique légèrement.

Comme William Phipps partageait cet avis, il n'insista pas.

Un de ses hommes, apportant la charte qu'ils avaient trouvée dans le bureau du commis greffier de l'établissement, acheva de le rasséréner.

— C'est bon, dit-il, je m'en tiendrai là. Mais j'emmène aussi le soldat. C'est de bonne guerre. Il m'a blessé deux hommes...

L'embarquement de la duchesse de Maudribourg, de son secrétaire Armand Dacaux, de la duègne Pétronille Damourt, de ses Filles du roi, du capitaine Job Simon et de son mousse survivant, tous deux portant la licorne de bois doré, emmenés en captivité à Boston, par les Anglais, s'accomplit sans incidents, et dans la semi-indifférence générale.

Les Acadiens de Port-Royal étaient heureux de s'en tirer à si bon compte. Dès qu'ils avaient compris que le vent tournait et que les choses s'arrangeaient, ils étaient revenus avec de la pelleterie, des fromages et des vivres, légumes et fruits, les proposant aux matelots dans l'espoir d'obtenir de la quincaille anglaise qui était excellente et très appréciée. Le troc marchait bon train sur la plage. Une roue de fromage contre une boîte de clous, etc.

Personne ne prenait garde au départ des otages que les Anglais, pressés par la marée, bousculaient quelque peu.

Seules, Angélique et Mme de la Roche-Posay, satisfaites, l'une et l'autre à part soi, de s'en tirer à si bon compte, s'empressèrent de remettre aux Filles du roi des paniers de victuailles afin de les aider à supporter la traversée.

Le quartier-maître Vanneau était là aussi. Mais Delphine Barbier du Rosier ne le regardait pas. Tête basse, les yeux baissés, et comme résignées à leur sort étrange et cahotique, les Filles du roi suivaient leur « bienfaitrice ».

Le malheureux Adhémar, chargé de chaînes, fut le premier à monter dans la barque.

— Madame, ne m'abandonnez pas! criait-il, tourné vers Angélique.

Mais elle ne pouvait rien pour lui. Elle lui assura qu'elle avait obtenu de Phipps qu'il aurait la vie sauve, et lui communiqua l'espoir que les Anglais, « eux », le renverraient peut-être en France...

Au moment de monter dans la barque, Ambroisine de Maudribourg s'arrêta devant Angélique et celle-ci comprit cette fois que l'inconcevable vérité, entrevue comme dans un éclair une nuit de cauchemar, était bien le fond de la vérité vraie.

Elle avait devant elle un être qui voulait sa destruction, sa perte... sa mort même. Comme jetant le masque devant la partie perdue, la duchesse n'essayait plus de dissimuler sa jalousie, sa haine...

— Est-ce à vous que nous devons ce bel arrangement? glissa-t-elle à mi-voix tandis qu'elle essayait d'afficher un sourire insolent.

Angélique ne répondit pas.

La haine qui flamboyait dans les prunelles d'Ambroisine effaçait tout souvenir de ce qui, entre elles, avait pu être comme une entente ou le début d'une amitié.

— Vous avez voulu vous débarrasser de moi, reprit la duchesse, mais ne croyez pas triompher si facilement... je continuerai à mettre tout en œuvre pour vous abattre... et un jour viendra où je vous ferai pleurer des larmes de sang...

# LE FOND DE LA BAIE FRANÇAISE
# OU
# LES ATTENTATS

## 1

Plus on s'en allait vers le fond de la Baie Française, plus toute chose paraissait s'accentuer, s'exagérer, se piquer au jeu d'étonner, de surprendre, d'effrayer, tout se voulait gigantesque, démesuré, imposant, hors du commun, la beauté des paysages, la splendeur des arbres, la hauteur des marées, la violence et la sauvagerie des habitants, l'épaisseur des brouillards, la saveur des homards et des coquillages, la profondeur des fjords, la variété et le nombre des oiseaux aquatiques, nichés dans les tourbières de... Tintamarre, l'intensité des couleurs minérales : le rouge des grès, le blanc du sel, le noir de l'anthracite, la sinuosité des rivières, innombrables, la majesté des chutes d'eau et la multiplicité des cascades, la fertilité des terres, le pullulement des bêtes à fourrure et la richesse poissonneuse des eaux.

Et comme le recel de trésors insolites engrangés là par quelque brigand fou, peut-être le dieu Glooscap lui-même, une variété infinie de curiosités naturelles, les eaux réversibles de l'embouchure de la Saint-Jean, le mascaret du Petit-Codiac, les grottes de glace, les arbres de pierre...

La mer rejetait sur les grèves des morceaux de

charbon, des opales, des améthystes, de la cornaline, du cuivre...

Ce soir-là une grosse chaloupe de douze tonneaux dansait sur les flots, longeant la côte nord de la baie de Chignecto.

Angélique, assise à l'arrière, regardait avec appréhension défiler les hautes falaises rougeâtres dont le sommet disparaissait derrière un rideau de brume pluvieuse.

Elle avait le sentiment de pénétrer dans un pays interdit gardé par des dieux hostiles.

La barque, nantie d'une seule voile carrée, était manœuvrée parfois à la rame. On n'allait pas vite. L'équipage était composé de quelques Acadiens et sauvages Mic-Macs, leurs compagnons de course plutôt que leurs matelots. Le propriétaire de la chaloupe était Hubert d'Arpentigny, le jeune seigneur du cap Sable, le pilote, son intendant Pacôme Grenier.

Angélique prenait patience, rêvant que dans quelques jours elle joindrait le comte de Peyrac sur la côte est de l'autre côté de l'isthme. Elle essayait en ce moment de le gagner de vitesse, et c'était peut-être une folie qu'il lui reprocherait, puisque, au fond, il lui avait plus ou moins implicitement recommandé à son départ, de l'attendre bien patiemment à Gouldsboro.

Mais il n'était pas prévu alors que se noueraient en quelques jours — deux semaines au plus — tant d'événements et de drames qui avaient rendu aiguë entre eux la nécessité de se joindre. Il fallait absolument qu'Angélique le trouvât pour le mettre au courant de ce qu'elle savait, ou devinait ou pressentait, et pour apprendre ce que luimême avait découvert. Or, voici qu'étant encore à Port-Royal elle avait appris que, ne retournant pas à Gouldsboro, il faisait voile vers le golfe de Saint-Laurent, en contournant la presqu'île de la Nouvelle-Ecosse. Elle ne pouvait plus attendre.

Il leur fallait être deux, pour lutter, s'unir, rassembler leurs forces, se communiquer leurs certitudes ou leurs appréhensions.

Cette histoire d'Ambroisine de Maudribourg, Angélique ne parvenait pas à la situer par rapport à leur propre combat. C'était comme une intrusion diabolique, intervenant à l'heure où, en butte à de mystérieuses hostilités, ils avaient l'un et l'autre peine à voir clair, à discerner d'où venaient les menaces réelles, qui était clairement l'ennemi.

Pour en avoir parlé avec son fils et appris par lui certaines manœuvres mensongères que la duchesse avait menées à Gouldsboro, Angélique ne pouvait plus se leurrer sur la volonté malfaisante qui avait poussé la naufragée à semer le malheur et la discorde parmi ceux qui l'avaient recueillie. Et sans cesse lui revenaient en mémoire des faits, des mots, des réactions imperceptibles qui maintenant prenaient un sens nouveau. Elle se souvenait d'une réflexion d'Adhémar, le pauvre naïf, un jour qu'elle lui disait : « Prends garde à ne pas réveiller Mme de Maudribourg. » Et lui, répondant : « Oh! ça ne dort pas ces êtres-là. Ça fait seulement semblant. » Une étonnante mise en garde contre l'étrange activité d'Ambroisine qui, elle le savait maintenant, était sans cesse à fouiner dans Gouldsboro, une mise en garde qui était passée par-dessus sa tête, tant l'autre avait su la persuader de son inaction : « Je suis restée à prier tout le jour. J'ai dormi plusieurs heures... »

Et la réaction de l'Indien Piksarett. Il lui semblait qu'elle comprenait sa brusque volte-face. « Prends garde, un danger te menace... » Ambroisine de Maudribourg se tenait à quelques pas. Avait-il senti lui, Indien si sensible aux interventions obscures des esprits invisibles, le pouvoir démoniaque habitant cette femme...

Angélique passait une main sur son front.

« Je m'égare... Il faut revenir à des réalités plus

saines. Une femme jalouse, perverse et qui cherche à détruire un bonheur qu'elle ne peut supporter de rencontrer, ceci reste dans les limites du normal... » Ce qui l'était moins, c'était peut-être jusqu'à quelles extrémités cette femme habile avait poursuivi son œuvre de destruction... Se trouvait-elle sous les fenêtres d'Abigaël la nuit où Angélique avait entendu le cri inhumain? Etait-ce elle qui avait versé une mixture empoisonnée dans la tisane d'Abigaël? « Mais alors, se disait Angélique, c'était une femme capable de TOUT!... »

Elle n'osait pas prolonger plus avant la recherche d'une vérité qu'elle ne pouvait étayer de toutes les preuves. Cela paraissait trop fou, monstrueux. Lorsqu'elle serait près de Joffrey, elle lui montrerait la taie écarlate. Là, elle oserait poser tous les faits devant lui, essayer de comprendre aussi pourquoi, pourquoi, la duchesse de Maudribourg avait été poussée à agir ainsi envers eux. Elle n'était qu'une naufragée elle-même victime de circonstances dramatiques et criminelles. Car enfin, existaient-ils ces naufrageurs qui avaient attiré *La Licorne* sur les récifs!...

Angélique se remémorait les pièges qui leur avaient été tendus depuis qu'au printemps ils avaient quitté Wapassou, oubliait un peu Ambroisine, pour retourner aux prémices d'un guet-apens, là, plus évident, quoique, lui aussi, caché et venu par ruse. Mais l'heure sonnerait de déchirer le voile. Les mystérieux occupants du bateau à l'oriflamme orange montreraient leurs visages. Ils deviendraient des hommes qu'on pourrait combattre, vaincre, pendre haut et court pour vilenies et traîtrises. Ils parleraient auparavant. Par eux, on remonterait à la source, on saurait d'où venaient ces coups, qui les avait payés pour frapper. Maintenant que Joffrey était à leurs trousses, le dénouement ne serait pas long à éclater. Elle lui faisait confiance.

Il fallait oublier Ambroisine. Elle était loin maintenant et ne pourrait plus nuire. Les Anglais ne lâchent pas facilement leur proie. Ambroisine, c'était une grimace de Satan, une farce pour ajouter au désarroi des humains.

Angélique ne se dissimulait pas que ce bref épisode, où elle avait senti passer sur elle le souffle d'une haine implacable, une volonté de la détruire comme il lui semblait n'en avoir encore jamais inspirée, même à Mme de Montespan — car Mme de Montespan voulait le roi, mais, cette fois, la chose ne se justifiait pas — de cette rencontre où elle avait été bien près d'être vaincue, elle gardait une meurtrissure. « Mais tant pis pour toi! se disait-elle, cela t'apprendra à te laisser égarer dans ton jugement par tes propres défaillances ».

Ambroisine était survenue au moment où elle doutait d'elle-même, où elle s'était sentie vaciller sur ses assises, où elle ne parvenait pas à émerger de ce tourbillon qui avait jeté au grand vent sa personnalité comme désespérée, dédoublée : ces chocs successifs, ce vertige avec Colin, sa crainte devant Joffrey inconnu, à garder, à reconquérir, sa découverte d'elle-même, la nécessité où elle s'était trouvée de se regarder en face, de tout remettre en question, de se reconnaître et même se connaître sous un autre aspect, à s'admettre, à prendre conscience d'un certain éveil nécessaire, et aussi des blessures que la vie lui avait infligées, des infirmités morales qu'elle en gardait à son insu et qu'il fallait qu'elle ait le courage de soigner, d'effacer... Lui l'aiderait. Elle se souvenait de la tendresse de ses paroles, la rassurant, la rappelant à lui, et qui avait été comme un baume pour son être désemparé...

Mais, en un tel moment, l'autre, la femme jalouse avait eu beau jeu, pour l'étourdir et l'embrouiller. Heureusement le danger était passé. Et Angélique, regardant tourner les nuages bas au-dessus des falaises rougeâtres, soupirait de soulagement. Elle se félicitait d'avoir pu écarter à temps de deux routes la dangereuse créature. Phipps avait été envoyé par le ciel. Il ne resterait de cet épisode qu'une expérience dont il serait bon de retenir la leçon.

Ce n'était pas la première fois qu'elle constatait qu'en ces rencontres de ruse et de mensonge les seules personnes de l'entourage à voir clair aussitôt dans ce jeu de l'ennemi étaient des personnes simples, voire naïves, tel Adhémar, ou, au contraire, ceux que leur personnelle connaissance du vice et de la malhonnêteté mettait à même de les discerner plus facilement chez autrui. Ainsi en avait-il été d'Aristide et de Julienne qui ne s'étaient pas privés de dénoncer la duchesse avec vigueur. Mais qui les écoutait? En somme, des gens dont le crédit était mince, souvent non sans raison, auprès des grands de ce monde et des « personnes de bien ».

Celles-ci désignées par leur superbe à être les victimes d'une malignité qu'ils n'étaient pas aptes à discerner à temps.

Enfin! On était sorti de là.

Dans quelques jours Angélique retrouverait son mari. Elle se réfugierait sur son cœur. Elle s'abandonnerait à sa force. Elle n'aurait plus d'orgueil. Elle avait appris au cours d'une telle crise sa dépendance envers lui.

Son voyage pour le fond de la Baie Française s'était décidé assez brusquement.

Après le départ des Anglais et de leurs otages, Angélique à Port-Royal s'était interrogée sur la conduite à tenir. Retourner à Gouldsboro? Et si son mari arrivait entre-temps à Port-Royal comme l'avait prédit Ambroisine?... Finalement, elle avait renvoyé *Le Rochelais* à Gouldsboro, avec Cantor, afin d'y chercher des nouvelles. A peine le petit yacht avait-il franchi le goulet du Bassin qu'un autre navire y entrait. Cette fois, c'était M. de la Roche-Posay revenant en ses domaines.

Hubert d'Arpentigny et sa chaloupe pleine de Mic-Macs en bonnets pointus l'accompagnaient. Il avait été capturé par Phipps, puis relâché à cause de son aspect insolite. Le puritain aux cheveux courts n'arrivait pas à se faire une idée nette sur la véritable identité de sa prise qu'on lui disait être un seigneur français de haut lignage. Les tresses noires hérissées de plumes, son buffletin frangé, sa peau couleur d'argile rouge, ses yeux sombres le déconcertaient. Dans l'expectative il avait préféré renoncer à sa prise.

Tous deux apportaient la nouvelle qu'après avoir pacifié les abords de la rivière Saint-Jean Joffrey de Peyrac, à bord du *Gouldsboro*, faisait voile... à destination du golfe Saint-Laurent.

— Le golfe de Saint-Laurent, s'écria Angélique terriblement déçue, mais que va-t-il faire là-bas?... Et sans même passer par ici...

— Il ne soupçonnait pas que vous y soyez, madame, dit le marquis, et je crois avoir compris qu'il ne ferait même pas escale à Gouldsboro. Il semblait avoir hâte de joindre au plus tôt la côte méridionale du golfe Saint-Laurent pour y rencontrer le vieux Nicolas Parys qui en est concessionnaire depuis Shédiac jusqu'à l'extrémité de Causo et même de l'île Royale et de l'île du Saint-Sacrement qui lui font face.

Quel que fût le but que poursuivait Joffrey de Peyrac, il s'éloignait.

Angélique se fit apporter des cartes. Elle ne pouvait supporter l'idée de l'attendre davantage. Si *Le Rochelais* avait été encore à l'ancre dans le bassin, elle se fût immédiatement lancée à la poursuite du *Gouldsboro*. Mais voilà — quel contretemps! — elle venait de le renvoyer avec Cantor. Elle en avait presque les larmes aux yeux. Hubert d'Arpentigny l'observait. Avec l'intuition des très jeunes gens qui comprennent plus facilement les motivations affectives des femmes parce qu'eux-mêmes encore gouvernés par les impulsions du sentiment, il partageait sa déconvenue et son impatience.

— Et si vous arriviez avant lui là-bas? proposa-t-il.

Elle le regarda sans comprendre. Il posa un doigt sur la carte.

— Je vous conduis jusqu'au fond de la Baie. Là, un des fils de Marcelline ou l'un des frères Defour vous fera traverser à pied les quelques lieues qui séparent le fond de la Baie Française du golfe Saint-Laurent. Et voilà! Vous déboucherez entre Shédiac et Tatamagonge. Pour peu que le comte de Peyrac ait quelque retard en contournant la presqu'île (1) avec son navire, vous arriverez avant lui chez Nicolas Parys.

Elle avait accepté. Le voyage serait court. Le soir du second jour, ils se trouvaient déjà au large de Pénobsquid. Hubert d'Arpentigny disait qu'on ferait halte chez Carter, un Anglais du Massachusetts qui avait eu les oreilles coupées pour avoir fait de la fausse monnaie. Il possédait une censive au fond d'un de ces quelconques fjords de grès rouge, dont on distinguait par instants l'ouverture étroite conduisant par les dédales d'une rivière vers les domaines de l'ours et de l'orignal.

— Ne manque pas de repérer l'entrée, recommanda Hubert d'Arpentigny à son pilote. Ce sera facile. Carter allume chaque soir un feu sur un promontoire et il fait garder l'endroit par deux familles de pêcheurs. On voit les lumières de leurs cabanes, un peu à la gauche du feu.

Ces recommandations n'étaient pas inutiles. L'obscurité devenait profonde. Angélique serra autour d'elle son manteau de loup-marin. L'humi-

(1) Presqu'île de la Nouvelle-Ecosse.

dité saturée de sel était pénétrante. Elle pensait à Joffrey. Chaque heure la rapprochait de lui, et elle éprouvait de façon aiguë la nécessité de le joindre afin qu'ils pussent mettre en commun leurs forces de défense. Défense contre qui?

Elle renversa la tête en arrière et la nuée orageuse, basse, d'un noir mouvant et tourmenté de vapeurs infernales, parut lui donner la réponse.

— Satan!

Une peur aussitôt refoulée la saisit à la gorge. Il lui parut que la chaloupe dansait sur la houle avec plus de violence.

— Ah! Je vois des lumières par là, s'écria-t-elle.

Et la pensée des yeux du dragon qui gardait la baie de Chignecto lui revint en mémoire.

— C'est le hameau de Carter, s'exclama Hubert d'Arpentigny joyeux. Trouve le chenal, Pacôme! Dans moins d'une heure nous allons manger un bon morceau de lard et nous sécher les bottes.

La houle les secoua, en réponse. Ce fut d'abord une suite de balancements profonds dont l'ampleur s'accentuait à chaque fois, comme sous l'effet d'une impulsion irrésistible venue des profondeurs de la mer. Jusqu'à ce que l'énorme barque parût projetée comme un fétu, à la crête de lames de plus en plus géantes.

— Trouve le chenal, Pacôme, cria encore Hubert d'Arpentigny, cramponné au rebord.

Puis on sentit le choc, comme un coin d'acier qu'une main monstrueuse aurait projeté et enfoncé profondément dans le flanc de l'embarcation et presque aussitôt Angélique eut de l'eau glacée jusqu'à la taille.

— Sauve qui peut, crièrent des voix. Nous avons donné sur les récifs de Saragouche!

Dans les ténèbres, la lourde barque frappait maintenant d'un roc à l'autre. Ce ballet mortel s'accompagnant des cris des naufragés et de craquements sinistres.

Acadiens et Mic-Macs s'appelaient dans leur langue sauvagine. Hubert d'Arpentigny cria, en français, pour sa passagère.

— Le rivage est proche, madame. Essayez de...

Le reste se perdit dans un nouveau fracas et l'écume furieuse déferla sur eux les couvrant jusque par-dessus la tête, avant de les rejeter, ruisselants, vers un autre écueil.

Angélique comprenait qu'elle devait essayer de quitter la barque avant que celle-ci soit broyée. Elle risquait d'être atteinte de blessures trop graves ou de recevoir un choc qui l'étourdirait et l'abandonnerait inconsciente à la fureur des flots.

Le souvenir de sa noyade sur les côtes de Monégan, dont l'avait sauvée le père de Vernon, lui laissait une impression si horrible — celle surtout d'être paralysée et entraînée au fond de la mer par le poids de ses vêtements — qu'elle trouva presque inconsciemment la force de détacher sa première jupe de drap et de s'en dégager, ainsi que de rejeter ses souliers. Au même instant un nouveau heurt d'une violence inouïe les dispersait tous. Angélique, cramponnée à un morceau du rebord brisé, fut portée en avant. Elle connaissait bien cette charge de la mer vers la plage. Il faudrait surtout lâcher à temps l'épave, attraper n'importe quoi avant que le reflux ne fît d'elle, à nouveau, sa proie. Elle sentit le flot de cailloutis du rivage l'envelopper, heurta un roc, s'y cramponna.

Un peu après, elle rampait des coudes et des genoux sur le sable, se souvenant des recommandations de Jack Merwin « ... jusqu'à la lisière d'algues sèches... pas avant... ne pas s'arrêter... sinon la mer vous reprendra ».

Enfin, elle sentit la sécheresse du sable fluide et se laissa tomber sur le dos, respirant péniblement, insensible aux douleurs de son corps écorché de toutes parts.

Elle était au pied d'une très haute falaise, qui, dressée devant eux, avait épaissi l'obscurité dans laquelle ils se débattaient. Elle distinguait mieux maintenant, en regardant devant elle, vers le golfe, elle distinguait mieux la mer où les récifs parmi lesquels ils avaient sombré mettaient des taches plus noires cernées d'écume blanche, car le ciel nuageux était vaguement éclairé par les reflets de la lune qui, de temps à autre, transparaissait, projetant une lueur plus vive avant de pâlir de nouveau. Mais cela suffisait. Angélique pouvait presque voir flotter les débris de la chaloupe ballottés deci de-là, et elle crut même apercevoir quelques têtes d'hommes flottant parmi les remous. Assez loin, l'un d'eux abordait au rivage.

Elle aurait voulu appeler mais n'en avait pas la force. Cependant, elle reprit confiance. Ils seraient tous sauvés. Un naufrage de plus! Ces côtes n'en étaient pas chiches. Il fallait s'habituer. Mais qu'était-il arrivé au juste? Pourquoi ces lumières sur la colline s'ils ne se trouvaient qu'aux abords des récifs de Saragouche?

Comme cette pensée la traversait, elle s'assit à demi, et ce fut avec une acuité particulière qu'elle regarda autour d'elle essayant de percer le mystère de cette pâleur tachée de noir d'encre qui baignait l'alentour.

Tous ses sens étaient en alerte. Il lui parut entendre des cris horribles mêlés aux fracas des vagues contre les brisants, mais tout cela était confus.

Pourquoi ces lumières sur les falaises... comme au moment du naufrage de *La Licorne?...*

Tout à coup, une silhouette humaine surgit à quelques pas d'elle, se détachant de l'ombre de la falaise. C'était quelqu'un qui venait de la terre. Un homme qui s'avança, se détachant en noir sur le ciel lunaire. Il paraissait examiner avec attention les bouillonnements furieux de la crique, où était venue se briser la chaloupe d'Hubert d'Arpentigny.

A un moment, il se tourna, et Angélique eut l'impression qu'il regardait dans sa direction.

Un cri s'arrêta dans sa gorge.

Car, alors qu'il se détachait en ombre chinoise sur la lividité du clair de lune, elle pouvait voir qu'il tenait en main une sorte de bâton court.

« L'homme au gourdin de plomb!... »

Et tout ce que lui avait dit Colin à propos de ce criminel des rivages lui revint en mémoire. Ainsi, c'était bien lui! Ce n'était pas un mythe. L'homme dont avait parlé Colin. L'assassin, le naufrageur qui attirait les navires sur les récifs et achevait les rescapés à coups de matraque plombée.

Et elle sut, à la fois, qu'ils existaient ces naufrageurs fantômes et qu'ils allaient la tuer à son tour.

## 2

Lentement il se mit en marche vers elle. Il ne se hâtait pas.

Elle était à sa merci. Rejetée par la mer, après une lutte épuisante, à demi inconsciente, quelle victime pourrait se défendre des coups portés sur elle par des meurtriers aux aguets?

Etendue, sans force, Angélique avait conscience que la tache claire de son corps demi-nu la désignait aux yeux de l'assassin. Il approchait. A un moment, happé par l'ombre de la falaise, il disparut à ses yeux. Mais elle commença d'entendre le bruit de ses bottes écrasant le gravier. Sa main tâtonnante chercha près d'elle, trouva un galet assez gros, le lança dans la direction de l'homme. La pierre retomba avec un bruit mat, ayant manqué son but. Une fois encore, elle lança un autre caillou. Elle perçut un ricanement moqueur. L'homme s'amusait de sa défense dérisoire.

Puis ce ricanement se brisa net. L'homme eut un hoquet bizarre. Quelque chose s'abattit sur le sol, non loin d'elle; l'homme venait de s'écrouler.

Un moment, rien ne bougea. Angélique restait là, les nerfs tendus.

Puis une autre silhouette se détacha sur le clair de lune, à l'emplacement même où tout à l'heure avait surgi l'assassin au gourdin de plomb. Et cette fois, c'était celle d'un Indien. On distinguait son arc encore bandé pour la flèche qui venait de tuer. Le cœur d'Angélique ne fit qu'un saut de joie et de soulagement.

— Piksarett! cria-t-elle de toutes ses forces, Piksarett, je suis là!

Elle avait reconnu sans défaut l'ombre emplumée et dégingandée du chef des Patsuikett.

Reprenant courage, elle se leva et alla à sa rencontre. Au bout de quelques pas, elle se heurta contre le corps étendu. Une répulsion effrayée la rejeta en arrière. Peu ne s'en fallut qu'elle ne s'évanouît. Elle grelottait, trempée, dans son jupon court et son corsage qui collait à sa chair. Au cours du naufrage, elle avait perdu son manteau de loup-marin et son bagage, heureusement léger, dans lequel elle n'avait mis que le linge nécessaire, mais aussi son peigne et sa brosse d'écaille de tortue, qu'elle aimait tant. Il y avait autre chose à faire que de pleurer sur ces objets.

Piksarett était agenouillé devant le corps. Elle le distinguait à peine, mais l'odeur fauve qui émanait de sa personne la remplit d'aise. C'était bien lui.

Il s'occupait à retirer la flèche que sa victime portait plantée entre les omoplates. Puis il retourna le corps. Dans l'obscurité, le visage du mort fit une tache blanchâtre que la bouche ouverte trouait d'ombre. On ne pouvait distinguer ses traits.

— Où courais-tu encore, ma captive? dit la voix de Piksarett, crois-tu que tu pourras m'échapper toujours? Tu vois, je t'ai rejointe à temps.

— Tu m'as sauvée, dit Angélique avec ferveur. Cet homme voulait me tuer.

— Je le sais. Il y a plusieurs jours que je « les » guette. « Ils » sont nombreux. Six, sept...

— Qui sont-ils? Des Français, des Anglais?

— Des démons, répondit la voix de Piksarett.

Le sauvage, superstitieux, dans sa simplicité native, formulait sans honte ce qu'elle savait déjà. Seulement, « ils » étaient plus proches maintenant. Ils se dévoilaient au lieu d'agir dans le mystère et on pourrait voir leurs visages. Il est vrai que de tels visages ne se découvrent qu'au moment de frapper.

— Tu as froid, remarqua Piksarett qui l'entendait claquer des dents.

Et elle tressaillit de reconnaître sa voix familière.

— Vêts-toi avec la défroque de cet homme.

Il détacha la ceinture qui portait un pistolet et dépouilla le cadavre de sa casaque, mi de cuir, mi de laine. Angélique enfila le vêtement et se sentit mieux. Elle aurait donné cher pour découvrir les traits de l'ennemi invisible. Mais Piksarett ne voulut pas tirer celui-ci à la lumière du clair de lune.

— Attendons l'aube, proposa-t-il. Je suis seul ici et s' « ils » rôdent encore « ils » peuvent nous surprendre. Quand le jour viendra, « ils » s'éloigneront.

Elle aurait voulu lui demander ce qu'il faisait là, pourquoi il se trouvait, seul, lui un Narragasett, à errer au pays des Malécites, s'il savait où se trouvaient Michel et Jérôme et pourquoi il s'était « enfui » de Gouldsboro. Mais la meilleure façon de ne pas obtenir de réponse d'un Indien, c'est de lui poser des questions. Elle se tut donc. Elle était étourdie de fatigue et commençait à ressentir les douleurs de ses blessures touchées par le sel. Un peu avant le jour, Piksarett fut intrigué par un feu qui brillait non loin d'eux, dans la crique. Il rampa jusque-là et revint en disant que c'était des Mic-Macs qui l'avaient allumé, afin de faire sécher leurs hardes et griller des poissons enfilés sur une baguette.

— Ce sont ceux qui étaient avec nous dans la chaloupe. As-tu vu les Blancs?

Non, il n'en avait pas vu.

Angélique s'attendait à découvrir au mort les traits de l'homme blême qui l'avait accostée un soir à Gouldsboro en lui disant : « M. de Peyrac vous demande dans l'île du Vieux Navire. » Elle fut déçue et aussi effrayée de voir que ce n'était pas lui. Il vivait donc encore, plus dangereux que celui qui gisait là. On voyait que ce n'était qu'un homme de main, une brute entraînée à frapper, à donner la mort sans scrupule, ni pitié. Cela se voyait à son front bas, à sa mâchoire dure et maussade. Une tignasse hirsute le coiffait.

Avant de s'éloigner et de l'abandonner aux crabes, Piksarett se pencha et d'un tour de couteau agile s'empara de cette chevelure peu ragoûtante, pour la passer à sa ceinture.

— Nos ancêtres devaient rapporter des têtes, expliqua-t-il à Angélique, saisie. Maintenant la chevelure suffit pour témoigner de nos victoires. Mais lever un scalp au silex comme autrefois, c'était une opération difficile. Heureusement, les Blancs nous ont apporté les couteaux d'acier... Viens! Allons voir les Mic-Macs. Ils ne sont point comme nous autres, mais ce sont quand même des Abénakis, des Enfants de l'Aurore.

Avec le jour s'était levée la brume. Elle n'était pas trop dense et se dissiperait sous l'effet de la chaleur. En approchant, Angélique et Piksarett entendirent une mélopée mélancolique, à laquelle d'autres voix, dans un bourdonnement monotone, donnaient les réponses.

— Le chant des morts! chuchota Piksarett.

Ils trouvèrent le grand sagamore Mic-Mac Uniacké, agenouillé devant le corps d'Hubert d'Arpentigny qui avait le crâne fracassé.

— Ils ont tué mon frère de sang, dit-il à Piksarett lorsque celui-ci, après les démarches d'usage, se fut nommé. Ils l'ont frappé comme il sortait de la mer. Je les ai vus.

Piksarett leur communiqua ce qu'il savait sur ces hommes qui, profitant de la nuit et des mauvais parages, avaient attiré leur chaloupe sur les rochers.

— Conduis-moi à eux, afin que je tire vengeance de ce crime. Ah! Je regrette. (Le visage carré du Mic-Mac d'un brun-jaune, habituellement, était si pâle et ravagé de douleur impuissante qu'on l'eût dit buriné dans l'ivoire.) Ah! Je regrette de n'être pas né iroquois ou algonquin comme ces Hurons du Nord, afin de torturer ces maudits jusqu'à la mort. Mais leurs chevelures orneront mon wigwam, ou je ne reviendrai pas parmi les miens.

— J'en ai déjà une, dit Piksarett, triomphant.

Il proposa son alliance, qu'ils scellèrent de quelques rites, puis il proposa de les emmener jusqu'à un endroit où l'on pourrait faire chaudière. Après quoi, l'on tiendrait conseil.

Angélique continuait à claquer des dents et c'était maintenant moins de froid que d'horreur. Le cauchemar se prolongeait, se précisait, s'incarnait. Des victimes de *La Licorne* qu'on avait mises sur le compte des éléments et d'un hasard malencontreux, on arrivait à la mort criminelle de deux Acadiens et de trois naturels du pays. Et, cette fois, l'on savait que cette mort avait été donnée intentionnellement. La disparition d'Hubert d'Arpentigny, jeune seigneur de renom, ne passerait pas sans soulever une grande émotion dans la Baie Française et même jusqu'à Québec, car, malgré les conflits qui opposaient les deux régions, l'Acadie restait, aux yeux du Royaume, partie intégrante de la Nouvelle-France, dépendant du gouvernement du Canada.

Pauvre jeune Hubert d'Arpentigny, si plein de vie et de passions... « C'est ma faute, songeait Angélique, pourquoi l'ai-je détourné de retourner dans sa censive du cap Sable... C'est moi qu'on voulait faire mourir et c'est lui qui a été frappé. »

Un sentiment glacé s'infiltrait en elle : « Notre nom — mon nom surtout — va être encore accolé à quelques désavantages causés aux Français. Pour commencer, le navire des Filles du roi, destinées à Québec, sombrant dans les parages de Gouldsboro puis, aujourd'hui, ce jeune Français de mérite assassiné en ma compagnie... Comment prouver que nous sommes tombés dans un piège? Personne ne nous croira... On n'écoutera pas le témoignage des Mic-Macs... »

Plus que jamais, maintenant que le danger devenait pressant et se définissait mieux, il lui fallait joindre son mari.

Le groupe des Indiens survivants se scinda en deux. Six d'entre eux s'occuperaient de la sépulture des morts en attendant qu'on puisse les ramener chez eux. Ils joindraient un village proche d'une tribu parente afin d'y trouver des pirogues et d'aller en la presqu'île porter les mauvaises nouvelles.

Uniacké et son lieutenant suivraient l'Abénakis Piksarett qui promettait de les conduire sur le chemin de la vengeance. Angélique fut satisfaite d'entendre Piksarett affirmer que la première chose à faire était de trouver l'homme-du-tonnerre, c'est-à-dire Joffrey, qui possédait des terres depuis l'entrée de la Baie Française jusqu'aux sources du Kennebec.

— Ses ennemis sont aujourd'hui nos ennemis. Il les poursuit. Il est en ce moment devant Shédiac avec Skoudoum et Matéconando. Il possède des navires, des armes, de la ruse et du savoir. Allions-nous à lui et recevons ses conseils, avant de faire campagne contre ceux qui viennent de tuer ton frère de sang, Uniacké car, en vérité, il faut être prudent, mes frères. Je ne sais à quelle espèce ils appartiennent ces Blancs qui tuent. Ni Anglais, ni Français, ni pirates, ni malouins... Ils ont un navire, peut-être deux. (Il baissa la voix pour conclure.)... Et aussi... Je crois qu'ils sont possédés par des esprits mauvais.

Elle remarquait d'ailleurs que les yeux fureteurs de Piksarett ne cessaient d'être en alerte. Lui, le sauvage mystique, avait le sens inné de ces menaces cachées, de ces dangers sournois s'avançant à l'abri d'apparences anodines. Elle se souvenait de sa brusque volte-face, lorsqu'il était venu demander sa rançon à Gouldsboro, la façon dont il s'était mis à regarder autour de lui, comme s'il flairait l'approche d'une bête malfaisante : « Prends garde », lui avait-il dit. Un danger est sur toi! » Et il s'était « enfui »!... avaient dit Jérôme et Michel... sur quelle piste s'était-il lancé ensuite? Il semblait qu'elle l'eût mené où il fallait, puisqu'il avait surgi à l'heure où le piège qu'elle n'avait pas, elle, Angélique, décelé à temps se refermait sur elle.

Désormais, elle se sentit rassérénée de se trouver en sa compagnie et sous sa sauvegarde.

Ce fut avec courage qu'elle le suivit lorsqu'il s'enfonça vers la forêt, avec les Mic-Macs. Piksarett, ce Peau-Rouge, lui, savait déjà beaucoup de choses, et s'il ne pouvait les lui communiquer, parce qu'il était averti par un sens particulier et indéfinissable, elle pouvait, au moins, lui faire confiance. Et, dans l'expectative où elle se trouvait, elle commençait à comprendre que c'était de ces pouvoirs-là qu'elle avait besoin car l'angoisse qu'elle ressentait surtout depuis Port-Royal était moins physique — encore qu'elle sût maintenant qu'on en voulait à sa vie — que morale, venant du sentiment qu'on cherchait à atteindre et à détruire en elle quelque chose de plus précieux que la vie.

Ses ennemis avaient-ils été à Port-Royal? Comme « ils » avaient été à Gouldsboro, contre toute vraisemblance?

Avant de quitter la grève, les Indiens furetèrent une fois encore avec prudence à travers les rochers. Ils trouvèrent des objets ayant appartenu aux passagers de la chaloupe, entre autres le sac d'Angélique et ses souliers. Cela la réconforta. Son sac, à part son nécessaire d'écaille, ne contenait rien de bien précieux, mais lorsqu'on est naufragée sur une grève perdue tout est utile. Elle essora ce qu'elle put. On mettrait le reste à sécher plus tard. Elle avait emporté, dans l'intention de le montrer à Joffrey lorsqu'elle le joindrait, la taie écarlate tachée et percée d'Abigaël. Elle se félicita de n'avoir pas perdu ce témoignage important de faits suspects.

Dès qu'on s'éloignait du rivage, les terres stagnaient dans un air immobile, secret. Une chaleur intense, sans un souffle. C'était, déjà, la fin de l'été. Avant l'automne glorieux. Une sécheresse agressive commençait à faire crépiter les sous-bois. Bientôt les incendies s'allumeraient, qui mêlent leurs flammes pourpres et écarlates à l'écarlate et à la pourpre des arbres.

Pour lors, la forêt gardait encore sa vêture d'émeraude, des cèdres, des épinettes et les parfums exacerbés de ses résines et de ses mille arbres fruitiers, sauvages.

Piksarett guida ses compagnons hors des pistes

villageoises. Aucun des trois sauvages ne paraissait désireux de rencontrer les naturels du pays, ces Malécites aux yeux verts, que leur consanguinité ancestrale avec les pêcheurs bretons, voire avec les Vikings, premiers découvreurs de ces terres, rendait hâbleurs et vénaux, trop habitués de trafiquer avec les navires et à se livrer à des beuveries meurtrières. Vers midi, ils débouchèrent dans une clairière encombrée d'herbes et de buissons qu'ils durent quelque peu débroussailler du tranchant de leurs couteaux avant de découvrir trois ou quatre grandes chaudières de bois, en lisière des arbres.

— Je vous l'avais dit que nous pourrions festoyer, dit Piksarett, très satisfait.

— Toi, un Patsuikett de la rivière Merrimac, tu connais le pays mieux que nous qui en sommes pourtant voisins, reconnurent les Mic-Macs.

— Jadis la terre entière appartenait aux Enfants de l'Aurore, déclara Piksarett qui ne craignait pas l'exagération. Nous en gardons le souvenir dans notre sang. C'est lui qui nous guide vers ces lieux où jadis nos ancêtres festoyaient. Depuis, les Blancs sont venus. Nous avons des chaudières de fonte à transporter en nos voyages, mais aussi nos territoires se sont rétrécis comme une peau de chevreuil mal passée.

Jadis les Indiens fabriquaient, en les creusant au feu dans des souches d'arbres tronquées, ces cuves pour y cuire leur sagamité. On y versait de l'eau, on y jetait des galets brûlants, l'eau bouillait. Alors on ajoutait le maïs, le poisson ou les viandes, la graisse, les petits fruits des bois. Les tribus errantes connaissaient l'emplacement de ces chaudières de bois à travers le territoire. Retenus par la nécessité de demeurer à proximité, les peuples étaient plus stables.

En cours de route, les Indiens avaient tué un caribou. Ils en firent cuire les os pour obtenir de la graisse blanche à emporter dans leur voyage. Ils cuisinèrent à part l'estomac et son contenu qui se présentait sous l'apparence d'une pâte d'un jaune verdâtre. C'était un mets à la saveur un peu amère, à cause des feuilles des petits saules que le caribou mange l'été.

Angélique ne se résigna pas à y goûter. Elle était assise, le dos appuyé à un arbre. Elle était épuisée et, malgré la marche et la chaleur, elle continuait d'avoir froid. C'était intérieur. Après sa baignade à Monégan, le père de Vernon l'avait obligée à manger une assiette de soupe chaude. Il lui semblait qu'elle n'avait jamais rien mangé de si bon. Maintenant, il était mort, lui aussi. Brusquement, jaillie de cette pensée comme ces petits serpents cruels qui ne cessaient de l'assaillir désormais, elle vit cette mort sous un autre angle.

— Lorsque la nouvelle se saura, on dira : « Savez-vous à Gouldsboro, ils ont assassiné un Jésuite, le père de Vernon... Quelle chose affreuse! Ce comte de Peyrac ne recule devant rien... »

Quel barrage opposer à de tels ragots que soutenait la vraisemblance?

Elle frissonna derechef. Pour se réchauffer, elle glissa ses mains dans les poches de la casaque qui la revêtait. C'était la dépouille d'un de ces inconnus sans visage qui les poursuivaient. Au fond d'une des poches, elle sentit quelques menus objets. Il y avait une râpe à tabac, de la pacotille pour les Indiens, dans l'autre un papier plié qu'elle ramena au jour.

Une feuille d'un parchemin raffiné — elle aurait juré qu'il en émanait un léger parfum — où étaient écrites quelques lignes. L'écriture, à elle seule, inspirait l'effroi. Angélique n'aurait su dire si la main qui l'avait tracée était celle d'un homme ou d'une femme, d'un être cultivé ou vulgaire, un fou ou un esprit rassis, car il en émanait à la fois une impression de puissance virile et de préciosité féminine, les élans de l'orgueil comme des griffes projetées et les circonvolutions de la ruse, les bavures épaisses de la sensualité alliée à la grâce générale des lettres, trahissant chez le scripteur l'habitude de manier la plume.

Elle lut : *Semez le malheur sur ses pas afin qu'on l'en accuse.*

Puis, plus bas : *Ce soir, je t'attendrai, si tu es sage...*

Quelque chose de malsain et d'effrayant se dégageait de ces mots.

La signature était illisible. Les lettres indéchiffrables s'entrelaçaient, paraissant ébaucher la silhouette d'un animal hideux. Il parut à Angélique qu'elle avait déjà vu ce signe quelque part. Mais où?

Elle tenait la feuille à deux doigts, résistant à son envie de la jeter au feu, pour s'en purifier.

## 3

Ils marchèrent encore une journée par des sentiers écartés. Les pistes qu'ils suivaient étaient celles des bêtes et du chasseur.

Entre les troncs des chênes et des sapins blancs, on voyait étinceler de multiples étangs de castors. Les Indiens allaient à un train qu'Angélique avait peine à suivre; sans elle, ils auraient été encore plus vite. Ils auraient même couru. Ils pouvaient courir des heures sans faire halte et souvent en maintenant l'allure de la course qui aurait été jugée la plus rapide pour un homme blanc. A leurs propos, Angélique savait qu'ils se considéraient comme talonnés par un danger pressant mais ils ne pouvaient la laisser en chemin car elle aussi était menacée et devait arriver saine et sauve auprès de l'homme-du-tonnerre, son époux. Là seulement, on pourrait considérer qu'on aurait échappé aux esprits mauvais. Pour traverser le gué des rivières, Piksarett prenait Angélique sur son dos. L'amitié et la solidarité que lui témoignaient ces sauvages, leur compréhension intuitive de la situation — qui même pour elle demeurait confuse — étaient sans prix pour Angélique en ces jours incertains. Des hommes blancs à l'esprit plus rassis et matérialiste, se riant de ses doutes et de ses peurs informulés, ne lui eussent pas inspiré la même confiance, ni apporté le même réconfort.

Comme ils mangeaient le soir, à l'étape, les échos résonnèrent d'un coup de canon proche.

— Il y a un navire par là qui appelle à la traite, dit Uniacké.

Prudents, mais curieux, ils se glissèrent jusqu'au bord de la falaise qui dominait une large rivière aux eaux calmes. Ces failles profondes, qui partout fissuraient le littoral, permettaient aux navires de pénétrer assez haut en aval des estuaires.

Un petit yacht était là, reflétant sa tutelle rouge dans le miroir d'émeraude de la rivière.

— *Le Rochelais!* s'écria Angélique n'en croyant pas ses yeux.

Déjà elle distinguait sur le pont la chevelure claire de Cantor, des silhouettes familières des gens de Gouldsboro, Vanneau et le lieutenant de Colin, Barssempuy.

Ils dévalèrent la côte abrupte.

— Ah! Je savais bien que je vous retrouverais! s'écria Cantor en apercevant sa mère.

Peu après, il la rejoignait sur la petite plage du bord de l'eau.

— Comment as-tu deviné que je me trouvais par ici?

— Le flair, dit Cantor en posant un doigt sur son nez.

— Ah! Tu es bien un enfant de ce pays, s'exclama Angélique en l'embrassant de tout son cœur. Tu vaux les Indiens!...

Quel bon garçon que ce Cantor avec sa jeunesse insolente et sûre d'elle, pleine de santé et de passion!

— Je suis retourné à Port-Royal pour vous porter des nouvelles de mon père, que l'on avait reçues à Gouldsboro. Vous n'y étiez plus mais l'on m'a averti que vous vous dirigiez vers l'est. J'ai suivi la piste jusque chez Carter qui ne vous avait pas vue, mais savait que votre embarcation avait fait naufrage, que vous étiez sauve, et que vous étiez partie vers l'intérieur avec des sauvages. De là, facile de calculer vos étapes, et le point où je pourrais vous joindre. Un peu au hasard des criques, j'ai fait donner du canon et vous m'avez entendu.

Angélique n'avait retenu qu'un mot.

— Tu as des nouvelles de ton père?

— Oui, il a envoyé une missive à Colin pour l'avertir qu'il filait vers le golfe Saint-Laurent en contournant la presqu'île, qu'il ne pourrait être de retour avant trois semaines pour le moins. Il lui donnait des instructions pour la place.

— N'y avait-il rien pour moi?

— Si, il y avait un mot pour vous.

— Donne, dit Angélique tendant la main avec impatience.

Cantor parut interloqué, puis dit avec confusion.

— Mère, pardonnez-moi, je l'ai oublié...

Angélique lui aurait tordu le cou volontiers.

— Mais c'était très court, insista Cantor fort marri devant son visage désolé, certainement il n'y avait rien de bien important dedans!...

Qu'ajouter?

— Je vous ai apporté vos bagages, reprit timidement Cantor, comprenant qu'il avait gravement péché contre l'incompréhensible code qui régit la vie de ces êtres encore mal accessibles à l'adolescence : les adultes. C'est Abigaël qui a tout préparé pour vous. Elle a même mis des effets chauds pour l'hiver. Elle disait que peut-être vous seriez obligée d'aller jusqu'à Québec...

— Ton père parlait-il de moi dans sa lettre à Colin?

— Non, mais Colin a décidé que je devais aller vous reprendre à Port-Royal et vous conduire au golfe Saint-Laurent avec *Le Rochelais.* Car vous deviez le rejoindre à tout prix.

Ainsi Colin aurait approuvé sa décision de partir, pour l'isthme de Chignecto.

Tandis qu'ils échangeaient ces propos, des Indiens Malécites étaient sortis de la forêt apportant du castor, des peaux de loutres, de martres, un peu de renards bleus. Pour ne pas les mécontenter, Barssempuy autorisa la traite. La quincaille de Gouldsboro était de belle qualité. Les naturels s'estimèrent satisfaits, bien qu'ils n'aient pas obtenu assez d'alcool à leur gré.

Après leur départ, Angélique et ses trois Indiens montèrent à bord du *Rochelais* et on leva l'ancre dans la nuit tombante. D'un commun accord, ils avaient décidé de ne pas se lancer à faire le tour de la presqu'île, ce qui les aurait ramenés en arrière et retardés de plusieurs jours. On était désormais trop à l'est. Suivant le projet initial d'Angélique, on irait ancrer *Le Rochelais* au fond de la baie de Cobequy et ils traverseraient l'isthme à pied. Une affaire de trois, de quatre jours, au plus. Angélique rêvait déjà du moment où ils déboucheraient sur ces rivages du vaste golfe, ouvert en direction de l'Europe, royaume, à l'été, des morutiers qui tout au long des plages y pêchaient, dépeçaient et salaient la morue. En cette saison, l'odeur y était si nauséabonde qu'on la sentait à plusieurs miles à l'intérieur des terres. Cela importait peu.

Apercevrait-elle aussitôt le *Gouldsboro* mouillant au large? Qu'était allé faire Joffrey là-bas? Comme elle regrettait ce message pour elle que Cantor avait jugé superflu de lui apporter! Chaque mot de lui pour elle, en ce moment, l'aurait comblée. Elle aurait posé ses lèvres sur les lettres tracées de sa main. C'était la certitude, la chaleur de sa présence dont elle ressentait un besoin ardent. Moins par peur des dangers qui pesaient sur elle — elle avait traversé seule bien d'autres périls — mais, par nécessité de savoir que dans un monde vil, faux, soumis trop facilement aux instincts les plus bas, lui au moins existait, un homme qui l'aimait et qui allait droit sa route.

De plus elle était en mauvaise santé.

*Le Rochelais* était venu à temps pour lui éviter de déclarer forfait. Sans compter les nombreuses ecchymoses qu'elle portait à la suite du naufrage, sa blessure au pied s'était envenimée.

Cette blessure lui avait été causée, lors du premier voyage du *Rochelais* à Port-Royal, au cours de la tempête, quand elle avait reçu le coffre de Saint-Castine sur la jambe.

D'ailleurs, la première chose qu'elle aperçut en pénétrant dans la cabine du château arrière, ce soir-là, c'était ce fameux coffre aux trois cent cinquante scalps anglais.

— Est-ce que je rêve! s'exclama-t-elle. J'avais pourtant laissé cette cargaison à Port-Royal!...

— M. de la Roche-Posay me l'a remise, expliqua Cantor. Il disait que c'était l'occasion de l'acheminer vers Québec. Je crois aussi qu'il ne tenait pas tant que cela à le garder chez lui.

Bon gré, mal gré, il fallait croire que ce témoignage de la bonne volonté du baron de Saint-Castine à la cause du roi de France finirait par arriver à destination.

Angélique se résigna. Elle trouvait dans les autres

malles que lui avait préparées Abigaël ce qu'il lui fallait pour se soigner, se vêtir décemment, reprendre apparence humaine. Elle quitta sans regret l'affreuse casaque du naufrageur. Mais elle prit soin d'en retirer et de ranger soigneusement le papier mystérieux, à l'écriture inquiétante, qui disait : *Semez le malheur sur ses pas afin qu'on l'en accuse...*

## 4

Au matin, laissant sur la gauche la baie de Shépody où se déverse le Petit-Codiac, *Le Rochelais* s'enfonçait dans l'un des derniers recoins de la Baie Française, là où l'on savait que nichaient parmi les hérons bleus les faucons pèlerins, les canards noirs et les eiders blancs, quelques-uns de ces spécimens humains dont Angélique avait déjà entendu parler, comme n'appartenant ni à Dieu ni au diable, vivant pour eux-mêmes, cachés au fond de leur trou, guettant l'ennemi du haut des falaises rouges ou noires — et était ennemi tout intrus s'infiltrant dans les méandres des fjords chevelus d'arbres, Marcelline-la-Belle, les frères Defour, un ermite, quelques autres...

La femme aux onze ou douze enfants possédait un modeste manoir avec moulin à scie et à farine, entrepôts et marchandises de traite.

Louant les droits de chasse et de pêche qu'elle avait hérité de son défunt mari, elle tenait fief, protégeant à son tour quelques Français, pêcheurs côtiers ou modestes agriculteurs qui s'étaient accoutumés par là avec leurs épouses et concubines indiennes et toute une bande de petits métis. En tout, une dizaine d'habitations, soixante à soixante-dix personnes.

*Le Rochelais* jeta l'ancre au pied de ce domaine d'une beauté sauvage.

Un sentier montant, bordé de lupins, conduisait à la maison de bois et de pierres solidement bâtie.

La profusion des lupins, aux hampes gigantesques bleu de ciel, roses et blancs, donnaient aux alentours un aspect de parc royal.

Or, les arrivants trouvèrent la maison vide et l'endroit déserté, bien qu'il y eût encore des braises chaudes dans l'âtre et des poules à caqueter dans les cours.

— Ils ont dû s'enfuir avec leurs ustensiles de cuisine en apercevant nos voiles, dit l'un des hommes de l'équipage qui connaissait les lieux. C'est une coutume des gens de par ici, surtout dans les hameaux français isolés qui n'ont pas de défense. Pour peu que l'Anglais maraude, mieux vaut cabaner dans les bois quelques jours que d'être emmenés captifs à Boston. Les Français ont une sainte horreur de la bouillie d'orge des puritains!

Les passagers du *Rochelais* décidèrent de tenter leur chance du côté des frères Defour qui gîtaient à une demi-lieue de là.

Ils eurent la chance d'y trouver le troisième d'entre eux, Amédée, qui ne fit pas d'histoire pour leur offrir une généreuse hospitalité. Les frères aînés n'étaient pas encore revenus de l'expédition à la rivière Saint-Jean. Lui et le plus jeune, en compagnie du chat — car ils avaient un chat à leur image, gros, gras, taciturne — gardaient la maison, chassant, pêchant. Il fallait préparer l'hiver, accumuler et échanger les pelleteries qu'amenaient les Indiens, récolter un peu de céréales, de pommes de terre, engraisser le porc, fumer la viande de gibier. Ils vivaient là en seigneurs rustiques, thésaurisant pour on ne savait quel lointain rêve de retourner riches au royaume de

France, ou de ne pas y retourner mais simplement de se sentir à l'aise et prospères jusqu'à leur dernier jour. On comprenait que des gens comme ceux-là n'avaient pas envie d'être dérangés. Ni par les gouverneurs, ni par les jésuites, ni par les percepteurs d'impôts.

En revanche, leur hospitalité était sans limite pour leurs amis. L'aîné l'avait déjà prouvé en razziant les soldats du Fort Marie pour les mettre à la disposition du comte de Peyrac. Ils aimaient se montrer généreux aux frais du roi de France. Amédée fut aussitôt d'accord pour conduire Angélique de l'autre côté de l'isthme, sur le golfe Saint-Laurent.

Il prendrait quelques-uns de ses gens pour porter les bagages. Ce serait une affaire de deux journées de marche, peut-être moins, car les marais et les tourbières en cette fin d'été étaient presque asséchés et on les traversait facilement.

Malgré son impatience, Angélique ne put se mettre en route dès le lendemain. Elle souffrait de son pied et sa jambe était enflée. L'état de la plaie qu'elle avait négligée à Port-Royal avait empiré au contact de l'eau de mer. Cela prenait l'aspect d'un ulcère, rebelle à tout remède. Angélique décida de rester au moins un jour entier à reposer sa jambe et à essayer encore l'application d'un autre cataplasme d'herbes, qui aurait peut-être un meilleur résultat que ce qu'elle avait tenté jusqu'ici.

Afin de pouvoir prendre la route au plus tôt, elle s'évertua à se reposer complètement. L'endroit était si complètement perdu, le bout du monde, le fond de la Baie Française, son cul-de-sac qui toutes les vingt-quatre heures s'emplissait d'eau sur une hauteur de douze mètres, qu'on en retirait l'impression d'être désormais à l'abri des hommes et que personne ne viendrait vous y chercher.

Illusion !

Comme, au cours de l'après-midi, Angélique traversait la salle principale de l'habitation, elle y trouva, paraissant l'attendre, le marquis de Ville-davray en redingote juponnante, gilet à fleurs et hauts talons, appuyé d'une main sur sa canne à pommeau d'argent et tenant de l'autre un petit enfant joufflu d'environ quatre ans, aux boucles blondes sous un bonnet de laine rouge et qui lui ressemblait étrangement.

— Angélique! s'exclama le marquis, quel plaisir de vous revoir!

Il ajouta d'un air peiné :

— J'ai appris votre présence ici! Ce n'est pas bien! Vous ne m'avez pas averti et pour un peu vous seriez partie sans venir me voir...

— Mais j'ignorais que vous vous trouviez dans les parages.

Les yeux d'Angélique allaient avec hésitation du gouverneur à l'enfant...

— Mais oui, dit le marquis avec fierté, c'est mon petit. N'est-il pas charmant?

Il ajouta pour plus amples renseignements.

— C'est aussi le petit dernier de Marcelline-la-Belle. Vous ne la connaissez pas, elle? C'est dommage! Il faut la voir quand elle ouvre les coquillages!... Dis bonjour, Chérubin!... Il s'appelle Chérubin!... Cela lui va à ravir, n'est-ce pas? Pourquoi êtes-vous venue loger chez ces ignobles individus, les frères Defour, au lieu de vous arrêter chez Marcelline?...

— Nous nous y sommes arrêtés, mais elle n'y était pas!

— Ah! C'est vrai! Nous étions allés nous réfugier dans la forêt avec les chaudrons. C'est une vieille coutume des Acadiens français. Dès qu'ils aperçoivent un navire inconnu, ils attrapent leurs marmites et courent faire chaudière quelques jours avec les sauvages... C'est très amusant!... Mais, en l'occurrence, j'étais presque certain d'avoir reconnu l'un des navires de M. de Peyrac. Aussi ai-je insisté pour qu'on revienne dans la soirée.

Il regarda autour de lui avec irritation.

— Comment pouvez-vous vous entendre avec ces brutes insolentes? Non seulement ils se moquent de moi, refusent de payer patente et leur dividende, mais savez-vous l'histoire : ils ont débauché Alexandre!... oui, débauché. Ils l'ont engagé pour faire remonter le mascaret du Petit-Codiac à leurs embarcations marchandes. Et voilà! Alexandre est perdu pour nous. Il va devenir une brute à leur image, manger avec les doigts, coucher avec les sauvagesses... C'est navrant! Mais j'ai écrit à Québec pour me plaindre d'eux... Je vous lirai cette lettre avant qu'elle parte. Combien de temps restez-vous parmi nous?

— J'aurais voulu quitter dès demain, dit Angélique, mais j'ai une blessure à la jambe qui se guérit mal. Je crains qu'elle ne me permette pas de faire plusieurs lieues sans fatigue.

Le gouverneur s'émut aussitôt.

— Et je vous retiens debout! Ma pauvre enfant! Tenez, asseyez-vous là! Montrez-moi votre blessure. J'ai quelques notions de pharmacopée.

Il était en réalité fort compétent. Ils tombèrent d'accord qu'il fallait traiter le mal avec de la boucage ou du bouillon blanc.

— Je vais vous trouver cela en moins d'une journée. Je connais tout le monde ici. J'entretiens même d'excellentes relations avec le sorcier-guérisseur du village voisin. Mais il faut être raisonnable, mon enfant. Vous ne pourrez pas faire de longues marches avant plusieurs jours et vous le savez.

— Oui, je le sais! soupira Angélique en baissant la tête.

Elle décida en son for intérieur qu'elle allait demander à Piksarett et aux Mic-Macs de partir en éclaireurs sur la côte, porteurs d'un message pour son mari.

Le marquis paraissait tout heureux.

— Nous allons donc vous avoir quelque temps! jubila-t-il. Vous verrez! Ici, c'est charmant. J'y viens chaque année. Marcelline y garde et y entretient quelques-uns de mes habits et vêtements. Je n'ai pas besoin de me charger de bagages. C'est un repos au cours de cette tournée d'inspection si éprouvante. Mes charges de gouverneur sont accablantes,, surtout lorsqu'elles sont compliquées par la mauvaise volonté des uns et des autres. Vous avez vu cette affaire de la rivière Saint-Jean!...

— Oui, à propos de la rivière Saint-Jean, comment cela s'est-il passé? interrogea Angélique qui avait envie d'entendre parler de son mari.

M. de Villedavray lui donna quelques détails.

— M. de Peyrac a admirablement manœuvré et Skoudoum lui a prêté son aide. L'Anglais n'y a vu que du feu d'autant plus qu'il y avait un brouillard à couper au couteau. J'ai récupéré mon navire *L'Asmodée* sans perte, ni effusion de sang. J'aurais voulu mieux le remercier. Il a quasiment disparu à notre barbe. Il paraissait pressé d'en finir au plus vite...

Le marquis eut un clin d'œil complice.

— Sans doute pour vous retrouver au plus tôt, belle comtesse!

— Je ne l'ai pas revu, dit Angélique. Mais comme j'ai appris qu'il avait fait voile pour le golfe Saint-Laurent, je cherche à l'y rejoindre.

— Vous le rejoindrez, gardez confiance, petite madame! En attendant vous serez ici pour la Saint-Etienne. C'est merveilleux! Chaque année, j'offre une fête, sur mon navire, à cette occasion. Car c'est mon jour de fête. Oui, je m'appelle Etienne. Vous viendrez, n'est-ce pas! Angélique, souriez, la vie est belle!

— Pas si belle que ça! dit la voix d'Amédée Defour, qui pénétrait dans sa demeure, surtout pour ceux qui vous rencontrent. Gouverneur, qu'est-ce que vous venez faire chez moi?

— Je suis venu y saluer des amis personnels que vous accaparez outrageusement, répliqua Villedavray en se redressant de toute sa taille. Et, de plus, vous oubliez que j'ai droit d'inspection sur tous les territoires dépendant de ma juridiction, votre demeure y compris. Il est de mon devoir de me rendre compte de combien vous volez l'Etat et moi-même.

— Et de combien vous pouvez voler ces braves gens qui sont comme vous dites sous votre juridiction?

— Braves gens!... Ha! Ha! Ha! Est-ce à vous autres que vous songez lorsque vous faites allusion aux « braves gens »! Vous êtes des paillards, des mécréants, qui n'assistez jamais à une messe. Le père Damien Jeanrousse vous a dénoncés comme païens.

— Nous n'avons pas d'aumôniers et le père Jeanrousse dit lui-même qu'il n'est pas là pour s'occuper des Blancs mais seulement de la conversion des sauvages.

— Et l'ermite sur la montagne? Vous pourriez vous confesser à lui...

— Soit, nous n'allons pas à confesse, mais nous sommes d'honnêtes gens.

— Honnêtes! Pauvres compagnons! Croyez-vous que vous pouvez m'abuser et que je n'ai rien compris à votre trafic sur le Petit-Codiac. Vous portez en un temps record vos pelleteries et votre bois de charpente là-bas, sur le golfe, et les vendez aux navires qui font escale à Pointe-du-Chêne ou à Sainte-Anne avant de filer sur l'Europe. Encore de la marchandise qui quittera le Canada sans payer de taxes. Vous êtes des filous! Savez-vous ce qui arrivera lorsque je raconterai cela à Québec?

Amédée se tint coi et alla se verser une rasade d'alcool au coin de la cheminée.

— Payez-moi dix pour cent sur votre bénéfice, dit Villedavray qui le suivait d'un regard d'aigle (et il n'y avait plus ni naïveté ni jovialité dans son œil bleu) et je ne dirai rien.

— Ce n'est pas juste! C'est toujours nous qui devons payer, protesta Amédée. Vous n'en demandez pas tant à Marcelline et pourtant Dieu sait qu'elle en fricote des trafics pas catholiques.

— Marcelline est une femme accablée d'enfants et elle a peu de moyens, déclara le gouverneur avec solennité, malgré ses exigences, la loi sait se montrer indulgente pour la veuve et l'orphelin.

— Oui-da. En fait de moyens et d'indulgence, elle a su s'arranger avec vous, la Marcelline. Mais nous autres nous n'avons pas les mêmes armes, tant s'en faut!

— Je vais t'administrer du bâton, croquant, cria Villedavray en brandissant sa canne.

— Faudrait beau voir, répliqua le colosse en se mettant en garde les poings en avant.

Le marquis se maîtrisa.

— Pas devant l'enfant. Il est tellement sensible. Vous allez le bouleverser. Ressaisissez-vous, Amédée!

Ils firent la trêve, bien que le Chérubin au bonnet rouge ne parût pas du tout ému de cet échange d'amabilités.

Le marquis le reprit par la main et adressa un signe entendu à Angélique.

— Sortons, lui glissa-t-il.

Sur le seuil, il se retourna.

— Soit, je m'en tiendrai à cinq pour cent mais à condition que vous fassiez preuve d'un peu de déférence à mon égard. Je ne suis pas exigeant. Venez avec vos frères assister au service religieux le jour de la Saint-Etienne et partager mon gâteau d'anniversaire à bord de *L'Asmodée*. Il faut quand même qu'on puisse dire que le gouverneur d'Acadie est reçu avec égards dans sa province. De quoi aurais-je l'air?

Dehors, à l'abri d'un massif de lupins, il expliqua à Angélique :

— Le fond de l'affaire avec ces gens-là c'est qu'ils sont jaloux. Vous comprenez, chacun des quatre est le père d'au moins un des enfants de Marcelline... Ce sont de très beaux enfants, je n'en disconviens pas, mais le mien est quand même le plus réussi, conclut-il en regardant avec satisfaction son poupard aux yeux bleus. C'est normal, après tout. Je suis le gouverneur... Bon, oublions cet incident. Je vais vous faire envoyer les médecines nécessaires. Dès que vous irez mieux, venez nous visiter. Marcelline désire vous connaître. Vous verrez, c'est une femme étonnante.

## 5

Ainsi qu'il arrive lorsqu'on a beaucoup entendu parler de quelqu'un, peut-être trop, Angélique ne se sentait pas tellement empressée de connaître la fameuse Marcelline. Cette personnalité féminine dont la faconde et... la fécondité, la hardiesse et l'habileté à ouvrir les coquillages paraissaient avoir attiré toutes les sympathies masculines de la Baie Française, l'agaçait un peu à l'avance.

Mais Villedavray avait tenu parole. Il lui avait fait envoyer des plantes, des baumes dont elle pouvait apprécier l'efficacité. Déjà, le surlendemain, elle allait mieux et elle se devait de rendre au gouverneur une visite de bon voisinage. Elle prit le sentier qui reliait les deux domaines. Piksarett, le chef des Patsuikett, l'accompagnait. Il avait refusé de partir en éclaireur comme elle le lui demandait.

— Tu es en danger, lui avait-il déclaré. Il ne serait pas intéressant pour moi de te perdre avant d'avoir obtenu ta rançon. Uniacké et son frère iront jusqu'à la côte chercher l'homme-du-tonnerre. Donne-leur un message pour lui. S'il le trouve, peut-être viendra-t-il au-devant de toi.

Mais à l'instant d'écrire ce message, elle n'avait su que lui dire : l'avertir? « Je suis à Tantamare... Je vous attends... Je vous aime... »

Soudain le lien qui la reliait à lui semblait s'être non pas rompu, mais comme perdu dans une obscurité profonde. Qu'était-il arrivé?

Elle froissa le papier, le jeta.

— Que les Mic-Macs lui racontent ce qui est arrivé : que j'ai fait naufrage, qu'on a tué Hubert d'Arpentigny, qu'on a voulu attenter à ma vie, que je suis ici...

Les deux sauvages étaient donc partis. Elle préférait ne pas se séparer des gens de Gouldsboro, ni de Cantor.

## 6

La maison de Marcelline était vaste, confortable, fort bien aménagée.

Angélique trouva M. de Villedavray se prélassant dans un vaste hamac de coton, pendu à deux poutres. Son jeune fils jouait à ses pieds avec des pièces de bois.

— C'est un authentique hamac des Caraïbes, expliqua le gouverneur. Quel confort! Il faut savoir s'étendre bien en travers, d'un coin à l'autre, et alors on se repose admirablement. Je l'ai obtenu pour quelques tresses de tabac d'un esclave caraïbe qui passait par là, avec son maître, un déserteur de bateau pirate.

— L'homme aux épices! s'exclama Angélique. Quand donc les avez-vous vus?

Il y avait moins d'une semaine. Ils se dirigeaient vers la côte, pour y trouver un navire et retourner aux îles. Ils semblaient dans le besoin et Villedavray n'avait pas eu de difficultés à obtenir « presque pour rien » le hamac du sauvage, et surtout son « caracoli », bijou taillé dans un métal mystérieux qu'il portait au cou, enchâssé dans une plaque de bois dur. Le marquis exhiba l'amulette.

— C'est très rare d'en posséder une. Les Caraïbes y tiennent expressément et c'est presque le seul objet qu'ils laissent en héritage. M. de Peyrac vous dirait que ce métal jaune comme l'or et inaltérable comme lui, pourtant n'est pas de l'or, ni même un alliage doré d'argent. Ils l'obtiennent des Arouag de la Guyane, leurs ennemis jurés, quand ils vont les visiter et leur porter des présents avant les combats... Je suis enchanté de mon acquisition. Elle va compléter ma collection de curiosités américaines...

» Il paraît que vous possédez des « porcelaines » iroquoises, oui, un collier de wampum de toute beauté, et que c'est le chef des Cinq Nations qui vous en aurait fait présent, à vous personnellement...

— Outtaké... oui, en effet... Mais je ne le vendrai jamais... ni même ne vous le donnerai « pour rien » comme vous êtes en train de l'espérer...

— Vous y tenez tant que cela? Vous y êtes très attachée? Cela représente pour vous un souvenir heureux? interrogea le marquis avec vivacité.

— Certes!...

Angélique se remémorait l'instant où elle avait tenu ce collier de wampum sur ses mains, alors que le fort s'imprégnait de l'odeur de la soupe de haricots apportés par les Iroquois pour les sauver de la famine. Cet instant resterait pour elle ineffaçable. « *Ces porcelaines* sont pour toi, Kawa! La femme blanche qui a conservé la vie de notre chef Outtaké (1). »

Le marquis jeta un coup d'œil dans la cour où Piksarett entouré d'enfants contait ses nombreux exploits de Grand Guerrier de l'Acadie.

— On raconte à Québec que vous couchez avec les sauvages... lança-t-il en souriant. Mais ce ne sont que des ragots, s'empressa-t-il d'ajouter vivement devant la réaction d'Angélique, et je ne les ai jamais crus...

— Alors pourquoi me les rapportez-vous? dit Angélique en colère. Qu'ai-je besoin de savoir des vilenies que l'on colporte sur mon compte, dans votre petite ville médisante?... L'on ne m'y a jamais vue!...

— Mais les faits étonnent, ma chère! Outtaké! Un ennemi aussi irréductible des Français et de tout être de race blanche! Et à vous, une femme! Un tel honneur...

— Je lui ai sauvé la vie. Il a sauvé les nôtres. Quoi d'étrange ensuite qu'un échange de présents?

— Et celui-là?

Villedavray avait un mouvement du menton vers Piksarett.

— Et celui-là... Piksarett l'Abénakis. Le contraire d'Outtaké. Le pire ennemi de l'Iroquois, un irréductible aussi dans son genre, enragé au combat pour son Dieu et pour ses amis. Et voici qu'il quitte la campagne guerrière à peine commencée, pour vous suivre comme un toutou!... Les Jésuites ont dû faire une tête!

Il sourit d'un air gourmand.

— Avouez qu'il y a de quoi clabauder!... Qu'est-ce qui peut bien vous lier à ces serpents rouges et les attacher ainsi à votre personne?

(1) Lire dans la même collection, *Angélique et le Nouveau Monde*, T. 1 et T. 2, 679*** et 680***.

— Je n'en sais rien, mais ce n'est pas ce que vous avancez. De toute façon vous savez aussi bien que moi que les Indiens, quels qu'ils soient, n'ont même pas l'idée qu'ils pourraient avoir des relations amoureuses avec une femme blanche. La peau blanche leur répugne.

— Il y a eu des cas, dit Villedavray, sentencieux. Rares certes, mais toujours des personnalités féminines intéressantes. Même parmi les Anglaises. Des femmes qui quittaient tout pour suivre au fond des forêts un bel Indien puant. Il y a une primitivité cachée en toute femme...

— Pour l'instant, c'est lui qui me suit, dit Angélique qui commençait à s'énerver. Et surtout n'allez pas faire de telles allusions devant lui, votre chevelure se retrouverait à sa ceinture dans la minute suivante et ce serait bien fait pour vous. Vous êtes une mauvaise langue et vous auriez mieux fait de rester à la Cour, plutôt que de venir embrouiller nos affaires jusqu'au fin fond de l'Amérique avec vos cancans... De plus, je ne sais pas si vous êtes tout à fait conscient de vos paroles, mais elles sont insultantes pour moi et pour mon mari... Lui aussi, il vaudrait mieux pour votre sécurité qu'il n'en soit pas averti...

— Mais je plaisantais, voyons!

— Vos plaisanteries sont douteuses...

— Comme vous êtes susceptible, se plaignit le marquis. Mais voyons, Angélique, qu'ai-je dit?... Il n'y a pas de quoi fouetter un chat... Pourquoi prenez-vous les choses tant au sérieux? La vie est belle, mon enfant! Souriez!

— Ah! Voilà bien votre genre! Vous me mettez hors de moi et puis après vous vous payez le luxe de me consoler et de m'encourager à voir la vie en rose...

— Il est comme ça. Que voulez-vous? Il faut le supporter, dit la grande Marcelline en entrant dans la pièce. Exactement comme son fils. Menteur, délicat, il faut le dorloter, le petit mignon! C'est un enfant. Que voulez-vous! Malfaisant, roué, inconscient, comme tous les enfants. Malfaisant mais amusant. On lui pardonne parce qu'il n'est pas peureux bien que gâté. Et pas foncièrement méchant. Il ment pour les petites choses, pas pour les grandes...

Elle continua ainsi un moment sans qu'on pût savoir si elle parlait du père ou du fils...

Elle était grande, bien bâtie, mais moins hommasse qu'Angélique ne se l'était imaginé. Plus distinguée aussi. Les cheveux châtains et drus commençaient de s'argenter aux tempes. Ils contrastaient avec son visage hâlé, un peu rubicond, imprégné d'un air de jeunesse et de santé réconfortant. On comprenait la tendance des aventuriers nostalgiques à venir se reposer sur ce sein généreux et retrouver au contact de son entrain contagieux le goût de vivre, même en se trouvant plus pauvre que Job...

Marcelline, orpheline, pauvre, brimée, plusieurs fois mariée et veuve, mère et abandonnée, avait fait son feu de la moindre brindille. Ses « malheurs » auraient suffi pour expliquer qu'elle se passât la corde au cou. Or, elle ne voyait dans sa vie que chance et hasards heureux. Elle eût pu vendre de la joie, comme ses coquillages ou son charbon.

— Mes autres enfants sont sérieux et un peu simples, expliqua-t-elle à Angélique. Forcément! Tous leurs pères ne pouvaient pas être des gouverneurs... Avec le petit dernier on est obligé de se magner un peu le ciboulot. C'est sain... Si la tête ne travaille jamais, on devient bête. Quand son père vient, alors c'est le grand jeu. A la fin de l'été, vous pouvez être sûre qu'ici tout le monde est prêt à s'entre-tuer. Il sait mettre une ville à l'envers, oh! la! la! Moi, j'admire. Je ne sais pas comment il fait pour trouver tant de choses pour vexer, blesser, tracasser... C'est un art, je vous dis... Moi, je ne pourrais pas. Je ne m'y connais pas en méchanceté, c'est ça qui m'a perdue.

Elle parlait tout en considérant Angélique avec attention. Elle dit enfin :

— Bon! ça va! Je suis contente, vous le valez. Je veux dire, vous êtes bien la femme qu'il lui faut. A qui? Au comte de Peyrac, pardi! Ça me tracassait. On parlait de vous. On disait que vous étiez très belle. On le disait trop même. Ça me faisait peur. Les femmes très belles, et de la noblesse, c'est souvent des garces. C'est qu'il est venu ici les premiers temps, quand il explorait, avant qu'on parle qu'il vous avait ramenée d'Europe. C'est un homme... comment dire, différent... comme on n'en voit pas. Il dépasse tous les autres, même celui-ci, déclara-t-elle en désignant sans ménagement Villedavray. Il a en lui quelque chose qui fait que toutes les femmes, quelles qu'elles soient, éprouvent l'envie qu'il s'intéresse un peu à elles, ne serait-ce qu'en les regardant... comme il sait regarder. C'est curieux comme sensation, on sent qu'il vous voit, que vous êtes quelque chose, quelqu'un, ou bien, en souriant seulement, ou en disant une phrase, comme celle-ci : « Votre maison est chaleureuse, Marcelline. Vous lui avez donné une âme... » On se sent grandir... on se dit. Moi, j'ai fait ça, vraiment, j'ai donné une âme à ma maison et ça se sent?...

» Je me disais, un homme comme celui-là, il n'y a pas de femme à sa taille. Une femme ne peut être pour lui qu'un objet de distraction, de passage, et il n'est pas homme à en épouser une rien que pour le servir, la montrer dans les salons... Et je me disais, c'est pas à courir les mers et les endroits sauvages qu'il le trouvera son oiseau rare...

» Et voilà que j'apprends qu'il y a à Gouldsboro

une comtesse de Peyrac. J'étais si curieuse que pour un peu j'aurais mis la voile pour aller examiner de quoi vous aviez l'air. Et maintenant, je vous vois. Et je suis contente, il y a quand même des choses bien qui arrivent dans la vie.

Angélique dès les premiers mots avait compris qu'elle parlait de Joffrey, et le franc enthousiasme avec lequel Marcelline s'exprimait lui causa tant de joie qu'elle en eut presque les larmes aux yeux. Elle LE voyait ici, lorsqu'il y était venu, encore solitaire, le banni du royaume, le rejeté des siens pour seul péché d'intelligence et de grandeur d'âme, et son cœur se gonflait d'amour et de nostalgie. Elle, si loin, là-bas, en France, une bête pourchassée. Lui, ici, ayant perdu l'espoir de jamais la retrouver. Tous deux misérables d'une douleur qu'ils croyaient ne pouvoir jamais se consoler sur terre. Le miracle qui les avait réunis prenait soudain pour elle des proportions supraterrestres. Voyant les larmes subites qui emplissaient les yeux d'Angélique, Marcelline s'interrompit, inquiète.

— Pardonnez-moi, dit Angélique en s'essuyant les paupières, ce que vous me dites me va tellement droit au cœur! Vous me touchez plus que je ne puis l'exprimer. Et puis je suis en ce moment dans une telle inquiétude à son sujet.

— Tout va s'arranger, dit Marcelline avec bonté. M. le gouverneur m'a raconté. Vous essayez de le joindre sur la côte et vous ne pouvez poursuivre votre voyage à cause de votre pied blessé... Prenez patience! Nous aurons peut-être l'occasion d'avoir bientôt de ses nouvelles. Mon fils, Lactance, est à Tormentine ces jours-ci, pour y porter des marchandises. Il doit revenir demain ou après-demain; s'il a vu M. de Peyrac, il nous le dira.

Cet espoir rasséréna Angélique.

La présence de Marcelline dégageait vraiment une impression vivifiante et la certitude, comme elle le disait, que « tout allait s'arranger ».

Ils firent collation joyeusement, de cidre et de tourte au gibier.

Villedavray lut à Angélique la lettre qu'il envoyait à Québec pour dénoncer la mauvaise conduite des frères Defour et qui commençait ainsi.

Excellence,

« Je n'ai davantage de raisons de me trouver satisfait des sieurs Defour que par le passé. Ainsi celui qui vient de revenir de France ne fait pas plus appel à moi que les trois autres. Tous ils ont des natures complètement gâtées par la longue liberté et l'habitude de diriger leur conduite eux-mêmes, déplorable usage des gens qui hantent l'Acadie des provinces maritimes, et qu'ils ont acquise chez les Indiens... Il est donc indispensable de garder à vue des gens si dangereux que j'eus l'honneur de vous signaler déjà l'an passé... etc.

Quelques-uns des enfants de Marcelline se présentèrent. L'aînée était une fille, Yolande. Elle était aussi grande que sa mère mais sans en avoir la féminité naturelle.

— C'est un vrai gendarme, disait d'elle Marcelline avec fierté, elle peut vous assommer un homme d'un coup de poing.

Angélique demanda en aparté, au marquis, quels étaient les rejetons des frères Defour!

— Je n'en sais rien au juste, répondit-il. Tout ce dont je suis certain c'est qu'il y en a dans la troupe. Je le sens.

L'attention fut soudain attirée par un point lointain à l'horizon : un navire, qui fit sortir tout le monde.

Yolande demanda s'il fallait qu'on commence à décrocher les chaudières pour se réfugier dans les bois.

— Non, dit le marquis, je distingue maintenant à qui nous avons affaire. C'est la caraque flamande de ces ivrognes sanguinaires, les frères Defour. Bon, ils seront là tous les quatre pour la Saint-Etienne. Et peut-être Alexandre!

Il se frotta les mains.

— Ha! Ha! Je vais leur faire chanter la messe.

Angélique ne disait rien et le considérait fixement.

— Qu'avez-vous? interrogea le marquis, vous paraissez songeuse.

— Je cherche quelque chose à votre propos, dit-elle, cela vous concerne et c'est très important, mais je n'arrive pas à discerner de quoi il s'agit. Ah! voilà, j'y suis!... Mais oui...

La scène qu'elle recherchait surgissait de sa mémoire.

— ... La première fois que je vous ai rencontré sur la plage de Gouldsboro, vous aviez dit que vous ne pouviez rien discerner à deux pas sans vos lunettes. Or, à l'œil nu, vous venez non seulement d'apercevoir ce bateau lointain mais encore de l'identifier.

Le marquis parut interloqué, et commença de rougir comme un enfant pris en faute mais il se rattrapa assez vite.

— C'est vrai! Je me souviens... En fait, j'ai une vue perçante et n'ai jamais eu besoin de lunettes de ma vie... mais je me suis trouvé obligé de jouer cette petite comédie...

Il regarda autour de lui et l'attira dans un coin afin de lui parler en confidence...

## 7

— ... Ce fut à cause de cette femme qui vous accompagnait.

— La duchesse de Maudribourg?

— Oui... quand je l'ai aperçue, mon sang s'est glacé dans mes veines... Je ne craignais qu'une seule chose, c'est qu'elle me reconnût ou qu'elle sache que je l'avais reconnue... Pour l'éviter, je me suis lancé dans la première improvisation qui m'est venue à l'esprit et il semble que je n'ai pas trop mal réussi puisque vous-même vous vous y êtes laissé prendre... J'ai quelque don d'acteur... M. Molière me disait...

— Pourquoi craignez-vous qu'elle sache que vous l'aviez reconnue?

— Mais c'est une femme redoutable, ma chère! Parlez de la duchesse de Maudribourg dans certains cercles particuliers de Paris ou de Versailles et vous verrez les visages pâlir. Pour ma part, je l'ai rencontrée quelquefois, à la Cour certes, mais surtout dans ces séances de Magie Noire qu'il est bon de fréquenter pour être considéré. C'est la mode désormais. Tout le monde y court pour rencontrer le Diable. Pour ma part, je ne prise guère ces passe-temps. Je vous l'ai dit, je suis un homme simple, bon enfant. J'aime vivre en paix entre mes amis, mes livres, de beaux objets, de beaux paysages. Québec me convient...

— Pourquoi ne nous avez-vous pas prévenus de la véritable personnalité de cette femme que le hasard avait amenée dans notre établissement?

— Hé, croyez-vous que je tenais à ce qu'elle m'administre un bouillon de onze heures! C'est une empoisonneuse, ma chère, et des plus compétentes... Et puis la situation m'a paru piquante. Flirter avec le Diable aux yeux d'ange! Quand je pense qu'elle a eu l'insolence de me dire : « Vous confondez, monsieur, je vous assure que je n'ai la mort de quiconque sur la conscience. » Elle qui a envoyé *ad patres* une bonne douzaine de quidams, sans compter son vieux mari, quelques servantes qui lui avaient déplu, un confesseur qui ne l'absolvait pas...

Il pouffa derrière sa main.

— ... Elle est d'origine bâtarde. C'est la fille d'une grande dame luxurieuse, un peu sorcière, qui l'a eue avec son aumônier ou son valet ou son frère, ou un cul-terreux quelconque... on ne sait. On gage pour l'aumônier, car il était fort savant en mathématiques, et cela expliquerait ses dons indéniables en sciences, encore qu'en un temps les théologiens aient pensé qu'elle les tenait du Diable...

Il ajouta, soucieux :

— Je ne suis pas arrivé à savoir exactement qui était sa mère... Mme de Roquencourt la connaissait mais je n'ai pu obtenir d'elle la vérité... tout ce que je sais, c'et que c'est un grand nom du Dauphiné.

— Je croyais que Mme de Maudribourg était poitevine...

— Elle raconte n'importe quoi à ce sujet. Cela dépend qui elle a décidé de séduire... Mme de Roquencourt s'est intéressée à la fillette, je ne sais pourquoi?... Peut-être des liens d'amitié un peu particulière l'unissaient-ils à la mère... ou bien parce qu'elle aussi avait des faiblesses pour l'aumônier... Il n'était point inintéressant, cet ecclésiastique. Une sorte de génie scientifique spontané. Seuls les Ordres lui avaient permis de faire des études. Sa fille a hérité de lui et pour le satanisme aussi! Avez-vous entendu parler de l'affaire du couvent de Norel?

— Non.

— Cela s'est passé il y a quelque vingt ans. Elle s'y trouvait. Elle devait avoir dans les quinze printemps. Mais ce n'est pas le seul couvent où le Diable est allé faire ses cabrioles. Il y a eu Loudun, Louviers, Avignon, Rouen, c'était la mode alors... A Norel, l'action satanique était menée par Yves Jobert, le directeur du monastère qui faisait danser les nonnes nues et s'accoupler entre elles jusque dans l'église et le jardin. Il enseignait qu'il fallait faire mourir le péché par le péché et pour imiter l'innocence de nos premiers pères, rester nus comme eux et suivre l'impulsion de ses sens plutôt que de les freiner... C'est une théorie qui ne manque pas de séduction mais l'Inquisition ne l'a pas entendue de cette oreille. Elle a passé Yves Jobert aux brodequins avant de le brûler vif ainsi que quelques-unes des nonnes (1). Elle, Ambroisine, elle s'en est tirée car elle est maligne. Le duc de Maudribourg l'a épousée. Elle a pu enfin s'offrir des armes sur sa bannière de bâtarde, un lion aux quatre pattes griffues, de gueules sur fond de sable. Lui, croyait faire une bonne affaire car il avait l'habitude de s'offrir de jeunes vierges pour s'en débarrasser ensuite quand il en était lassé. Il a trouvé plus fort que lui. En fait de vices et de poison, il n'avait rien à lui enseigner. Naturellement, tout ceci ne se sait pas officiellement ou à peine... Ce sont de trop grands noms. Mais moi je suis au courant de tout, on me trompe difficilement... Vous comprenez pourquoi je me suis ému de rencontrer ainsi en Amérique cette Messaline avide. Mais je crois m'être tiré avantageusement de ce mauvais pas... Angélique, vous avez l'air fâchée! Pourquoi?

— Vous ne m'avez pas prévenue à temps. Accueillir cette femme parmi nous représentait un danger mortel.

— Bast! Elle n'a tué personne, que je sache.

— Elle l'aurait pu.

Angélique, tremblait intérieurement. L'idée qu'Am-

(1) Les auteurs rappellent aux lecteurs que les faits évoqués là par Villedavray sont authentiques. Au siècle de Louis XIV la sorcellerie jouait un rôle primordial. La Cour et les couvents furent témoins de désordres extravagants. Des milliers d'enfants nouveau-nés furent immolés dans les messes noires. L'« Affaire des Poisons » en France et celle des « Sorcières de Salem » en Amérique allaient éclater quelques années plus tard.

broisine avait envisagé d'empoisonner Abigaël s'imposait à elle, maintenant.

— Angélique, vous n'êtes plus la même, s'écria le marquis d'un ton désolé. On dirait vraiment *que vous m'en voulez!*

— Je vous tuerais volontiers, dit Angélique en le fixant froidement.

Son regard ne devait guère être rassurant car le gouverneur recula d'un pas.

— Pas devant l'enfant! dit-il précipitamment. Je vous en prie! Allons, Angélique, soyez raisonnable. On dirait que vous me reprochez réellement quelque chose de grave.

— Certes! Vous saviez des choses épouvantables sur cette duchesse et vous ne nous les avez pas communiquées. Voilà en quoi vous êtes coupable!

— Mais, au contraire, je crois avoir agi avec habileté et sang-froid. La dénoncer eût peut-être éveillé ses instincts pervers. Qui sait? N'est-elle pas venue en Amérique pour s'amender? La conversion! C'est très couru parmi nos belles criminelles. Quand elles en ont assez des plaisirs vénéneux, elles se jettent dans la dévotion, et s'y font remarquer, croyez-moi!... Mlle de La Vallière est sous la bure, Mme de Noyon qui a empoisonné ses enfants nouveau-nés et deux amants — cela je suis seul à le savoir — est depuis quelques années à Fontevrault et l'on parle de la nommer abbesse...

— Ah! cessez de m'entretenir de ce monde abject! s'écria Angélique en se précipitant vers la porte.

Le marquis de Villedavray la suivit avec agitation.

— Angélique! Comme vous vous émouvez de peu! Allons! Nous n'allons pas nous brouiller pour des bagatelles, voyons! Admettez au moins que j'aie voulu agir pour le mieux...

Elle lui jeta un regard noir. Elle ne croyait pas à ses protestations d'innocence. S'il s'était tu, c'était peut-être par crainte d'Ambroisine, en effet, mais aussi parce qu'il adorait embrouiller les affaires des autres et se sentir important.

— Vous me jugez mal, fit-il réellement attristé. Qu'importe! Vous me connaîtrez mieux un jour et vous regretterez votre dureté. En attendant, ne troublons pas nos excellentes relations pour une personne si peu intéressante. Elle est loin maintenant et ne peut nuire à personne... Allons! Angélique, souriez, la vie est belle! Vous viendrez à mon anniversaire, n'est-ce pas?

— Non, je n'y viendrai pas.

## 8

Il fit si bien le lendemain, allant la visiter chez les frères Defour et l'accablant de protestations de son amitié et de la pureté de ses intentions avec toutes preuves à l'appui, dans l'histoire d'Ambroisine, qu'elle finit par lui céder. Soit, elle irait à son anniversaire! Soit, elle lui pardonnait! Oui, elle convenait que c'était grâce à lui que son pied était aujourd'hui presque guéri! Qu'elle aurait mauvaise grâce à le bouder, à manquer une aussi extraordinaire fête sur l'*Asmodée* et le spectacle peu commun de Marcelline ouvrant ses coquillages... De plus, il avait le cœur chagrin, à cause d'Alexandre. Celui-ci était revenu en même temps que les deux aînés Defour. Il voulait continuer à sauter les rivières et ne parlait pas de retourner à Québec avec son protecteur... La discussion avait été orageuse.

— Comme la jeunesse est ingrate! soupirait le marquis. Angélique, n'ajoutez pas à ma peine.

Bon! Elle promit d'aller à la réception et s'occupa un peu de sa toilette pour l'occasion.

Elle n'avait pu dormir de la nuit, avait les traits tirés et mauvaise mine. Elle se reprochait d'avoir réagi trop violemment aux révélations de cette mauvaise langue de Villedavray. Angélique avait vécu à la Cour et n'apprenait de lui rien de nouveau.

Avait-elle oublié les messes noires entrevues dans le secret des nuits de Versailles, lorsque le nain Barcarole la guidait et la protégeait des entreprises criminelles de la marquise de Montespan?

« J'étais moins vulnérable alors, moins sensible à la turpitude humaine... »

Ici, en ces lieux vierges, dans l'ivresse d'un amour authentique et éblouissant, elle avait commencé d'oublier. Sa vie avait pris un autre sens, plus complet, plus sain, plus créateur, convenant à sa nature profonde. Viendraient-« ils » la poursuivre jusqu'ici pour lui faire payer tant d'errances? Cela paraissait un cauchemar. Jusqu'au bout du monde, où était l'innocence? Par la fenêtre ouverte sur la nuit, elle apercevait Piksarett, l'Indien, qui veillait sur elle. Un autre monde, une autre humanité. Cantor, son fils, dormait non loin. Elle songea à Honorine... à Séverine, à Laurier, à la petite Elisabeth dans son berceau rustique, à Abigaël... Et elle s'était levée avec agitation, pour aller regarder les étoiles et puiser dans la limpidité du ciel nocturne elle ne savait quelle force nécessaire.

— Non, « ils » ne prévaudront pas contre nous...

Elle pensait encore et sans cesse à Joffrey de Peyrac, le voyant se détacher parmi tant et tant d'être humains qu'elle avait rencontrés comme le seul avec lequel elle avait reçu parenté sur la terre, avec qui elle avait pu passer le pacte spirituel de l'amitié et de l'amour. Cela accentuait leur solitude à tous deux parmi les hommes, mais aussi les défendait de s'égarer en d'autres routes que celles de leur destin.

« Comment ai-je pu vivre si longtemps sans toi?... Toi qui seul me connais et me reconnais...

Toi qui sais que je suis semblable à toi, bien que je sois une femme et toi un homme. Y a-t-il un passé de ma vie où tu n'étais pas? Non, car c'était la vision que j'avais gardée de toi qui me préservait, malgré ma faiblesse de femme, de rejoindre le troupeau, de m'y confondre et de m'y perdre... »

En fin d'après-midi, elle se dirigea, accompagnée de Cantor et de Piksarett, vers la propriété de Marcelline Raymondeau. Les frères Defour y étaient déjà, ayant sorti des coffres leurs habits de drap et leurs souliers à boucles, qu'ils ne vêtaient pas une fois l'an. Ils y entraient avec plus ou moins de bonheur et y étaient plus ou moins à l'aise, mais, pour cette fois, il leur fallait plaire au gouverneur

Le matin, on les avait vus à la chapelle de l'ermite, un Récollet chenu, en bure grise, assister au service religieux. De mauvaise grâce mais d'une voix tonitruante, ils chantèrent les cantiques.

— Lamentable, dit Villedavray en sortant. Ils m'ont cassé les oreilles. Ah! ma chère! Vous ouïrez ces offices à Québec! La chorale de la cathédrale et celle de la maison des Jésuites...

— Vous semblez bien sûr de nous voir à Québec... Pour ma part, ce projet ne me paraît pas en voie de se réaliser. Nous sommes maintenant en septembre, je ne sais où se trouve mon mari... Et, de toute façon, je ne peux passer l'hiver si loin de ma petite fille que j'ai laissée dans un fort isolé, aux frontières du Maine...

— Prenez-la avec vous! dit Villedavray comme si l'affaire eût été des plus simples. Les Ursulines lui enseigneront l'alphabet et elle patinera sur le Saint-Laurent...

Malgré la séduction de la fête qui se préparait et qui attirait tous les Acadiens des environs, y compris quelques colons anglais ou écossais, ainsi que les « principaux » des tribus voisines, Angélique sentait qu'elle ne pourrait y participer de bon cœur.

Elle était loin de l'état d'esprit dans lequel elle se trouvait à Monégan, il y avait deux mois. Quel souvenir! Elle avait sauté dans le feu de la Saint-Jean, pour conjurer les mauvais esprits et danser follement avec le capitaine basque Hernani d'Astiguarza sous l'œil réprobateur de Jack Merwin, jésuite, et de Thomas Patridge, pasteur... Aujourd'hui tous deux étaient morts!... Que de tourments! Quand donc finirait l'été maudit?...

Des lanternes de couleur étaient accrochées aux gréements du navire et se reflétaient dans l'eau calme du fjord où mouillait l'*Asmodée*.

Cantor accordait sa guitare, remise des émotions qu'elle avait encourues à Port-Royal.

On se rendrait à bord du navire en barques et là on y festoierait, l'on y chanterait et l'on y danserait.

Mais il était écrit qu'Angélique ne pourrait donner, ce soir-là, satisfaction au pauvre gouverneur de l'Acadie.

Dans le remue-ménage des préparatifs et comme l'obscurité commençait de tomber, un jeune Indien s'approcha d'elle et lui dit en bon français que l'ermite sur la montagne la demandait dans son oratoire, car un homme s'y trouvait qui voulait parler à Mme de Peyrac ainsi qu'à son fils Cantor. Angélique réagit avec vivacité.

— Je n'aime pas beaucoup de tels messages, un homme... C'est trop vague! Qu'il se nomme et j'irai.

— Il a dit que c'était de la part de Clovis.

## 9

Clovis!... C'était bien lui.

Lorsque Angélique et Cantor pénétrèrent dans la grotte de l'ermite, ils reconnurent sans peine à la lueur d'une torchère fumeuse l'Auvergnat trapu, ses sourcils charbonneux, son petit œil perçant et hostile. Il ne s'en leva pas moins à leur vue et se tint devant eux, son bonnet entre les mains, dans une attitude relativement déférente. Sa chemise était raide de graisse, son menton mal rasé, ses cheveux hirsutes, un véritable homme des bois.

— Clovis! Vous ici? lui dit Angélique. Nous ne pensions pas vous revoir!... Pourquoi avez-vous déserté?

Il renifla à plusieurs reprises, affichant cet air buté qui lui était familier quand elle lui faisait des remontrances.

— J'voulais pas, dit-il, mais « ils » m'ont promis une émeraude de Caracas et, à première vue, ça ne m'a pas paru bien méchant ce qu' « ils » me demandaient. Après, j'étais empêtré, j'ai compris que, de quelque côté que je me tourne, j'allais y laisser ma peau. Alors, j'ai pris la poudre d'escampette...

— Qui sont-« ils »? demanda Angélique qui avait compris aussitôt que Clovis faisait allusion à leurs ennemis mystérieux...

— Est-ce que je sais?... Des gens d'ailleurs qui veulent vous causer des ennuis! Mais pourquoi? pour qui?... ça, je ne sais pas.

— Que vous ont-ils demandé de faire pour eux, contre nous?

Clovis renifla derechef. Le mauvais moment était venu.

— C'était à Houssnock, expliqua-t-il. Un gars s'est présenté qui m'a donné quelques bricoles et qui m'a promis que si l'affaire réussissait j'aurais une émeraude. Il disait qu'il y avait un pirate dans la baie avec lequel ils étaient en cheville et qui avait pillé tout le trésor des Espagnols à Caracas, que, pour moi, ils m'obtiendraient de lui une émeraude. Et puis ça ne paraissait pas bien méchant ce qu'il voulait.

— Que voulait-il?

— Pas grand-chose, fit Clovis en hochant la tête.

— Mais encore?

— Il voulait que je m'arrange pour vous faire partir vous, madame la comtesse, chez les Anglais sans que M. le comte en soit prévenu. On avait parlé qu'on raccompagnerait la petite captive de l'autre côté du Kennebec. Ça m'a paru simple : j'ai dit à Maupertuis et à son fils que M. le comte les chargeait de vous accompagner avec votre fils jusqu'au village anglais et qu'il vous attendrait à l'embouchure. Ils n'ont pas pipé. Des Canadiens, ça saute toujours sur l'occasion de courir les bois sans se poser de questions. Ils ont informé le jeune monseigneur que voici (Clovis désignait Cantor du menton) et qui n'y a pas vu malice. Les jeunes aussi, ça part en promenade sans se creuser la tête...

— Merci bien, dit Cantor, comprenant qu'on s'était servi de son impulsivité adolescente pour mystifier son père et entraîner sa mère dans un piège.

A Houssnock, Angélique, le voyant arriver et lui dire de la part de son père qu'elle devait se mettre en route seule pour Newhewanick, s'était exécutée sans chercher elle non plus à remonter aux sources de l'ordre donné.

Le plan était ourdi de façon si machiavélique et avec une telle connaissance de la personnalité de chacun qu'Angélique doutait que Clovis l'eût conçu de lui-même.

— Comment était l'homme qui est venu vous trouver à Houssnock?

Elle interrogeait, sûre déjà de la réponse. Et complétait devant le mutisme du mineur auvergnat :

— Un homme pâle, n'est-ce pas, dont les yeux vous glacent?

— La première fois, oui, dit Clovis. Mais j'en ai connu d'autres. Ils sont nombreux. Ce sont des marins. Je crois qu'ils ont deux navires. Ils obéissent à un chef qu'on ne voit pas qui leur donne des ordres et qui n'est pas avec eux. De temps en temps seulement, ils le rencontrent. Ils l'appellent Belialith. C'est tout ce que je sais.

Il ébaucha un geste pour ramasser à terre un sac assez peu garni qui composait son bagage, comme s'il en eût fini avec ce qu'il avait à leur dire.

— Vous n'ignorez pas, Clovis, qu'au village anglais nous sommes tombés dans un guet-apens où nous avons failli perdre la liberté, sinon la vie...

— J'ai su cela, dit-il, c'est bien pourquoi je me suis sauvé. Et puis ils m'avaient trompé. Pas d'émeraude pour moi. Le pirate qui les possédait a fait alliance avec M. le comte. J'aurais dû me douter que si M. le comte se trouvait par là, c'est lui qui tirerait les marrons du feu. J'ai pas été si bête le jour où je suis entré à son service et j'aurais dû m'en tenir là.

— Oui, dit Angélique avec sévérité, mais vous avez toujours été une mauvaise tête, Clovis, et plutôt que de rester fidèle à un maître dont vous connaissiez la bonté mais aussi la puissance, vous avez préféré vous laisser aller à vos mauvais penchants de jalousie et rancune, envers ma personne en particulier. Vous étiez fort content qu'il m'arrive quelques ennuis, n'est-ce pas? Eh bien! soyez satisfait! il m'en est arrivé et ce n'est pas fini. Mais je ne suis pas certaine que vous ayez gagné dans cette partie du Mal, vous non plus.

Clovis baissa la tête et pour une fois il avait l'air jugé.

Malgré ses torts, elle eut pitié de sa solitude traquée. C'était un individu borné, quoique non sans intelligence et sans talent dans sa profession de forgeron, mais trop primitif pour assumer seul son destin dans un monde retors, cruel aux simples. Elle connaissait son secret, une passion d'homme qui a l'habitude de fixer la flamme dansante, d'y voir miroiter des trésors, son amour pour les gemmes et les pierres précieuses, dont il voulait un jour bâtir un reliquaire somptueux à la petite Sainte-Foy de Conques, sanctuaire réputé de son Rouergue natal.

Elle lui dit :

— Pourquoi lorsque vous avez compris que vous aviez mal agi, n'avez-vous pas parlé franchement à M. le comte?

Il la regarda l'air furieux, indigné...

— Non, mais! vous me prenez pour un c... Ça l'était pas déjà assez ce que j'avais fait? Je vous avais quasiment envoyée à la mort vous! vous! Madame la comtesse. Et vous me voyez lui expliquer ça tout dret, en face... Vous croyez qu'il peut avoir de la pitié, lui, pour quelqu'un qui a voulu vous nuire? On voit bien que vous êtes une femme, vous vous imaginez que les hommes peuvent être tout miel et tout sucre à l'intérieur, comme vous autres femmes... Je le connais moi, je le connais mieux que vous! Il m'aurait tué... ou pire! Il m'aurait regardé d'un tel œil qu'après j'aurais plus été un être vivant... J'ai pas pu affronter ça. J'ai préféré m'en aller... C'est que vous, pour lui... vous êtes son trésor... Et quand on possède un trésor, c'est une chose qui vous brûle là, dit-il en posant la main sur sa poitrine. Personne n'a le droit d'y toucher, ni d'essayer de vous l'enlever... Je sais ce que c'est, moi... Moi aussi j'ai un trésor. Et c'est parce que je ne veux pas le perdre que je ne vais pas m'attarder par ici... Parce qu' « ils » sont sur mes traces. « Ils » sont dangereux, continua-t-il à voix basse, et d'une espèce qui vous glace le sang. Il y a aussi la Brute, le Borgne, le Morne, l'Invisible, un qu'on envoie en avant-garde parce que personne ne le remarque tant il ressemble à quelqu'un qu'on croit avoir déjà vu. Une équipe comme celle-là, c'est les suppôts de Satan sur la terre. Peut-être qu'ils veulent savoir où j'ai enterré mon trésor, mais bernique, ils ne m'auront pas.

Il jeta son sac sur son épaule et se dirigea vers la sortie de la grotte.

Mais d'un bond, Cantor se planta devant lui.

— Pas si vite, Clovis! Tu n'as pas tout dit.

— Comment, que j'ai pas tout dit? se rebiffa le bougnat.

— Non! Tu caches quelque chose encore, je le sens.

— Toi, tu ressembles à ton père, grommela Clovis en lui lançant un regard de haine. Allez, laisse-moi passer, gamin. Je vous l'ai dit, je ne veux pas laisser ma peau dans cette affaire. Ça me suffit déjà d'avoir essayé de sauver les deux vôtres...

— Que veux-tu dire? le pressa Cantor. De quel danger as-tu voulu nous sauver?

— Oui, parlez, insista Angélique comprenant à l'expression de l'homme que Cantor avait deviné juste. Clovis, nous avons toujours été bons amis et vous avez vécu avec nous à Wapassou. Agissez comme un franc compagnon et apportez-nous votre aide jusqu'au bout.

— Non! Non! s'entêta Clovis qui regardait autour de lui d'un air traqué. Je ne peux pas. Si je fais rater leur coup « ils » me tueront.

— Mais, quel « coup »? s'écria Cantor. Clovis! Tu ne peux pas leur permettre de triompher de nous. Tu es un des nôtres...

— Je vous dis que j'y laisserai ma peau, répéta

Clovis avec désespoir. « Ils » me tueront. « Ils » ne reculent devant rien. Ce sont des démons... Ils me suivent, je les ai toujours sentis sur mes traces...

— Clovis, tu es l'un des nôtres, répéta Cantor en le fixant de ses yeux verts comme le serpent qui veut fasciner sa proie. Parle... car sinon... tu leur échapperas peut-être, mais tu n'échapperas pas à la justice divine, ni à la petite sainte d'Auvergne.

Le mineur, adossé à la paroi, ressemblait à une bête acculée. Il murmura :

— Ah! Vous me l'aviez dit, madame, un jour que j'avais besoin de faire pénitence. A quoi donc le saviez-vous?

— A vos yeux, Clovis, vous êtes un homme qui ne peut décider encore s'il est du côté du bien ou du mal. Voici le moment venu.

Il baissa la tête, puis lança :

— Y vont faire sauter le navire!

— Quel navire?

— Celui du gouverneur qui est à l'ancre pas loin d'ici.

— L'*Asmodée?*

— P't'être bien!

— Quand cela?

— Est-ce que je sais : maintenant, dans une heure... ou dans deux, mais cette nuit, pendant la fête qui s'y donne...

Et devant l'expression horrifiée qui envahissait les visages d'Angélique et de Cantor.

— C'est pourquoi je vous ai fait venir tous les deux... Quand j'ai su, en rôdant par ici, que vous assisteriez à cette fête. Je ne voulais pas que vous sautiez avec... Voilà, j'ai tout dit... Laissez-moi partir maintenant...

Il les écarta avec rudesse et s'élança hors de l'oratoire. Ils l'entendirent dévaler le ravin, comme un sanglier ravageant des broussailles.

Béni soit le créateur qui fit les Indiens aussi rapides à la course que le cerf au galop!

Piksarett s'élançant sur le chemin qui conduisait aux domaines de Marcelline-la-Belle, bondissant par-dessus les obstacles, effleurant à peine le sol, volant littéralement parfois, traversant la nuit comme l'éclair, comme le vent, eût inspiré l'estime des dieux pour la créature humaine.

Averti par Angélique du danger qui planait sur les hôtes du gouverneur à bord de l'*Asmodée* il s'était rué en avant. Il avait eu tôt fait de dépasser Cantor qui courait déjà. Cantor courait avec endurance mais Piksarett avait des ailes.

Angélique les suivait, aussi rapidement qu'elle le pouvait avec son pied malade. Son angoisse était telle qu'elle était à bout de souffle en parvenant à la concession des frères Defour. Il y avait encore une demi-lieue à parcourir.

Elle s'arrêta. Tout à l'heure, elle avait crié, mais en vain, pour retenir Cantor. L'enfant courageux s'était précipité au secours de ses semblables, risquant sa vie pour les prévenir à temps, et le noble Indien aussi.

Et si le bateau sautait alors qu'ils seraient tous deux à bord, avant qu'ils aient pu persuader la compagnie des festoyeurs de l'évacuer.

Angélique était si pétrifiée d'appréhension qu'elle était incapable de penser plus avant, d'adresser même une prière au ciel.

« Ce n'est pas possible, se répétait-elle, ce serait trop horrible. Cela ne sera pas. »

A chaque seconde, le destin statuait du sort de plusieurs vies humaines et peut-être jusqu'à celle de son fils, sacrifié *in extremis*. Dans les entrailles de l'*Asmodée* quelque chose de mortel grignotait le temps et s'avançait vers la catastrophe. A quel moment la conjonction de la marche inéluctable de ce piège et de la course folle de Piksarett et de

Cantor se ferait-elle? Avant leur arrivée? Pendant qu'ils seraient à bord? Ou après lorsque chacun aurait pu être sauvé.

Elle continua plus lentement. Comme elle se trouvait à mi-chemin, une lumière éblouissante parut jaillir du sein de la forêt ténébreuse tandis qu'un fracas étourdissant faisait résonner les échos de la falaise.

Comment parvint-elle jusqu'au fief de Marcelline? Elle ne saurait jamais...

Elle aperçut le navire qui flambait, en s'engloutissant sous l'eau noire. Puis son regard revint sur la rive et y distingua à la lueur des flammes une foule nombreuse assemblée et la silhouette du marquis de Villedavray qui allait et venait avec agitation en vociférant.

Piksarett et Cantor étaient arrivés à temps.

Piksarett avait surgi parmi les festoyeurs, sur la dunette.

— Sauvez-vous! avait-il crié, la mort est dans les entrailles de ce navire!

Le marquis de Villedavray fut le seul à le prendre au sérieux. Les autres étaient tous à demi saouls et ne l'entendaient point. Mais le petit gouverneur savait se montrer à la hauteur de certaines circonstances. Son fils sous le bras, et avec une énergie de fer et l'aide de Piksarett et de Cantor, il avait réussi à pousser tout le monde sur le pont et à les faire descendre dans les différentes embarcations qui attendaient pour les ramener à terre.

Une fois sur la plage, les gens s'étaient regardés sans comprendre.

— Que se passe-t-il? Où est mon verre?...

Villedavray épousseta ses manchettes et leva le nez vers le grand Piksarett.

— Et maintenant, explique-toi, Sagamore! dit-il avec solennité. Que signifie?...

En réponse, un fracas de tonnerre avait empli la baie. Des flammes jaillissaient des abords du navire. En quelques instants, le bâtiment prenait feu, s'inclinait, puis coulait, emportant au fond de l'eau toutes les pelleteries, cargaisons et richesses de M. le gouverneur de l'Acadie.

## 10

Pouvait-on dénombrer les trésors perdus? Hors les fourrures, des milliers de livres de marchandises de traite — anglaises évidemment — ou de bijoux et doublons espagnols — acquis par le gouverneur en échange de son influence ou de sa protection près des petits établissements perdus de la Baie qui en étaient souvent les receleurs : des armes, des munitions — à vendre à qui? en échange de quoi?... Les affaires du marquis de Villedavray témoignaient du vaste intérêt qu'il portait à toutes choses sous le ciel et du sens exact qu'il avait de leur valeur marchande ou artistique ou somptuaire. Vins, liqueurs, rhum des îles. Les cadeaux reçus de Peyrac à Gouldsboro étaient parmi ceux dont il déplorait la perte le plus amèrement. Seuls les éléments du poêle de faïence hollandais avaient été sauvés, car le marquis les avait débarqués récemment afin de les faire admirer à Marcelline, et aussi pour les envelopper et empaqueter de meilleure façon avant d'entreprendre le voyage de retour vers Québec, au large des côtes de la Nouvelle-Ecosse, souvent fort tempétueuses.

Toute la nuit et le jour suivant, les rives du lieu où avait à demi sombré l'*Asmodée* ressemblèrent à une fourmilière bouleversée. Comment un tel attentat avait-il pu être commis? On eût pu accuser la négligence, un incendit naturel allumé par quelque matelot allant s'enivrer et renversant sa lanterne ou piétiner dans les cales sans prendre garde à l'atmosphère confinée, comme cela arrivait parfois par les chaleurs sèches de fin d'été. Certaines marchandises entassées fermentaient, un « tafia » trop fort et mal bouché dans sa barrique distillait son alcool, imprégnant l'air surchauffé. Il suffisait d'une étincelle...

Mais on savait qu'il y avait eu préméditation, intention criminelle. Et l'on apporta à Villedavray un tronçon de câble assez étrange, trouvé par un Indien sur le sable d'une crique voisine. Le gouverneur l'examina, hocha la tête et dit, amer :

— Génial! Vraiment génial!

C'était le déchet oublié ou abandonné comme négligeable d'un matériel de sabotage portatif, des plus efficaces. Il expliqua que les pirates des mers du Sud qui avaient des vengeances à assouvir sur des concurrents déloyaux, mauvais payeurs ou trop oublieux de leurs promesses, se montraient fort inventifs dans la fabrication de mèches brûlant à retardement, ne produisant ni odeur ni fumée et pouvant être placées non loin de la soute aux poudres par un complice qui aurait tout son temps pour fuir. Celle-ci était d'un modèle particulièrement « génial », consistant en un cordon de boyau de poisson, bourré, comme des minuscules saucisses, de grumeaux d'amadou « collés » par une matière noire que Villedavray hésitait à définir, mais qu'Angélique reconnut pour être du calish du Chili car c'était le matériel le plus employé dans les travaux du comte de Peyrac. Une sorte de résine indienne imprégnait le tout.

— Elle permet au contenu du boyau de brûler lentement sans émaner ni odeur ni fumée, estima le gouverneur. On a pu introduire cette mèche près de notre *Sainte-Barbe* et l'allumer, hier ou avant-hier. Rien ne pouvait l'éteindre ni la révéler avant qu'elle soit parvenue à son but...

— Le navire était pourtant gardé?

— Par qui? rugit Villedavray. Des paresseux qui se saoulent, m'exploitent, courent les sauvagesses... Et avec les allées et venues, et préparatifs de la fête, n'importe qui pouvait monter à bord, avec ce cordon en galette sous son chapeau...

Il regarda avec soupçon du côté des frères Defour.

— Hé là! dit l'aîné. Nous accuserez-vous?... Vous allez un peu fort, gouverneur!... Vous oubliez que nous étions à bord avec vous ce soir et que sans le Narrangasett nous aurions tous sauté ensemble...

— C'est vrai! Où est le Narrangasett?... Comment a-t-il été averti! Il parlera même si je dois le faire torturer...

Angélique intervint pour épargner Piksarett et dit que c'était elle qui avait été avertie à temps de l'attentat qui se préparait et que seule la rapidité miraculeuse de l'Indien avait pu les sauver. Mais elle se refusa à livrer le nom de Clovis et à donner son signalement, bien que le marquis, tremblant et décomposé d'émotion, la pressât de questions. Le représentant du gouverneur de la Nouvelle-France en Acadie était prêt à lancer tous les sauvages de la région aux trousses de l'homme et à lui faire rôtir la plante des pieds pour lui arracher les renseignements possibles sur les vrais auteurs du désastre. Angélique reconnaissait que, depuis quelques mois, une bande de malfaiteurs rôdaient dans les parages, cherchant, semblait-il, à nuire plus particulièrement au comte de Peyrac et à ses amis. Mais elle se portait garante que celui qui avait risqué sa vie pour venir l'avertir était hors de soupçon de complicité avec eux.

— Je veux pourtant le tenir entre mes mains, criait Villedavray. Il me dira tout, tout! Nous devons au plus tôt mettre hors de nuire ces bandits.

En cela, la population, et jusqu'aux frères Defour, partageait son avis. L'indignation grondait parmi les colons de la région et aussi parmi les Indiens, à qui l'on avait dit que les Anglais avaient fait couler un navire leur apportant des présents de la part du roi de France. Ils sortaient de la forêt prêts à se mettre en guerre contre n'importe quel ennemi que leur désignerait le gouverneur.

L'obstination d'Angélique à ne pas vouloir donner de détails sur la façon dont elle avait été renseignée mit Villedavray en rage. La perte de ses richesses, et surtout des objets qu'il collectait avec tant d'amour, lui tenait certainement plus à cœur que le salut de sa propre vie. Dans sa douleur, il s'égara.

— Qui me dit que ce n'est pas *vous*, madame! qui avez fomenté ce complot. L'œuvre de vous-même ou des vôtres?... Je crois assez que M. de Peyrac est capable de tout pour assurer son hégémonie sur les domaines français. Il a prouvé plus d'une fois que la ruse lui était familière... Et l'on sait le dévouement que vous lui portez. Supprimer le gouverneur de l'Acadie et ceux qui lui restent dévoués... Quel beau coup! Le voici maître des lieux... Ah! je vois clair maintenant.

— Parlez-vous de mon mari et de moi-même? s'écria Angélique hors d'elle.

— Oui, fit-il en tapant du pied, rouge comme un coq. Ceci l'accuse!

Il brandit le bout de mèche de concentré d'amadou.

— Une chose aussi exceptionnelle ne peut sortir que de ses ateliers diaboliques. Ses ouvriers et ses mineurs sont les plus habiles, les plus industrieux que l'on puisse trouver sous le ciel. Cela se sait déjà d'un bout de l'Amérique à l'autre. Le nierez-vous?...

Dans un éclair, Angélique comprit que la patte noire de Clovis n'était peut-être pas étrangère à la fabrication remarquable de cette mèche à combustion lente. Aux yeux des moins avertis, de telles œuvres compliquées et savantes étaient signées Gouldsboro et Wapassou. Le concours de l'Auvergnat à leurs ennemis n'avait sans doute pas consisté seulement à l'égarer, elle, sur le chemin du village anglais...

Atterrée, elle examinait le bout de cordon révélateur. Elle-même aurait pu mourir dans cet attentat, mais ne se trouvant pas présente ainsi que Cantor, sa position devenait suspecte. Soudain, la phrase lue sur le bout de papier trouvé dans la casaque du naufrageur prenait un sens terrible : *Semez le malheur sous ses pas afin qu'on l'en accuse...*

Voyant qu'elle se taisait, Villedavray triompha.

— Ah! Vous voici marrie! Il y aurait donc du vrai dans ce que je dis. Comment se fait-il que vous seuls, madame et votre fils, vous vous soyez trouvés absents au moment du festin?

— Je vous l'ai déjà expliqué, soupira Angélique. On nous a fait mander... et réfléchissez, marquis, que si j'avais voulu vous occire tous je n'aurais pas pris la peine de vous envoyer précisément Piksarett et même mon fils, au risque de les voir sauter tous les deux, avec vous.

— Comédie... ou remords. Les femmes sont sujettes à ces sortes de retournements.

— Assez! Vous divaguez. C'est votre faute aussi si tout cela est arrivé.

— Comment, c'est le comble, s'écria-t-il d'une voix de fausset. Je suis ruiné, désespéré, j'ai failli perdre la vie. Et vous m'accusez encore.

— Oui, car vous auriez dû nous prévenir à Gouldsboro, nous mettre en garde contre les dangers qui nous menaçaient avec la duchesse de Maudribourg.

— Mais quel rapport? En quoi ce que je savais sur la duchesse de Maudribourg a-t-il quelque lien avec la bande de criminels dont vous me parlez et la perte de mon bateau?...

Angélique passa la main sur son front avec égarement.

— C'est vrai! Vous avez raison! Et pourtant je sens qu'il y a un lien entre elle et les malheurs qui nous accablent... parce que tout cela est l'œuvre de Satan et qu'elle est possédée du Diable.

Le gouverneur regarda autour de lui avec crainte.

— Vous en parlez comme si elle allait revenir, gémit-il, il ne manquerait plus que cela.

Il s'assit sur un escabeau et s'essuya les yeux avec son mouchoir de dentelle.

— Pardonnez-moi, Angélique. Je reconnais que je me suis égaré dans mes propos. Mon impulsivité me fait commettre quelques impairs mais mon instinct est assez sûr. Pardonnez-moi. Je *sais* que vous n'êtes pour rien là-dedans et qu'au contraire vous avez sauvé nos vies. Mais reconnaissez que l'amitié que je vous porte à vous et à votre époux me coûte bien cher. Vous devriez au moins nous aider à retrouver l'homme.

— Je ne le peux et, de toute façon, il est loin maintenant.

C'était la première fois qu'il lui était venu à l'esprit qu'un lien pouvait exister entre Ambroisine et les inconnus qui cherchaient à leur nuire. Cela paraissait fou, sans logique, mais quelque chose d'indéfinissable dans l'enchevêtrement des faits avait sans doute peu à peu infiltré cette certitude en elle, et sous l'effet de l'émotion, son inconscient s'était exprimé.

Tout était double, incertain, les buts recherchés échappaient à la logique, mais on y retrouvait partout une sorte de volonté implacable de détruire par tous les moyens, par tous les détours, et d'atteindre au moins aussi sûrement le corps ou l'âme.

Le filet se resserrait avec habileté autour d'elle, ne lui permettant d'échapper à la mort que pour sentir se rapprocher jusqu'à l'angoisse l'épreuve qui guettait son être spirituel. Contre cela était-elle autant armée que pour défendre sa vie?

Les coups frappés devenaient plus violents, plus cruels, plus sûrs. Et celui qu'elle reçut au cours de cette même journée qui suivit la nuit désastreuse de l'*Asmodée* fit vaciller sa force d'âme.

## 11

Angélique était restée chez Marcelline Raymondeau pour l'aider à calmer et à rendre courage au marquis de Villedavray. La marée basse dégageait l'épave et une partie des gens s'y rendit pour essayer de sauver ce qui pouvait être sauvé. Simultanément, les Indiens préparaient leurs chaudières de guerre et une caravane venant de la côte est débouchait des marais apportant des marchandises et des nouvelles.

Marcelline fit chercher Angélique. Elle l'entraîna dans la maison, puis dans sa propre chambre « afin qu'elles puissent causer à l'aise sans être dérangées par tout ce charivari ».

Avec courage, la grande Marcelline se planta devant Angélique et la regarda bien en face.

— Entre femmes faut s'entraider, dit-elle, et souvent la meilleure chose à faire c'est de parler franc. J'ai de mauvaises nouvelles pour vous, madame.

Angélique la fixa avec anxiété mais ne souffla mot.

— Mon fils aîné est revenu de Tormentine, dit Marcelline.

— Il n'a pas vu mon mari?

— Si fait, *il l'a vu,* mais...

Marcelline prit une aspiration avant de continuer.

— Il y était... mais il y était avec cette femme, vous savez, cette femme dont a parlé le gouverneur..., la duchesse de je ne sais quoi... vous savez... Maudribourg...

— C'est impossible! cria Angélique d'une voix suraiguë.

Et pourtant son propre cri de peur et de désespoir ne parvint pas à ses oreilles. La révélation la frappait de plein fouet et une terreur sans nom coulait en elle comme si son sang se vidait de toutes parts.

Il lui semblait qu'elle avait toujours eu la certitude que cette chose horrible arriverait. Mais elle ne pouvait encore arrêter son esprit là-dessus... Non, elle ne pouvait pas... Elle répéta d'une voix atone qui ne lui paraissait pas franchir ses lèvres.

— C'est impossible! J'ai vu partir moi-même cette femme pour la Nouvelle-Angleterre... prisonnière des Anglais qui l'emmenaient comme otage.

— Vous l'avez vue partir... Mais vous ne l'avez pas vue arriver.

— Qu'importe! elle est partie, vous dis-je..., partie, partie...

Elle répétait ces mots comme pour parvenir à supprimer, effacer Ambroisine... accomplir le miracle qu'elle n'eût jamais existé. Puis elle chercha à se calmer.

« Je suis une enfant, songea-t-elle, une enfant qui ne veut pas souffrir, mûrir... Quelque chose s'est cassé en moi le jour où ils ont pris Joffrey, et depuis la peur qui me taraude c'est de revivre ces heures une seconde fois... d'être trahie une seconde fois... Que disait-il? Il ne faut pas avoir peur... de rien. Entrons franchement dans le problème, on obtient récompense... Avoir le courage de remettre les pieds dans les traces déjà suivies et les monstres s'écartent... Je ne peux pas me dissocier de lui sans mourir... Je ne peux pas... Alors?... Que faire?... Aller de l'avant... Savoir... »

Marcelline l'observait. Angélique savait qu'à ses yeux sa mésaventure ne faisait pas de doute. Intentionnellement, l'Acadienne avait utilisé l'expression populaire : Il est « avec » cette femme...

Mais pour Angélique cela ne voulait rien dire. Seulement qu'Ambroisine *était là-bas* sur la côte est, alors qu'elle aurait dû être à Salem ou à Boston, en Nouvelle-Angleterre.

— Ça m'étonne de lui, monologuait Marcelline en hochant la tête. Il n'est pas homme à se laisser abuser par une garce. Mais avec « eux », les hommes! sait-on jamais! Nous autres femmes, notre cœur nous l'avons là, dit-elle en posant la main sur sa poitrine généreuse, mais les hommes... c'est plus bas.

Angélique eut subitement envie de vomir.

Elle revoyait Ambroisine, sa sensualité mystérieuse... sa séduction d'ange infernal mêlée à l'intelligence, au savoir, et pour le moins, chez Peyrac pour cette femme, sa curiosité de dillettante toujours en éveil...

Non, impossible!... Impossible. Lui! Elle ne le sentait pas faillible...

— Les hommes, ça vous échappe de trente-six façons, continuait Marcelline. Nous autres femmes nous ne sommes pas assez malignes pour comprendre toujours ce qui les gouverne. Ah! Allez! nous ne comptons pas cher dans leur vie! Moins que l'aventure, la conquête et l'ambition!...

Elle avait raison... Et elle avait tort aussi. Lui, c'était autre chose.

Tout à coup Angélique le bénissait, son cher amour, d'être si différent des « autres », si difficile à saisir, à comprendre, secret même pour elle, capable d'incroyables duretés, et de tendresses et de bonté inimaginables, et capable aussi d'avouer qu'elle seule, Angélique, avait eu raison de sa méfiance profonde envers le sentiment qu'elle avait forcé son cœur, presque malgré lui, qu'elle seule avait pu le conquérir vraiment, l'enchaîner sans qu'il en eût crainte ou mépris de lui-même. Elle bénissait la colère qui l'avait saisi lorsqu'il l'avait crue infidèle, manifestation si inhabituelle à sa nature que lui-même en avait eu la révélation de la force de sa passion pour elle.

« Jadis, malgré l'amour que je vous portais, j'ai pu vivre sans vous... Mais aujourd'hui, je ne pourrais... »

En dépit de ces paroles qu'elle se remémorait, comme s'accrochant à une bouée, la pensée de la présence d'Ambroisine là-bas lui laissait au cœur une crainte si brûlante qu'elle avait peine à respirer. Comment avait-elle pu, cette dangereuse sirène, échapper à Phipps?

— Etes-vous sûre qu'il s'agit bien d'elle? interrogea-t-elle.

— Pas de doute. Elle est là-bas avec toute une troupe de Filles du roi. On dit que c'est M. de Peyrac qui les y a conduites et que peut-être il va les escorter jusqu'à Québec.

De nouveau, Angélique sentait le sol se dérober sous elle.

Joffrey de Peyrac avait-il été averti de la capture d'Ambroisine par les Anglais... Lorsqu'il était passé au large de Port-Royal et de Gouldsboro sans s'y arrêter, cherchait-il à la rejoindre, à la délivrer?

Devant Marcelline elle ne voulut pas laisser transparaître ses doutes, ni même protester de sa confiance envers son mari. Ce qu'il y avait entre elle et lui était trop personnel, trop délicat pour qu'on puisse y toucher avec des mots, et même sa douleur, ou sa confiance indéfectible, cela ne regardait personne.

— Bien, fit-elle enfin, nous verrons.

— Vous partez toujours?

— Certes! Je dois absolument le joindre, plus que jamais après ce qui s'est passé ici. Et je vous demanderai également, Marcelline, de ne pas mettre au courant M. de Villedavray de la présence de la duchesse de Maudribourg sur la côte est. Je veux lui demander de m'accompagner là-bas car j'ai besoin de son témoignage. S'il sait qu'elle s'y trouve, peut-être refusera-t-il de venir avec moi.

— Entendu, approuva Marcelline.

Une lueur d'admiration traversa ses beaux yeux bruns qui se posaient sur Angélique.

— Vous êtes une grande dame! fit-elle avec douceur.

Elles sortirent sur le terre-plein devant la maison.

En contrebas, les cris des humains mêlés à ceux des cormorans et des pies de mer semblaient avoir pris une autre tonalité. Toute la population convergeait vers un point de la plage. Les gens s'interpellaient et désignaient quelque chose en direction des rochers.

— On dirait qu'il y a un noyé dans la baie, dit Marcelline, en mettant sa main en auvent sur ses yeux.

Quelques instants plus tard on halait un corps inerte sur la grève.

— Un homme qui serait resté à bord du navire et dont on n'a pas remarqué la disparition? émit Angélique.

— Qui sait?... Il y a tant de monde qui baguenaude par chez nous en cette saison...

Cantor se détacha des groupes agglomérés autour du cadavre et monta à grandes enjambées vers les deux femmes par le sentier des lupins. Lorsqu'il déboucha, essoufflé, Angélique à son visage bouleversé devina.

— « Ils » l'ont eu, lança le jeune garçon. C'est Clovis!...

## 12

Angélique n'eut pas à convaincre Villedavray de l'accompagner. Ce fut lui qui prit les devants en déclarant d'un ton sans réplique :

— Je vous emmène. Nous n'allons pas rester ici à attendre je ne sais quoi. Il faut que je regagne au plus vite Québec pour faire à M. de Frontenac rapport de ce qui se trame en Acadie. Le vieux Nicolas Parys, le roi de la côte est, m'a quelques obligations. Il me trouvera bien un navire et aussi de quoi le remplir : des peaux, du sel, du charbon. Je ne veux pas rentrer les mains vides à Québec, on ne le concevrait pas. Et ce vieux filou de naufrageur n'est pas sans avoir quelques butins de pirateries dans ses coffres. Il faudra bien cette fois qu'il me montre le fond de sa caisse, ou je lui fais ôter ses privilèges sur Canso et l'île Royale...

Restait la difficulté de transporter par voie de terre — et de terre souvent marécageuse — d'assez lourds bagages, car finalement le gouverneur avait récupéré pas mal de choses. Il y avait aussi le poêle de faïence hollandais et le coffre de Saint-Castine.

Alexandre sauva la situation en proposant de charger tout cela sur « son » bateau de commerce, la caraque flamande des frères Defour, de leur faire remonter à la vitesse d'un cheval au galop le fleuve du Petit-Codiac jusqu'à son point extrême de navigabilité. De là il y avait un portage bien organisé. En moins de quatre jours, le chargement serait sur la grève de Shédiac où on n'aurait qu'à l'envoyer prendre de Tormentine avec une chaloupe.

Le visage du gouverneur s'éclaira.

— Génial! s'écria-t-il, je l'ai toujours dit, ce garçon est génial! Viens dans mes bras, Alexandre. Je vois que je n'ai pas cherché en vain à développer ton intelligence. Soit : tu es un peu frivole, un peu léger, mais si tu sais mettre ta passion de remonter les chutes et les mascarets au service de ceux qui t'aiment, je te pardonne bien des choses... Va, mon ami, va, je te bénis...

Il régla encore quelques détails. Il aurait voulu qu'Alexandre escortât son bagage jusqu'à Tormentine. Il avait peur qu'on lui volât tout sur la grève de Shédiac. « Avec ces morutiers de toutes nations qui encombrent nos côtes l'été... »

Il donna à Alexandre une forte somme afin de trouver là-bas de bons gardiens ou de fréter lui-même une chaloupe, la lui reprit en décidant que ces jeunes gens étaient trop fous pour avoir de l'argent dans les poches, finalement la lui remit avec toutes sortes de recommandations que l'autre écouta de son air ennuyé habituel. Il n'attendait que le dernier mot pour sauter sur son embarcation et mettre la voile.

— Allez comprendre ces enfants, soupira Villedavray. L'été les rend fous. Je le verrai revenir à l'hiver se chauffer les pieds à mon poêle de faïence et manger des pommes au caramel... une spécialité de ma servante... Vous verrez! Enfin nous n'en sommes pas là. Il s'agit pour l'instant de trouver un navire et de sauver ce qui peut être sauvé... Ah! cette Acadie! Une épine à mon flanc! Un vrai chaudron de sorcière!... Je n'y reviendrai plus... Et pourtant j'aime Marcelline et mon petit Chérubin!...

Angélique, pour sa part, renvoyait *Le Rochelais* avec le contremaître Vanneau et quelques hommes d'équipage. Il contournerait la Nouvelle-Ecosse et les rejoindrait à Tormentine ou à Shédiac, après avoir fait escale à Gouldsboro pour tenir Colin Paturel au courant de leurs pérégrinations. Elle gardait le lieutenant de Barssempuy et quelques hommes comme escorte.

Elle eût préféré que Cantor conservât ses prérogatives de capitaine à la tête du *Rochelais*, mais le jeune garçon refusa de la quitter. « Dans deux jours je serai près de ton père, lui dit-elle, et dans quelques autres tu nous rejoindrais... Que crains-tu pour moi?... »

Mais il s'entêta sans donner de raisons précises. Elle devait faire effort pour lui cacher ses propres tourments et ne pas le mettre au courant de ce qu'elle avait appris à propos de la duchesse de Maudribourg. Mais sans doute en avait-il l'intuition ou avait-il perçu quelques bruits à ce sujet.

Elle n'insista pas. Sa présence, au fond, lui était bonne et réconfortante.

Naturellement, Piksarett était du voyage, toujours glorieux de lui-même. Il semblait rieur. Cependant, Angélique, qui commençait à le bien connaître, sentait qu'il demeurait en alerte comme s'il eût à s'avancer en pays ennemi.

— Ces Malécites sont des bêtes puantes, lui coupa-t-il. Ils n'ont d'autres alliés et amis sur terre que l'alcool et la marchandise des navires. Hors cela, c'est à peine s'ils distinguent un Iroquois d'un frère Abénakis...

Les naturels du pays demeuraient agités et effervescents, parlant de guerre, de vengeance, de cadeaux qu'on leur avait promis et non donnés. Beaucoup suivirent en cohorte la caravane, sans que l'on pût déterminer pourquoi. Villedavray se persuadait que c'était pour l'honorer lui, le gouverneur de l'Acadie. Mais Piksarett n'augurait rien qui vaille de cette escorte turbulente. Les Indiens de la région avaient déjà collecté à bord des navires de pêche saisonniers de fortes doses d'alcool. Le temps approchait où ils allaient se livrer, après avoir mis en commun dans chaque tribu leurs provisions d'eau-de-feu, à ces beuveries démentielles de l'automne qui se soldaient par des morts et des crimes atroces et qui déjà, chez eux, prenaient la forme traditionnelle de cérémonies magiques.

Fascinés par l'approche de ces transes que leur procurait le poison des Blancs, « le lait du roi de France », comme ils l'appelaient, sachant aussi ce que cela leur coûterait de se laisser aller à l'orgie, sans qu'ils eussent la force de ne pas y sombrer, ils devenaient nerveux et soupçonneux, mécontents d'eux-mêmes et de tous et perdaient leur habituelle bonne humeur.

Heureusement, la présence de deux des frères Defour ainsi que de quelques-uns des fils de Marcelline, qui étaient des gens du pays et avaient chacun des parents ou des frères de sang parmi ces Indiens, assurait la sécurité de la caravane.

Aussi bien ils seraient vite de l'autre côté de l'isthme de Chignecto. Lorsqu'on serait sur le golfe Saint-Laurent on quitterait un monde fermé, gardé à vue par ses marées, ses tempêtes et ses brouillards, le monde replié sur lui-même de la Baie Française, pour déboucher sur un horizon plus vaste. Des côtes de l'est on regardait vers l'Europe, on ne lui tournait pas le dos.

L'impatience d'Angélique, aussi bien d'éclaircir sa situation que d'émerger de ces terres sauvages, abandonnées de Dieu et des hommes, était telle qu'elle les jetait sur les sentiers de Chignecto à une allure que seuls les sauvages soutenaient sans peine, et le marquis se plaignait sans cesse qu'il n'arrivait pas à les suivre.

Mais Angélique était indifférente à ses plaintes, aussi bien qu'aux paysages qu'ils traversaient.

Il fallait qu'elle arrivât très vite. Et elle marchait plongée dans ses pensées, qui s'entrechoquaient dans sa tête sans qu'elle eût toujours le courage de les achever ou de les regarder en face.

Elle tremblait qu'Ambroisine n'attentât à la vie de Joffrey. Villedavray avait dit d'elle : « C'est une empoisonneuse... »

Elle avait tué plusieurs fois.

Mais Joffrey n'était pas homme à se laisser tuer ainsi étourdiment, encore moins abuser par un être, même une femme séduisante, qui aurait eu envers lui des intentions homicides... Elle le connaissait. Elle évoquait sa lucidité rare, la distance qu'il gardait entre les autres et lui, son esprit de ruse et de maîtrise où entrait une certaine part de mépris et de méfiance envers l'humanité.

Ces choses qui l'avaient blessée parfois, chez lui, parce qu'elle avait l'impression qu'elle ne pourrait jamais l'atteindre tout à fait, elle se félicitait aujourd'hui qu'il les possédât car elle lui était un gage qu'il ne se laisserait pas circonvenir par une Ambroisine.

« Il avait trop d'expérience, s'affirmait-elle. Avec les femmes surtout, il a toujours su ce qu'il faisait... Même avec moi. Certes, il a parfois méconnu la profondeur de mes sentiments pour lui... Mais je ne suis pas facile non plus... Et peut-être n'en connaissais-je pas assez moi-même, dans ma méfiance de la vie et des hommes, la force de la flamme que je lui voue... Ah! s'il lui arrive la moindre chose, j'en mourrais!... »

Par instants, comme le condamné à mort, elle revoyait des lambeaux de sa vie... leur vie séparée et pourtant leur vie commune, car ils étaient restés unis par le souvenir, la nostalgie, tous les aspects qu'il avait pris pour elle, son amour de jeunesse, le comte de Toulouse et, plus tard, sa passion secrète, folle, que dame Angélique à La Rochelle ne voulait s'avouer pour ce pirate qui l'avait achetée : le Rescator.

Mais oui! Elle aussi, dans sa maturité, était tombée amoureuse de l'homme qu'il était devenu. Et cela, sans même le reconnaître...

Le Rescator qui pour elle resterait toujours un peu énigmatique, mais qui l'attendait là-bas, sur la côte est et qui, soudain, lorsqu'il souriait ou ôterait son masque, redeviendrait son chaleureux compagnon de Wapassou, son ami des moments de douleurs ou de joies vitales, d'une délicatesse, d'une compréhension presque féminine. Quand pourrait-elle l'atteindre enfin, s'assurer de sa réalité, de sa vie parmi les vivants — ah! combien un homme mort disparaît vite du monde des vivants!...— de l'appréhender et de le reconnaître à tous ses gestes, ses expressions, le son de sa voix, chaque chose de lui-même, le révélant à son amour attentif et à quoi il lui semblait qu'elle n'avait pas porté assez d'attention, même ces replis soudains, ces colères ou ironies, ou froideur qui l'avaient tant effrayée parce que son être encore puéril y voyait une menace pour elle et non la manifestation d'une personnalité supérieure et cependant très humaine. Il cherchait à s'accorder au monde, à le dompter mais aussi à ne pas se laisser écraser par lui ou entraîner à sa trop facile déchéance.

Dans cet univers qu'il affrontait, elle était devenue peu à peu — comme l'astre emporté dans le mouvement d'une galaxie et qui peu à peu se rapproche de l'astre central — elle était devenue sa première préoccupation. Il le lui avait avoué. « Je suis tombé amoureux de vous, de la femme que vous êtes devenue... Incertain d'avoir assuré encore ma conquête sur votre cœur, aujourd'hui, pour la première fois, je connais la douleur de l'amour... Moi, comte de Toulouse, je dois avouer : vous perdre me détruirait... »

Même s'il exagérait un peu, de tels mots de sa bouche avaient quelque chose de presque trop fort pour son cœur craintif.

Est-ce que cela ne voulait pas dire que c'était trop beau, trop extraordinaire pour être vécu, que cela allait finir, qu'elle arriverait trop tard...

Elle marchait, allait comme le vent, portée par la nécessité de se jeter vers lui et de l'étreindre enfin, vivant, vivant... Alors, ce qu'il y aurait après, ce qu'elle apprendrait ensuite, cela n'aurait plus aucune importance...

# LE GOLFE SAINT-LAURENT
# OU
# LES CRIMES

## 1

Le Breton de Quimper qui, lassé de pêcher tout le jour, seul, dans son petit canot, s'était payé de « courir le marigot », c'est-à-dire d'aller dormir quelques heures dans une crique éloignée, hantée des seuls mouettes et pétrels des rivages, n'en revenait pas de voir surgir des bois cette femme blonde élégante à la façon royale accompagnée d'un seigneur en redingote brodée quoique poussiéreuse, d'un officier, d'un beau blondin genre page et d'une troupe d'Indiens emplumés. A croire que cette année toute la cour de Versailles se baladait dans ces régions lointaines de l'Amérique septentrionale, trouvant plaisir à batifoler le long de rivages puants, brumeux, exhalant des vapeurs d'enfer, pollués de moustiques dans la chaleur oppressante du jour, tandis que les nuits glaciales et humides annonçaient déjà que bientôt on y claquerait du bec dans les rafales polaires de l'hiver.

Déjà à Tidmagouche il y avait cette duchesse et puis maintenant celle-là qui s'amenait des forêts sauvages comme d'une promenade dans un parc et marchait droit sur lui.

Bientôt le groupe des arrivants entoura l'homme, encore couché sur le sable et ahuri.

— D'où es-tu l'ami? interrogea Villedavray.
— De Quimper, monseigneur.
— Un saisonnier. Ton capitaine paye-t-il patente?
— Au vieux Parys, oui.
— Et au gouverneur de la région?
— Qu'il aille se faire f..., répondit l'homme en bâillant bruyamment, toujours étendu.

Après tout il était chez lui, sur ces rives où son grand-père, son arrière-grand-père et tous ses ancêtres depuis plusieurs siècles étaient venus pêcher et saler la morue, chaque saison.

— Voyez l'insolence de ces croquants! s'écria Villedavray en plantant sa canne avec fureur dans le sable. La morue est une des richesses de l'Acadie. On l'appelle l'or vert. Mais tous ces Basques, Portugais, Normands et Bretons trouvent normal de venir s'engraisser aux dépens de l'Etat sans lui verser un sou.

— S'engraisser, c'est vite dit, protesta l'homme en daignant se mettre sur son séant.

Il tira sur son haut-de-chausses pour dégager ses mollets maigres, écorchés par le sel.

— On trime dur trois ou quatre mois durant et on ne revient guère plus riche au pays. A peine de quoi se payer quelques bordées avant de repartir.

— Il parle bien le français pour un Breton de Quimper, remarqua Villedavray qui se calmait vite. D'où est ton capitaine?
— Du Faouët.
— Un Cornouaillais aussi, mais du nord. Ils ont le même dialecte gaélique que les gens de la Cornouaille anglaise. Comment se nomme-t-il, ton capitaine?
— Si vous allez le lui demander, il vous le dira.
— Parfaitement, et c'est ce que nous allons faire. Car nous sommes sans esquif et tu vas nous prendre dans ta barque et nous conduire à lui.
— Tout ce monde-là? s'effara l'homme.

Angélique s'interposa.

— Attendez un peu, marquis. Il s'agit de savoir où le navire de ce matelot se trouve à l'ancre et si c'est dans la région que nous voulons atteindre, Tidmagouche près de Tormentine...

Il apparut qu'en effet c'était là que ces Bretons de Cornouaille avaient dressé leurs échafauds pour la saison d'été. Ils avaient un contrat depuis des « siècles » avec le vieux Parys dont Tidmagouche était la résidence d'été et le poste de traite.

— La « grave » est belle et la baie est vaste. Il y a du mouvement pour nous autres sans gêner le travail. Des navires de pirates viennent mouiller puis repartent. On se saoule un peu avec eux.

— N'y a-t-il pas là-bas, en ce moment, une grande dame française, la duchesse de Maudribourg? interrogea Angélique d'un ton qu'elle voulait détaché.

— Oui-da, une belle garce! Mais elle n'est pas pour nous. Elle est pour les pirates et pour le vieux. Après tout, je n'en sais rien. Elle n'est peut-être pour personne. Nous autres de la pêcherie, on ne se mêle pas à ce monde-là. On courtiserait bien un peu les filles qui l'accompagnent, mais elles sont sous bonne garde et puis en saison on travaille si dur qu'on n'est guère en forme et notre capitaine nous tient serrés.

Angélique redoutait que l'homme n'accolât le nom de Joffrey à celui d'Ambroisine. Mais il n'en souffla mot. Elle fut un peu lâche. Elle préféra ne pas poser de questions. Le marquis de Villedavray ouvrait des yeux exorbités.

— Comment? Qu'ouïs-je?... Qu'entends-je? La duchesse est là-bas et vous le saviez! Et vous ne me l'avez pas dit?!...

— J'ai jugé cela superflu.

— Superflu! C'est très grave, au contraire. Si j'avais su que cette coquine s'y trouvait, je ne serais pas venu de ce côté. Je me serais rendu à Shédiac avec Alexandre.

— Précisément! Je voulais que vous veniez. J'ai besoin de votre témoignage.

— Ah! charmant! Et qui vous a avertie de sa présence sur le golfe?

— Marcelline!

— Et *elle* non plus ne m'a rien dit! Voilà bien les femmes, s'exclama Villedavray amer, et outré, elles vous cajolent, vous entourent de soins, vous croyez qu'elles vous aiment... puis, à la première occasion, elles font alliance entre elles et vous envoient à la mort ou vous y entraînent sans le moindre scrupule.

Il se dirigea d'un pas résolu vers l'orée des bois.

— Je retourne.

— Non, le supplia Angélique en le rattrapant par ses basques. Vous ne pouvez pas m'abandonner ainsi.

— Vous voulez qu'elle m'assassine?

— Non, je veux que vous m'aidiez.

— Elle me démasquera...

— Non, vous saurez endormir sa méfiance. Vous avez des dons de comédien, vous me l'avez dit. Employez-les...

— Elle est plus forte que tous les comédiens du monde.

— Qu'importe! J'ai besoin que vous m'aidiez, supplia Angélique d'un ton pressant. C'est maintenant que *tout* va se jouer... *là-bas...*, sur cette grève. Et cela va être horrible... horrible... Je le sens... Vous ne pouvez pas m'abandonner...

Sa voix tremblait malgré elle et elle crut qu'elle allait éclater en sanglots.

— ... Mon mari sera là sans doute... Il faut que vous puissiez lui parler, lui dire ce que vous savez d'elle, le convaincre... au besoin...

Le marquis leva les yeux pour croiser le regard pathétique d'Angélique et comprit ce qui la torturait.

— Soit! fit-il enfin. Il ne sera pas dit que je laisserai un jour une jolie femme dans l'ennui sans l'assister de mon mieux.

Il se cambra, appuyé sur sa canne à pommeau d'argent, et se redressa de toute sa taille.

— Soit, répéta-t-il, allons affronter la Démone!

## 2

Monde baigné de puanteur tout au long de l'été, et, depuis le promontoire de Gaspé, au nord, faisant communiquer le golfe Saint-Laurent avec le fleuve du même nom, un chapelet de grèves et de baies envahies de barques, de navires à l'ancre, plantés d'échafauds, sortes de tables de bois sur pilotis, destinés à « parer » la morue, une monstrueuse frange de déchets de poissons doublés d'une frange d'oiseaux criards et jusqu'au sud au delà de Canso, des lieues et des lieues de poissons séchant sur des claies. Le royaume de la morue, la baie Verte! La brume régnait souvent translucide et jaune comme une vapeur sulfureuse. Les caps et les promontoires s'estompaient, isolant chacun en son domaine maudit, entre la mer et l'éclat métallique, et la forêt plantée sur les falaises. Il n'y avait rien au delà ni devant ni derrière. Les épinettes, ces sortes de sapins du Canada, dressés en quenouilles noires et hautes, paraissaient ériger une herse infranchissable avec l'arrière-pays, rassemblant, emprisonnant sous leur garde quelques habitations, quelques hameaux, un fort de bois et son enceinte, avec à son ombre des huttes d'écorce d'Indiens Malécites dégénérés par l'alcool.

Au delà des brumes s'ouvrait le golfe. Pour avoir vu sa fête tomber le jour où le Français Jacques Cartier planta la Croix à Gaspé, saint Laurent avait été bien servi.

Un fleuve long de plusieurs milliers de milles, un golfe vaste comme la France, cerné d'îles géantes : Anticosti au nord, Terre-Neuve à l'est, au sud l'île Saint-Jean, sans un arbre, falaises rouges, un rubis posé sur la mer, puis l'île Royale, un anneau d'anthracite autour d'un lac immense.

Au centre, l'archipel de la Madeleine : l'île des Démons, l'île des Oiseaux, celles de Pointe-aux-Loups, Havre-aux-Maisons, la Grosse...

Les prisonniers des « graves » ignoraient la vie du golfe, n'y participaient pas.

Chaque année, en juin, ces gens des flottilles venus des côtes d'Europe s'abattaient sur les lieux comme une migration irrésistible d'oiseaux nicheurs, chacun dans son coin, et n'en bougeaient plus.

Le premier arrivé était « maître du galet ». Il s'installait là avec son équipage, pour de longs mois, comme dans des limbes privés.

Telle apparut aux yeux d'Angélique la grave de Tormentine Tidmagouche, lorsqu'elle y aborda vers le milieu du jour.

Le cap de Tormentine qui donnait son nom au lieu était beaucoup plus loin au nord et on ne le distinguait pas. En réalité, cette grève était un lieu sans nom, un endroit pour pêcher le poisson, commettre des crimes, vendre son âme au diable...

Là tout allait se jouer. Elle l'avait dit à Villedavray. Elle regardait se rapprocher le rivage à la cadence lente des rames que maniait le Breton. Le soleil était encore haut dans le ciel, une tache blanchâtre et aveuglante derrière les brumes. La mer était ridée de petites vagues courtes, étincelantes. Le canot où Angélique avait pris place avec l'Indien Piksarett s'y propulsait avec lenteur. La voile unique n'eût été d'aucun secours car le vent stagnait.

Piksarett, long, dégingandé, drapé dans sa peau

d'ours noir et encombré de sa lance, de son arc et de ses flèches, était monté d'office avec Angélique dans l'embarcation trop petite pour accueillir plus de deux personnes en plus du marin et de son matériel de pêche.

Les autres iraient par voie de terre, ce qui demanderait plusieurs heures. Les pistes faisaient un long détour pour contourner les marécages et les tourbières auxquels s'adossait l'établissement.

Angélique sauta sur le sable sans crainte de se mouiller les jambes jusqu'aux genoux.

Le Breton lui désignait les habitations qui s'étageaient vers l'ouest de la plage, au pied des falaises et les escaladant peu à peu.

Ces habitations poussaient sans ordre comme des plantes sauvages, grandes ou petites, coiffées de bardeaux ou de paille, voire de mousse herbeuse. Le fort de bois dominait, ramassé sur lui-même ainsi qu'un monstre trapu et noir et plus loin, au bord d'un promontoire que l'armée des sapins envahissait, près de la silhouette d'une croix, s'érigeait une petite chapelle au clocher grêle, peint en blanc.

Angélique s'élança vers la côte, négligeant l'activité de la plage où s'affairaient les pêcheurs. Eux-mêmes ne prêtèrent pas attention à elle, ne la virent point.

Tout à coup elle se trouva parmi les Filles du roi. Comme d'un cauchemar leurs visages surgissaient : Delphine, Marie-la-Douce, Jeanne Michaud et son enfant, Henriette, Antoinette et même Pétronille Damourt. Ces visages lui paraissaient crayeux et falots, sur la pâleur du ciel.

Et réellement elles étaient pâles comme la mort en la reconnaissant, subitement dressée devant elles.

— Où est votre bienfaitrice? leur jeta Angélique.

L'une d'elles ébaucha un geste en direction de la demeure la plus proche. Angélique s'élança, franchit d'un bond la pierre du seuil.

Et elle vit Ambroisine de Maudribourg...

## 3

La Démone était assise près de la fenêtre, les mains jointes sur les genoux dans l'attitude de méditation et de prières qui lui était familière.

Elle tourna la tête et ses yeux rencontrèrent ceux d'Angélique. Un sourire effleura ses lèvres et elle dit simplement :

— Vous!

Elle ne paraissait pas surprise. Son sourire très doux étirait ses lèvres. Et dans ce sourire transparaissait l'être malfaisant qui se cachait derrière son apparence gracieuse.

— Je ne pensais pas vous revoir...

— Pourquoi?... jeta Angélique. Parce que vous aviez donné l'ordre à vos complices de m'exécuter?...

Les sourcils déliés de la duchesse se haussèrent avec étonnement.

— Mes complices?

Les yeux d'Angélique parcouraient tous les recoins de la pièce.

« Où est-il? » songeait-elle avec avidité.

Mais sous le regard ironique d'Ambroisine, elle retenait ces mots qui lui brûlaient les lèvres.

— Vous voyez? dit la duchesse en hochant la tête, on ne me manœuvre pas si facilement. Vous croyiez vous débarrasser de moi à jamais en me livrant à cet Anglais... Eh bien! me voici libre et bien loin de la Nouvelle-Angleterre.

— Comment vous êtes-vous arrangée avec Phipps?...

— Cela vous intrigue, n'est-ce pas?

Elle eut son rire de gorge roucoulant.

— Quand on est une femme habile on s'accommode toujours avec un homme bien pourvu des attributs que la nature lui a octroyés.

Elle examina Angélique avec une curiosité moqueuse.

— Pourquoi êtes-vous venue?... Pour *le* chercher?... Décidément vous ne craignez pas de souffrir...

A ce moment les yeux d'Angélique tombèrent sur un vêtement pendu au mur dans un coin. C'était le pourpoint de Joffrey. Celui en velours vert foncé rehaussé de quelques broderies d'argent qu'il portait communément.

Ambroisine suivit la direction de ce regard et son sourire s'accentua.

— Hé oui! fit-elle d'un ton léger. Hé oui! ma chère! *c'est ainsi!...*

Sans réfléchir Angélique traversa la salle d'un bond. A la vue de ce vêtement, tout son être avait tressailli. Elle y posa les mains. Elle eût voulu y enfouir son visage. Elle passait et repassait les doigts sur l'étoffe, essayant d'évoquer sa présence familière et adorée.

— M'avez-vous comprise? insista Ambroisine d'une voix métallique. Il est ici avec moi : *il est mon amant!...*

Angélique se retourna vivement, et à nouveau ses yeux firent l'examen des lieux.

— Soit!... Alors où est-il? Qu'il vienne me le dire lui-même!... Où est-il?...

Une hésitation joua sur le visage de la duchesse.

— Présentement, il est absent, convint-elle. Il a mis la voile il y a deux jours, je ne peux dire exactement pour quelle direction. Terre-Neuve, je crois, mais il doit revenir...

Angélique comprit qu'elle ne mentait pas et ne sut si à l'instant même elle éprouvait une déception amère ou un soulagement de voir s'éloigner l'instant de sa confrontation avec lui, devant Ambroisine.

— Il m'a demandé de l'attendre ici, reprit la duchesse d'un ton doucereux, il m'a affirmé qu'il serait de retour dans une semaine au plus tard et m'a suppliée de ne pas m'éloigner... Il est fou de moi...

Angélique la considéra comme si elle eût été transparente et que de tels propos ne parvenaient pas à ses oreilles.

— M'avez-vous entendue? répéta l'autre d'une voix où perçaient impatience et irritation. M'avez-vous comprise?... Je suis sa maîtresse, vous dis-je!

— Je n'en crois rien.

— Pourquoi? Etes-vous l'unique femme au monde qu'on puisse aimer?... Nous sommes amants, vous dis-je!

— Non! vous mentez.

— Comment pouvez-vous être aussi catégorique?...

— Je le connais trop. Son instinct est sûr et son expérience — des femmes aussi — est grande. Il n'est pas homme à se laisser circonvenir par un être aussi vil que vous.

La duchesse poussa une exclamation railleuse et feignit la surprise ironique.

— Mais qu'est cela! Vous l'aimez, dirait-on. Folle! *L'amour n'existe pas*... Ce n'est qu'une illusion, une légende que les hommes ont inventée pour se distraire sur la terre... Il n'y a que la chair qui compte et les passions dévorantes qu'elle inspire... Je vous l'ai dit à propos de Phipps, il n'y a pas d'hommes qu'une femme habile ne puisse circonvenir quand elle sait s'y prendre!...

Angélique éclata de rire. Elle venait d'imaginer le pauvre Phipps aux prises avec cette femme luxurieuse... Le malheureux garçon avait-il succombé à un tel assaut? Sans aucun doute! Les puritains sont mal armés pour ce genre de tentation, la peur du péché, en leur âme, n'ayant d'égale que la fascination qu'exerce sur eux le pouvoir du Mal.

Son subit accès d'hilarité déconcerta Ambroisine qui la regarda sans comprendre, médusée.

— Vous riez! Etes-vous folle?... Ne parvenez-vous pas à comprendre que lui aussi est faillible? tous les hommes, vous dis-je! Il suffit de trouver le point faible.

— Il n'a pas de point faible.

— Il faut croire que si... puisque... ce que je lui ai dit l'a convaincu si facilement qu'il aurait bien tort de dédaigner les plaisirs que je lui offrais pour une femme telle que vous...

Angélique cessa de rire.

— Que lui avez-vous dit?...

Ambroisine passa sa langue sur ses lèvres d'un air gourmand. Un éclair de triomphe s'allumait dans ses prunelles d'or sombre, devant l'anxiété qu'Angélique avait trahie.

— Oh! très simple... Lorsqu'il m'a rejointe à La Hève où j'avais demandé à Phipps de me débarquer... je lui ai révélé que votre premier geste après son départ de Gouldsboro... avait été de rejoindre Colin Paturel... et de vous donner à lui...

— Vous avez fait *cela*?

— Comme vous êtes pâle tout à coup..., murmura Ambroisine en l'examinant avec une attention cruelle. Ainsi, je ne me serais pas trop égarée dans mes extrapolations à votre sujet ainsi qu'à celui de ce beau Normand taciturne. Vous avez du goût pour lui... Et lui vous aime... Et d'autres encore... Tous les hommes vous aiment et vous désirent.

Son expression changea subitement et elle dit en grinçant des dents :

— Morte! Je voudrais vous voir morte!...

Puis avec un cri déchirant :

— Non! non! pas morte!... Si vous mouriez, la lumière s'éteindrait de ma vie! Oh dieux! comment puis-je à la fois être désireuse de votre mort et si désespérée à la seule pensée que vous puissiez disparaître de ce monde?... Ah! Je suis venue trop tard! Si vous m'aviez aimée, tout se serait confondu. J'aurais sombré en vous. J'aurais été votre esclave et vous auriez été la mienne. Mais vous êtes attachée à l'homme, cette bête immonde!... L'homme vous a enchaînée!...

Elle se mit à dire des obscénités si confondantes qu'Angélique la regardait les yeux écarquillés comme si elle eût vu positivement des serpents s'échapper de ces lèvres ravissantes.

Paradoxalement, ce fut ce débordement hystérique de la duchesse qui sauva Angélique d'une crise analogue.

Lorsque Ambroisine lui avait révélé l'accusation portée contre elle devant son mari, elle avait entrevu dans un éclair quels ravages une telle accusation avait pu causer en Joffrey de Peyrac. Fragile était encore leur réconciliation. Peu de temps auparavant, elle avait vu le visage de Joffrey transformé d'une colère si terrible à la pensée qu'elle avait pu s'offrir à Barbe d'Or.

Lentement, doucement, avec d'infinies précautions, rassemblant leur courage, faisant fi de leur orgueil, puisant dans la profondeur de leur amour la force de faire face à une telle épreuve, ils avaient réussi à panser ces blessures trop vives qu'ils s'étaient portées l'un à l'autre en ce dramatique instant.

Mais sur la plaie encore récente, dans le cœur de Peyrac, combien corrosives avaient dû être les paroles d'Ambroisine!...

Elle se sentit défaillir comme devant une catastrophe qu'on a en vain essayé de prévenir et de conjurer. Tout était perdu. Assommée elle n'avait plus qu'une idée : fuir devant elle aveuglément.

C'est alors qu'Ambroisine, éclatant en imprécations démentielles, l'avait en quelque sorte ramenée à elle. Sa réaction changea de cours, et sa colère contre Ambroisine la brûla comme un fer rouge.

— Assez, cria-t-elle en frappant du pied et en criant plus fort que la duchesse. Vous êtes odieuse, répugnante! Taisez-vous! Certes, les hommes ne sont pas des saints, mais ce sont des femmes comme vous qui les avilissent et les rendent stupides. Taisez-vous! Je vous l'ordonne. Les hommes ont droit au respect!

Elles firent silence ensemble au même instant et s'affrontèrent, face à face, haletantes.

— Décidément, vous êtes stupéfiante, reprit Ambroisine en la considérant comme si elle avait eu subitement devant elle un monstre. Quoi! Je viens de vous démontrer que votre amour, votre idole, votre dieu est faillible... Et vous trouvez encore le moyen de me faire la leçon... Et pour défendre les hommes, tous les hommes... Ma parole! A quelle espèce appartenez-vous donc?

— C'est sans importance... Je hais l'injustice et il y a des vérités que je ne vous laisserai pas — toute savante, et intelligente, et influente que vous êtes — ensevelir dans votre boue. Un homme, c'est quelque chose de grave et de très important, et ce n'est pas une raison parce que la genèse de leur esprit nous est parfois inaccessible, à nous autres femmes, pour que nous nous vengions de notre nullité, de notre incapacité à les suivre, en les abaissant, en les réduisant en esclavage... Abigaël me disait quelque chose de ce genre un soir...

— Abigaël!

De nouveau, la duchesse jetait un cri de haine.

— Ah!... Ne prononcez pas ce nom devant moi... Je la hais! cette parpaillote hypocrite! Je l'exècre... Vous la regardiez avec une telle douceur. Vous devisiez sans fin ensemble... Je vous ai vues par la fenêtre. Vous appuyiez votre tête sur son épaule. Vous avez dormi à ses côtés... Vous teniez son enfant dans vos bras et le couvriez de baisers...

— Le cri dans la nuit, c'était *vous*...

— Comment aurais-je pu supporter un tel spectacle sans mourir de douleur... Vous étiez là, heureuse, près d'elle... vivante et heureuse... et pourtant elle aurait dû être morte, morte cent fois...

Angélique se rapprocha. Il lui semblait que son cœur allait arrêter de battre.

— Vous avez essayé de l'empoisonner, n'est-ce pas?...

Elle parlait à mi-voix, les dents serrées.

— ... Et même vous aviez préparé sa mort possible pour l'accouchement... Quand vous avez deviné que son heure approchait, que ce serait sans doute pour la nuit, vous êtes venue mettre une drogue dans mon café... C'est Mme Carrère qui l'a bu... par hasard... Sinon j'aurais dormi cette nuit-là et vous saviez qu'Abigaël risquait de mourir sans mes soins... et vous avez fait porter de l'alcool à la vieille Indienne afin qu'elle soit hors d'état de l'assister... Et plus tard vous avez versé du poison dans la tisane que je lui avais préparée... Vous m'aviez entendue lui dire qu'elle devait en boire plusieurs fois par jour... Vous êtes revenue l'après-midi en vous mêlant aux visiteurs pour accomplir votre forfait... Heureusement, Laurier a posé son panier devant la cruche. Séverine n'y a plus pensé. Moi, le soir, j'ai jeté cette mixture par la fenêtre... Le porc de Bertille est mort...

Elle parlait comme en un songe, horrifiée.

— Vous auriez voulu que je tue Abigaël de ma propre main!...

— Vous l'aimiez, répéta Ambroisine, et moi vous ne m'aimiez pas... Vous ne cessiez pas de vous passionner pour toutes sortes de choses en dehors de moi : elle, les enfants, votre chat...

— Mon petit chat... C'est vous... *Vous* qui l'avez frappé, torturé... Ah! je comprends maintenant... C'est vous qu'il voyait dans la nuit quand il se hérissait d'horreur...

Angélique était proche d'Ambroisine et se penchait, les yeux étincelants :

— Vous vouliez sa mort, à lui aussi... Mais il a pu s'échapper à temps... de vos griffes...

— C'est votre faute...

Une expression de fillette sournoise passa sur les traits de la duchesse.

— Vous faisiez tout pour que ces choses arrivent... Si vous m'aviez aimée...

— Mais comment voulez-vous que l'on vous aime de quelque façon que ce soit, s'écria Angélique en l'attrapant par les cheveux et en la secouant brutalement, *vous êtes un monstre!...*

Elle était possédée d'une telle fureur qu'elle aurait pu, lui semblait-il, lui arracher la tête. Mais elle s'arrêta en voyant à l'expression du visage renversé d'Ambroisine que celle-ci prenait plaisir à sa violence sur elle.

Elle la lâcha brusquement et la duchesse tomba à demi sur le sol de terre battue. Comme l'autre nuit à Port-Royal, lorsqu'elle était échouée nue sur son manteau écarlate, une sorte de lumière extatique se répandait sur son visage aux yeux mi-clos.

— Oui, murmura-t-elle, tuez-moi... Tuez-moi, ma bien-aimée...

Angélique hors d'elle se mit à tourner en rond dans la pièce.

— De l'eau bénite! Qu'on me donne de l'eau bénite! cria-t-elle. De l'eau bénite par grâce! Avec des êtres pareils, je comprends la nécessité des goupillons et des exorcismes...

Ambroisine éclata d'un rire strident. Elle riait tant que les larmes lui venaient aux yeux...

— Ah! vous êtes la femme la plus amusante que j'aie jamais rencontrée, exhala-t-elle enfin. La plus délicieuse... la plus inattendue... De l'eau bénite!... Comme vous avez dit cela!... Vous êtes irrésistible... vraiment! oh! Angélique, mon amour!...

Epuisée, elle se redressa. Elle se mira dans une petite glace à pied qui se trouvait sur la table, mouilla son index du bout de la langue et lissa ses fins sourcils.

— Oui, c'est vrai, j'ai ri avec vous comme je n'ai jamais ri avec personne... Vous avez su m'égayer... Ah! ces jours à Gouldsboro... avec votre présence, vos sautes d'humeur pleines de fantaisie... Mon amour, nous sommes faites pour nous entendre... Si vous vouliez...

— Assez! cria encore Angélique.

Et elle se précipita hors de la maison. Elle courait comme une folle, en se tordant les pieds sur le sol caillouteux.

— Madame, qu'avez-vous?

Les Filles du roi venaient à sa rencontre, livides d'avoir guetté les vociférations et les cris qui s'étaient échappés de la maison où s'affrontaient les deux femmes.

— Où est Piksarett? leur jeta Angélique, haletante.

— Votre sauvage?

— Oui! Où est-il? Piksarett! Piksarett!

— Me voici, ma captive! dit la voix de Piksarett, surgissant devant elle. Que me veux-tu?...

Elle le fixa d'un air égaré. Elle ne se souvenait plus pourquoi elle l'avait appelé ainsi. Il la dominait de sa haute taille. Dans son visage d'argile cuite, ses yeux noirs et vifs brillaient comme du jais.

— Viens avec moi dans la forêt, fit-il en employant la langue abénakis, viens marcher par les sentiers de la forêt... C'est le sanctuaire du Grand Esprit... les douleurs s'y apaisent...

Elle le suivit tandis qu'il s'éloignait rapidement du hameau, vers la lisière des bois. Il s'enfonça entre les troncs serrés des pins et des sapins que la poussière due à la sécheresse intense poudrait de gris. Mais la lueur d'arbrisseaux virant au rouge commençait à couver dans le sous-bois et par instants ils franchissaient de vastes espaces couverts par la pourpre des buissons des myrtilles et d'airelles épandus comme de somptueux tapis tout au long de la côte.

Puis ils se retrouvaient dans l'ombre noire des arbres. Piksarett marchait vite et Angélique le suivait sans peine, portée par la nécessité aveugle de ne point s'arrêter car, si elle faisait halte, la vague brûlante qu'elle sentait cogner contre les parois de son cœur — de terribles coups qui l'empêchaient de respirer — déferlerait et la briserait.

Parvenant à une clairière d'où l'on apercevait la mer, entre les troncs rougeâtres des pins, Piksarett fit halte.

Il s'assit sur une souche d'arbre et, levant les yeux sur Angélique, il la considéra de bas en haut d'un air moqueur.

Alors la vague brûlante en elle se brisa.

Comme sous le choc d'un coup, elle tomba à genoux près de l'Indien et, enfouissant son visage dans la fourrure d'ours noir, elle éclata en sanglots déchirants.

## 4

— Les femmes ont droit aux larmes, dit Piksarett avec une bonté surprenante. Pleure, ma captive! Les poisons de ton cœur en seront lavés.

Il posa une main sur ses cheveux et attendit.

Elle pleurait dans une débâcle de tout l'être,

sans même percevoir au fond de ce gouffre chaotique les causes exactes de sa douleur. C'était une reddition totale, les digues enfin rompues, le courage rendant les armes à sa faiblesse humaine, une nécessité physique qui la sauvait de la folie et, comme il arrive en ces rares instants où l'on s'accepte tel qu'on est, dans une réconciliation intérieure de ce que l'on sait de soi et de ce que l'on en ignore, elle finit par éprouver de cet abandon une volupté bienfaisante. La souffrance qui lui déchirait le cœur se calma, fit place à quelque chose de doux, d'apaisant qui berçait et endormait son mal.

L'écho de la catastrophe décrût en elle, lentement, faisant place peu à peu à un silence de tombe mais où commença bientôt à se redresser un être endolori, fripé, affaibli... Cet être à son image la regardait au fond d'elle-même et lui disait : « Et maintenant, Angélique, que fait-on?... »

Elle s'essuya les yeux. Seule elle n'eût pas résisté au choc. Mais Piksarett était là. Tout au long de ces instants terribles, Angélique ne cessa de sentir qu'une présence humaine veillait à ses côtés. Tout n'était pas perdu. Piksarett lui gardait sa foi.

— Il n'est pas là! fit-elle enfin d'une voix entrecoupée. Il n'est pas là! Il est parti encore je ne sais où. Qu'allons-nous devenir?

— Il faut l'attendre, répondit Piksarett en fixant l'horizon blanchâtre de la mer entre les arbres. Il est sur les pas de l'ennemi mais il reviendra.

— L'attendre, répéta Angélique, ici?... Près de cette femme? La rencontrer tous les jours, la voir se moquer de moi, triomphante?... Je ne peux pas...

— Hé! Que veux-tu faire alors? s'exclama l'Abénakis... Lui laisser la victoire?...

Il se pencha vers elle, tendant un doigt impératif en direction du village.

— ... Observer ton ennemie, ne pas lui laisser un instant de repos, guetter chacune de ses paroles pour y débrouiller les mensonges, tisser la trame qui la perdra, comment veux-tu faire cela si tu n'acceptes pas de vivre en la place même? Cette femme est pleine de démons, je le sais, mais tu n'es pas encore vaincue que je sache.

Angélique mit son visage dans ses mains et malgré elle la houle d'un sanglot la secoua. Comment faire comprendre à Piksarett ce qui l'atteignait au plus vif?

— Une saison, je me suis rendu dans la vallée des Cinq Nations, racontait Piksarett... Seul... Chaque nuit je pénétrai dans un village, puis dans une des longues maisons où ils dorment à plus de dix familles et je levai la chevelure d'un guerrier endormi... Le jour, je les avais sur mes pas... Chaque instant, je déjouais leurs ruses... Je ne connaissais plus mon souffle, ni même la sensation de ma propre vie, dans l'attention que je portais à me rendre invisible et à préparer mon exploit de la nuit suivante : Ils savaient que c'était moi, Piksarett, le chef des Narrangasett, mais ils ne m'ont jamais saisi, ni même vu. Quand j'eus vingt chevelures d'Iroquois à ma ceinture, je quittai le pays. Maintenant dans la vallée des Cinq Nations on raconte que je peux me transformer en esprit à volonté.

» Ainsi vas-tu demeurer ici, parmi tes ennemis, plus forte et plus habile qu'eux tous, préparant leur défaite et ton triomphe.

— J'ai peur, murmura Angélique.

— Je te comprends. Il est plus facile de lutter contre les hommes que contre les démons.

— Est-ce là le danger que tu as vu sur moi lorsque tu es venu à Gouldsboro pour demander ma rançon? interrogea-t-elle.

— Oui! Tout à coup l'ombre était là et j'entendais bruisser les esprits mauvais. Cela émanait des personnes assemblées dans cette salle. Cela t'encerclait déjà... Il a fallu que je m'éloigne afin d'échapper moi-même à cette influence néfaste et retrouver la clarté de mon esprit.

— Pourquoi ne m'as-tu pas prévenue?

— Les femmes ne sont pas faciles à convaincre et toi, parmi les femmes, encore moins que les autres.

— Mais, je t'aurais écouté, Sagamore. Tu le sais. J'ai foi en tes presciences...

— Qu'aurais-je pu te dire? Te désigner cette femme qui t'accompagnait, ton invitée, ton amie, et te dire : « Elle est pleine de démons. Prends garde : elle veut ta mort. Pire, elle veut la perte de ton âme »... Vous autres Blancs vous riez de nous quand nous parlons ainsi... Vous nous traitez comme des enfants en bas âge ou comme des vieillards séniles qui sont en train de perdre la tête. Vous niez que l'invisible peut parfois être clair à nos yeux...

— Tu aurais dû me prévenir, répéta-t-elle... Et maintenant, il est trop tard. Tout est perdu.

— Je t'ai prévenue, Je t'ai dit : « Un danger est sur toi. Prie! » L'as-tu fait?

— Oui... je crois.

— Alors, pourquoi te désespères-tu? Dieu écoute la voix du juste lorsqu'il l'appelle dans les ténèbres de sa détresse. Où vois-tu qu'il est trop tard, et que tout est perdu?

Elle n'osait expliquer à ce noble Indien, si maître de ses sens à l'exemple de ses pareils, par tradition et tempérament acquis, le doute qui la torturait au sujet de celui qu'elle aimait.

— Ecoute! Elle raconte que mon époux s'est attachée à elle et m'a reniée en son cœur!

— Elle ment! affirma Piksarett avec force. Comment cela serait-il possible? Il est l'Homme du Tonnerre. Ses pouvoirs sont innombrables. Et toi, tu es Kawa, l'étoile fixe. Qu'aurait-il à faire d'une telle femme?

Il parlait selon sa logique, pour lui irréfutable. La concupiscence dépravée des Blancs dépassait son entendement de sauvage.

— Il est vrai, convint-il, que les Blancs sont assez déconcertants. L'habitude de presser sur une gâchette pour défendre leur vie les a déshabitués de préserver celle-ci par la résistance de l'âme et du corps. Un rien les épuise, le moindre jeûne les déprime et ils ne peuvent se passer de femme, même à la veille d'un combat, sans considérer qu'ils risquent de se présenter à l'ennemi affaiblis et distraits... Mais l'Homme du Tonnerre n'est pas de cette espèce.

— Tu parles de lui comme si tu l'avais rencontré, fit-elle.

Elle l'écoutait en levant sur lui des yeux brillants d'espérance. Ce visage d'argile craquelé, ponctué de tatouages, entre les deux tresses enfilées dans l'étui des pattes de renard roux, sous le chignon hérissé de plumes et entrelacé de rosaires et de médailles, lui apparaissait en cet instant le plus aimable du monde.

— Je le pressens à travers toi, répondit Piksarett. L'homme que tu aimes ne peut être ni vil, ni bas, ni fourbe, sinon tu ne pourrais l'aimer et le servir. Or, tu l'aimes. Donc il n'est ni bas, ni vil, ni fourbe... Ne doute pas de l'homme qui est sur le sentier de la guerre, femme!... C'est l'affaiblir à distance et comme l'abandonner dans le danger.

— Tu as raison.

Elle voulait le croire, encore qu'elle restât endolorie à cette place terrible où Ambroisine avait frappé. Cette évocation du nom de Colin, c'était à la fois comme un cauchemar oublié et comme une arme qui gardait sur eux deux une puissance redoutable. Joffrey pourrait en être atteint encore et pourtant, pour elle, cela ne signifiait plus rien.

Elle se demandait avec une sorte d'étonnement comment elle avait pu traverser un moment de tentation charnelle près d'un autre homme que lui. Quelle femme était-elle donc encore quelques semaines auparavant?... Il lui semblait que cela faisait des années et elle ne se reconnaissait pas. A quel moment avait-elle cessé d'être cette enfant incertaine, dépendante de son passé et de ses insuffisances, pour devenir celle qui vivait en elle aujourd'hui, ayant trouvé son pôle, sa certitude... mais trop tard peut-être...

Etait-ce quand elle avait sauté dans le feu des Basques à Monégan?

Hernani d'Astiguarza lui criait : « Celui qui traverse le feu de la Saint-Jean, le Diable ne peut rien contre lui pour l'année! »

Le souvenir de cet avertissement la réconforta. Piksarett avait raison. Le sort lui offrait un sursis. Ces quelques jours avant le retour de Joffrey, elle devait les mettre à profit pour démasquer Ambroisine.

Elle avait bien su autrefois se battre à armes égales avec Mme de Montespan. Certes, aujourd'hui l'enjeu était autre que le roi et l'adversaire encore plus redoutable. Mais elle avait acquis d'autres armes aussi. La réussite de sa vie et la bienveillance du destin à son endroit avaient fortifié son âme. A celui qui n'a jamais gagné, la défaite est amère. Mais elle, à qui avaient été données ces merveilleuses retrouvailles en ce monde, regimberait-elle d'avoir à en payer le prix maintenant, peut-être pour n'avoir pas su en apprécier à temps toute la miraculeuse valeur!...

Le dernier acte s'annonçait qui scellerait la prédestination de leur amour. Allait-elle reculer? Piksarett vit ses yeux étinceler et frémir les ailes de son nez.

— Bien! dit-il. Que ferais-je d'une captive sans courage? J'aurais scrupule d'en demander rançon, tant serait mince son mérite... Certes, moi non plus, je n'ai pas de plaisir à me trouver ici. Je suis seul comme lorsque je rôdais dans la Vallée sacrée des Iroquois. Uniacké se cache dans la forêt avec son parent. Je leur ai promis de leur livrer ceux qui ont tué leur frère de race et de sang, mais ils ne peuvent m'assister avec profit car ils sont étrangers au lieu et craignent les mauvais esprits. Je suis seul et ressens plus de malaise que lorsque je rôdais seul dans la Vallée sacrée des Iroquois, mes ennemis. Mais qu'importe! La ruse est notre alliée. Ne l'oublie pas et, quoi qu'il arrive, garde tes forces.

Ils revinrent avec lenteur. De loin, l'établissement s'annonçait par les cris des mouettes, des relents nauséabonds, et l'on apercevait au tournant la grève perdue, les maisons dispersées. Les matelots s'activaient tout au long « du galet », autour des échafauds s'avançant au bord de l'eau pour y recevoir la pêche du soir, et où travaillaient les préposés à la « tranche », à la salaison, à l'extraction de l'huile et, au loin, dans la rade, on voyait se balancer le navire breton à l'ancre, dégréé.

Là, comme l'avait dit Piksarett, elle allait se tenir attentive et sans faiblesse, au cœur même de ses ennemis.

Et pour commencer elle irait reprendre à Ambroisine le pourpoint de Joffrey.

## 5

Ce pourpoint était le seul vestige qu'elle eût relevé du passage de Joffrey de Peyrac à Tidmagouche.

S'il était vrai, comme l'affirmait Ambroisine,

qu'il avait mis la voile l'avant-veille, après avoir séjourné plus d'une semaine dans ce port, son séjour, avec tout le désordre qu'entraîne le repos à terre d'un équipage, laissait remarquablement peu de traces. A croire qu'il n'y était jamais venu. Il faudrait qu'elle interrogeât autour d'elle : les pêcheurs, les quelques habitants fermiers qu'elle avait entrevus, et aussi Nicolas Parys, le propriétaire de la côte, qui les conviait ce soir à venir manger en son manoir fortifié sur la falaise.

Le reste de la caravane était arrivé en fin d'après-midi. Les gens étaient fourbus, dévorés par les moustiques et les sangsues des marécages.

Le marquis de Villedavray vint, à l'heure du souper, gratter à l'huis de la cahute où elle s'était installée avec son fils et ses bagages.

— Etes-vous prête, chère amie?

Angélique l'admira de se présenter fringant dans une redingote de soie prune ouverte sur un gilet brodé de petites roses et chaussant des souliers à boucles.

— J'emporte toujours une tenue de rechange avec moi, expliqua-t-il.

Non sans mérite, il avait encadré son visage boursouflé de piqûres de moustiques d'une perruque poudrée.

— Je connais les habitudes du vieux. Il réclame un certain protocole. A part cela, je vous avertis tout de suite, nous allons nous trouver dans la plus belle assemblée de bandits qu'on puisse rencontrer à cent lieues à la ronde. Nicolas Parys a le don de s'entourer de crapules sans gloire. Il les attire, semble-t-il, à moins que les gens ne débauchent à son contact.

Il regardait autour de lui avec appréhension.

— L'absence du comte rend notre situation encore plus difficile. Une vraie malchance! Qu'avait-il besoin d'aller se promener à Plaisance! Mais on affirme qu'il sera de retour dans moins de deux semaines... De toute façon, ne nous séparons pas, chuchota-t-il. J'ai demandé à être logé dans votre voisinage. Veillez aussi à votre nourriture. Ne mangez que ce que vous aurez pris dans le même plat que les invités et attendez pour porter la nourriture à votre bouche qu'ils aient commencé de manger. J'en ferai autant, et j'ai fait également cette recommandation à votre fils Cantor.

— Si les autres convives sont dans le même état d'esprit et si nous attendons tous, dit Angélique avec un rire nerveux, ça va être drôle!

— Ne plaisantez pas!

Villedavray était sombre.

— Je suis très inquiet. Nous voici dans l'antre de Messaline et du roi Pluton.

— L'avez-vous vue? interrogea Angélique.

— Qui cela?

— La duchesse!

— Non, pas encore, répondit le marquis d'un air qui prouvait qu'il n'avait aucune hâte de la rencontrer. Et vous?

— Oui, je l'ai vue.

L'œil du marquis s'alluma.

— Et alors?...

— Nous avons échangé quelques paroles, assez vives je le reconnais, mais, comme vous le voyez, nous sommes encore en vie toutes deux.

Le marquis de Villedavray l'examinait.

— Vous avez les yeux rouges, dit-il, mais vous ne semblez pas abattue. Bien! Cramponnez-vous. J'ai comme un pressentiment que la partie va être serrée.

Pour une fois la langue acérée du marquis de Villedavray parut à Angélique s'être montrée au-dessous de la vérité et avoir fait des hôtes de Nicolas Parys et de lui-même une description, après tout, assez indulgente.

En les dénonçant comme une assemblée de bandits, il n'avait pas traduit l'impression inquiétante que l'on éprouvait, en la présence de Nicolas Parys et de ses hôtes et voisins. Ils semblaient le produit à la fois de la vie rude, de la débauche sans frein, d'une avidité de rapaces à thésauriser tout ce qui pouvait tomber sous la main ou se monnayer dans les parages de ce nid d'aigles. Une sorte d'hérédité de noblesse donnait à ces hommes exilés sur la terre d'Amérique un goût du faste, grossier et comme dégénéré mais assez impressionnant.

Pas de femmes ici, à part Ambroisine et Angélique ce soir, ou des Indiennes concubines qui erraient aux alentours de l'habitation, insolentes ou abruties d'alcool.

Nicolas Parys avait eu une fille d'une Indienne qu'il avait épousée. Il l'avait fait élever aux Ursulines et l'avait mariée au fils d'un hobereau du voisinage, lui donnant en fief la presqu'île de Canso et l'île Royale.

A la lueur fumeuse de grosses torchères de résine plantées dans des anneaux de fer au mur et dans des cadélabres, la table apparut emplissant la pièce comme pour un banquet, surchargée de victuailles de toutes sortes parmi lesquelles s'alignaient tant bien que mal les écuelles de bois destinées aux hôtes du festin ainsi que quelques cuillères et couteaux disparates.

On comprenait qu'en bien des cas les doigts devaient faire office de fourchettes.

En revanche, pour le vin il y avait de véritables hanaps d'or ou de vermeil, et Villedavray guigna immédiatement dessus. Ainsi que sur des petits verres de cristal taillé destinés à l'alcool.

La boisson ici était reine. On la comprenait à cet apparat dont on l'entourait et aux nez généreusement allumés des participants. Il y avait des fûts dans les coins, des tonnelets posés sur pied, des cruches pleines, et des fiasques de rhum en verre noir, à long col.

L'ensemble, dans ce clair-obscur enfumé, rappela à Angélique l'ambiance qu'elle avait rencontrée jadis, durant son voyage en Méditerranée, dans un petit château sarde où régnait, mi-naufrageur, mi-pirate, un seigneur au même regard de loup et à la même superbe dangereuse que ses hôtes du moment.

Ils se tenaient cinq ou six ou peut-être plus — mais on voyait mal — autour de la table, et quand les dames entrèrent, toutes ces trognes rubicondes s'éclairèrent de sourires avenants, tandis que sur un signe du sieur Nicolas Parys, ils s'inclinaient dans une révérence à la française. Le mouvement galant fut d'ailleurs interrompu à peine ébauché par l'irruption de deux monstres, qui, couchés devant l'âtre, bondirent avec des grognements épouvantables et foncèrent sur le groupe entrant.

Le vieux Parys décrocha un fouet à mèche du mur et frappa un peu à l'aveuglette.

Il réussit à ramener au calme les deux monstres qui se révélèrent être d'énormes chiens d'une espèce inconnue. On les trouvait, paraît-il, en l'île de Terre-Neuve, où l'on racontait qu'ils étaient un croisement d'ours et de dogues abandonnés en cette île par une expédition coloniale. Il est vrai qu'ils tenaient de l'un et de l'autre par leur taille gigantesque et massive et leurs poils touffus comme une fourrure. Leur maître assura qu'ils nageaient comme des marsouins et pêchaient le poisson.

L'objet de leur colère subite avait été l'apparition de Wolverines le glouton, s'introduisant sans timidité excessive sur les talons de Cantor et des invités.

Il se tenait maintenant en arrêt sur le seuil, son ample queue en panache et découvrant toute sa mâchoire méchante aux dents aiguës, prêt à affronter les colosses en combat singulier.

— Ho! Ho! Qu'est-ce que c'est que ça? s'écria un des hommes.

— Un glouton, constata Nicolas Parys, la plus féroce bête de la forêt. Celui-ci a dû sortir des bois, par erreur. Mais c'est curieux : il n'a pas l'air effrayé.

Cantor intervint.

— Il est apprivoisé. C'est moi qui l'ai élevé.

Angélique s'aperçut qu'Ambroisine tremblait de tous ses membres.

— Votre fils a encore amené cette horrible bête avec lui! C'est intolérable, fit-elle d'une voix dont elle contrôlait avec peine la tonalité prête à virer à l'aigu. Regardez-le. Il est dangereux. Il faut l'abattre.

Il y avait une telle détestation dans le regard qu'elle fixait sur Cantor qu'on eût cru presque qu'elle parlait de lui et Angélique frémit de crainte pour son fils.

— Pourquoi l'abattre? Laissez cette bête tranquille, moi elle me plaît, dit le vieux Parys.

Et, tourné vers Cantor :

— Bravo, mon garçon! Apprivoiser un glouton, c'est rare. Tu es un vrai coureur de bois. Et beau comme un dieu avec ça. Hé! Hé! gouverneur, il doit vous plaire ce garçon, pas vrai? Mange, rassasie-toi mon fils! Mesdames, allez-y!

Le propriétaire des plages du golfe Saint-Laurent était un peu bossu, un peu borgne, mais sa personnalité contondante qui en avait fait, à coups de rapines, d'audace, de complots habiles, le roi de la côte est lui ressortait par tous les pores. En sa présence on se plaçait instinctivement sous sa dépendance.

Un des fils de Marcelline ou un des frère Defour ne lui paraissant pas avoir fait assez de frais pour lui dans son habillement, il le pria d'aller se mettre en « tenue de cour » comme il disait. L'autre protesta qu'il sortait des marécages...

— Bon, ça va! concéda l'hôte, va dans ma chambre prendre une perruque et colle-toi ça sur ton crâne de brute, je m'en contenterai pour ce soir.

Il avait fait placer les deux femmes présentes à chaque extrémité de la longue table et lui-même étant assis au milieu, son œil chassieux allait de l'une à l'autre avec une évidente satisfaction tandis qu'un sourire étirait sa bouche édentée. Cependant, ce qui lui restait de dents ne l'empêchait pas de faire honneur au festin qui se composait surtout de gibiers à plume accompagnés de sauces fortement épicées, et de trois ou quatre cochons de lait rôtis sur des braises dans leur peau craquante. Pendant quelques instants on n'entendit que le craquement des os et le bruit des mâchoires et des clappements de langue. Deux grandes miches d'un pain bis à la croûte presque noire permettaient aux amateurs de saucer largement leurs écuelles de bois, ce dont personne ne se privait.

A travers la pénombre embrumée, Angélique distinguait en face d'elle le pâle et ravissant visage d'Ambroisine. La vapeur exhalée des mets comme celle de la fumée du tabac que pétunaient quelques Indiens estompaient les traits de la jeune femme. Elle était là-bas comme une apparition surgissant de l'encens de quelques offrandes maléfiques et dans la nacre de sa face, ses prunelles sombres semblaient immenses. Angélique les sentait fixées sur elle, tandis que les lèvres entrouvertes souriaient sur l'étincelle de ses dents enfantines.

Un malaise régnait.

— On n'y voit goutte, chuchota Barssempuy penché vers le marquis, son voisin.

— C'est toujours comme ça chez lui, répondit de même Villedavray. Je ne sais pas s'il s'imagine que son luminaire est excellent ou s'il fait exprès, mais lui ça ne le gêne pas. Il voit dans l'obscurité comme les chats, il guette comme eux.

Et, en effet, les yeux du vieux Parys par-dessus

les carcasses qui s'amoncelaient de plus en plus devant lui ne cessaient d'examiner autour de lui, tandis que les autres se débattaient tant bien que mal avec ce qu'ils avaient dans leurs assiettes.

Les regards de Nicolas Parys s'attardaient sur Angélique, sur Piksarett qui avait pris place d'office à la droite de sa « captive », sur Cantor qui se trouvait à sa gauche. Puis les vins ayant été versés dans les hanaps d'or, les langues se délièrent et l'on commença à échanger des histoires.

Au premier abord et trompée par la semi-obscurité, Angélique s'était imaginé que tous les hommes présents lui étaient inconnus mais elle reconnut dans l'un d'eux le capitaine de *La Licorne* Job Simon, l'homme à la tache violette. Sa barbe touffue et sa chevelure hirsute avaient encore grisonné. Il était encore plus voûté et ses yeux globuleux sous ses sourcils hérissés regardaient fixement devant lui.

Il y avait aussi le secrétaire Armand Dacaux et elle se demanda comment elle avait pu ne pas le reconnaître aussitôt, le confondre dans « cette assemblée de malandrins », car il lui avait toujours paru un homme de manières distinguées quoique un peu obséquieuses. Mais — jeu de la pénombre ou de son imagination inquiète — voici que la ventripotence discrète de M. Armand lui ressortait comme une obésité malsaine, son menton assez plein, ses lèvres épaisses ouvertes sur un sourire qui se voulait toujours aimable, trahissant une sensualité écœurante. Derrière les verres de ses lunettes brillait l'éclat d'un regard fixe, émerillonné, la monture des lunettes tout à coup paraissait énorme, lui donnait un air de hibou cruel, un peu fou.

Il y avait aussi l'aumônier de Nicolas Parys, un Récollet suant et congestionné, à la trogne allumée par l'alcool.

Non loin d'elle se trouvait le capitaine du morutier qui était à l'ancre dans la baie, l'homme du Faouët. C'était un autre type, plutôt maigre, taillé dans du granit. Elle s'aperçut qu'il buvait comme un trou, mais ne se laissait jamais aller. Ses libations se trahissaient par l'arête de son nez mince devenant de plus en plus rouge. A part cela, il restait raide sur son banc, riait à peine, mangeait solidement.

Villedavray sauvait l'atmosphère en racontant avec esprit des gauloiseries accessibles à tous et qui mettaient de bonne humeur.

— Je vais vous raconter ce qui m'est arrivé un jour, commençait-il de sa voix douce.

Il avait le don de tenir son auditoire en haleine jusqu'au moment où l'un de ceux qui l'écoutaient bouche bée grommelait :

— Gouverneur, vous nous faites marcher.

— Eh bien! oui, convenait-il, ce n'était qu'une plaisanterie.

— On ne sait jamais avec lui s'il ment ou s'il raconte la vérité, disait quelqu'un.

— Savez-vous ce qui m'est arrivé à mon dernier anniversaire?

— Non?

— Eh bien! voilà, comme chaque année j'ai réuni tous mes amis à bord de l'*Asmodée*, ce ravissant bateau, un petit Versailles flottant... vous le connaissez tous... La fête battait son plein quand tout à coup...

— Quoi donc!...

— Le bateau a sauté.

— Ha! Ha! Ha! s'esclaffèrent bruyamment les convives.

— Vous riez, dit Villedavay d'un ton peiné, et pourtant c'est la vérité. N'est-ce pas vrai, chère Angélique? Et vous, Defour, n'est-ce pas vrai? Le bateau a sauté, flambé, coulé...

— Fichtre! dit Nicolas Parys, quand même saisi, comment vous en êtes-vous tiré?

— Par intervention céleste, dit dévotement Villedavray en levant les yeux au ciel.

Angélique admirait Villedavray de se montrer si plein d'aisance; il mangeait de bon cœur et ne paraissait plus songer aux recommandations qu'il avait faites à Angélique à propos de poison. Il est vrai que dans une telle pénombre il n'y avait rien d'autre à faire que d'adresser une prière au ciel à chaque bouchée et de penser à autre chose. Malgré elle, Angélique hésita lorsque le capitaine breton lui tendit une jatte remplie d'un liquide indistinct.

— Goûtez-moi cette sauce, madame. Tout est bon dans la morue quand elle est fraîche. La tête, la langue, le foie. On les délaye dans l'huile et le vinaigre avec un piment... goûtez cela.

Elle le remercia et l'entretint afin qu'il ne remarquât pas trop qu'elle ne faisait pas honneur au mets en question. Elle s'informa s'il était satisfait de la saison de pêche. Depuis combien d'années venait-il dans le coin?

— J'y suis quasiment né. J'y venais déjà avec mon père quand j'étais moussaillon. Mais il ne faut pas se laisser prendre par l'Amérique. Si j'avais écouté le vieux Parys, je ne serais plus qu'une épave. Quatre mois l'an, cela suffit! Les dernières semaines on est tous à moitié dingues. C'est la sécheresse, le travail de forçat... J'ai encore et encore de la morue à saler et des cales à remplir, je n'en vois pas le bout... Mon fils est malade, ça le prend chaque saison vers la fin, quand la poudre tombe des arbres... Il ne peut plus respirer. Je dois le laisser sur le navire en rade, il a plus d'air...

Malgré la faconde du marquis, Angélique, lorsque ses yeux rencontraient ceux d'Ambroisine, ne pouvait surmonter sa tension intérieure. Par instants, sans même en avoir conscience, elle se tournait vers la porte. Joffrey allait-il surgir tout à coup? S'il avait pu se dresser sur le seuil, sa haute silhouette de condottiere dominant l'assemblée, son regard d'aigle se posant sur ces faces diverses dans la pénombre, ah! quel soulagement! Peut-être un sourire caustique naîtrait-il à ses lèvres en les apercevant tous et elle parmi eux. Il connaissait son monde. Mais il ne craignait personne. Même ces hommes-ci devaient changer d'allure et de ton lorsqu'ils s'adressaient à lui, elle en avait la certitude. Ah! Pourquoi n'était-il pas là?... Où était-il?

Une crainte affreuse l'envahissait. Et s'ils l'avaient tué? Là, sur cette grève perdue, dans ce bouge du bout du monde, poussée par la Démone, ils l'avaient tué!

Sous le regard de Nicolas Parys qu'elle sentait revenant à elle continuellement, elle se forçait à avaler, craignant qu'il ne la traitât de mijaurée. Heureusement, il y avait à ses côtés Piksarett déchiquetant allègrement sa viande de ses dents de belette et Cantor absorbé à se réconforter avec la conscience pure d'un jeune homme qui a fait une longue étape dans la journée.

Le vieil homme essuya ses lèvres grasses avec un pan de sa perruque.

— Eh bien! vous voici, madame de Peyrac, dit-il tout à coup, comme répondant à une réflexion intérieure. C'est une bonne idée d'être venue me rendre visite. Cela me confirme dans mon désir de vous voir régner sur ces lieux.

— Que voulez-vous dire, monsieur?

— J'en ai assez de ce bled infâme. Je veux retourner au royaume de France pour m'y distraire un peu. Je voudrais vendre mes domaines à votre époux... Mais, contre quoi, voilà la question... Je lui ai demandé de me donner en échange le secret de la fabrication de l'or. Il veut bien, mais cela me paraît compliqué...

— Mais non, c'est au contraire très simple, interrompit la voix enchanteresse d'Ambroisine. Vous qui avez l'esprit si délié, cher Nicolas, je m'étonne que vous vous effrayez de si peu. M. de Peyrac m'a tout expliqué, il n'y a rien de magique, il s'agit seulement de science de chimie et non d'alchimie.

Elle se mit à décrire l'un des processus de la fabrication de l'or que Joffrey de Peyrac avait mis au point particulièrement pour les mines de la région. Angélique reconnaissait au passage les termes familiers dont se servait Joffrey pour lui expliquer ses travaux.

— Comme vous êtes savante, chère petite madame! s'exclama Villedavray en regardant Ambroisine d'un air ravi, c'est un plaisir de vous entendre et comme, en effet, tout paraît simple. Désormais il me paraît préférable d'amasser de l'or de la façon dont vous dites, plutôt que par des procédés arriérés, comme d'aller faire rendre gorge aux corvéables ou de collectionner les boutons d'habits ou d'uniformes des naufragés de nos côtes...

Nicolas Parys renifla et plissa son nez à plusieurs reprises en le regardant fixement. Le marquis souriait d'un air innocent.

Angélique profita du silence assez lourd qui régna un instant pour poser une question.

— Vous avez donc vu mon mari récemment, interrogea-t-elle en essayant de donner à sa voix un ton ferme et naturel. Il est venu? Ici?

L'autre se tourna vers elle d'un air bourru et interloqué et l'observa en silence.

— Oui, répondit-il enfin. Oui, je l'ai vu... (Et il ajouta d'un ton un peu bizarre :) *Ici...*

## 6

— Vous n'avez donc pas remarqué les boutons de son habit? disait Villedavray en la reconduisant à sa demeure. De l'or pur, frappé d'armes. Le noble officier qui en para son uniforme est depuis longtemps digéré par les crabes. J'avais entendu dire que Parys avait commencé ainsi. Peut-être pas en ces lieux-ci, mais les côtes ne manquent pas de par le monde où piller les naufragés. C'est une industrie qui rapporte, pour peu qu'on sache s'organiser. On raconte qu'il a un coffre plein de plus de mille boutons, rien que de l'or frappé de toutes les armes de noblesse du monde. Ce n'était qu'un bruit mais maintenant je suis certain de la chose. Vous avez vu comme il a tiqué lorsque j'ai fait allusion à certaines façons d'amasser de l'or?

— Etes-vous assez prudent? Vous ne devriez pas le provoquer ainsi. Il est peut-être dangereux.

— Mais non! Nous avons l'habitude, lui et moi, d'échanger ainsi quelques piques. Tout compte fait nous sommes bons amis...

Il avait l'air satisfait et détendu.

— En somme, tout s'est bien passé! Nous sortons en bonne santé de ces agapes obscures!... C'est un résultat. Je suis content de ma soirée... Dormez bien, chère Angélique. Tout va s'arranger... Confiance...

Mais il n'ajouta cependant pas son habituel : « La vie est belle, souriez! »

— Je loge tout à côté, lui glissa-t-il. Si vous avez besoin de la moindre chose, appelez-moi...

Comme il lui prenait la main pour lui baiser le bout des doigts, elle le retint convulsivement.

Elle ne pouvait se maîtriser. Il fallait qu'elle se confie à quelqu'un.

— Croyez-vous qu'il soit venu ici? fit-elle d'une voix hachée et frémissante, j'ai l'impression de faire un mauvais rêve... Où est-il? C'est affreux de le poursuivre ainsi. On dirait qu'il se dérobe, qu'il fuit devant moi... Où est-il? Peut-être l'ont-ils tué?... Peut-être ne va-t-il pas revenir? Vous qui savez tout, je suis sûre que vous vous êtes déjà renseigné. Dites-moi toute la vérité. Je préfère cela à l'incertitude.

— Il est venu ici, c'est exact, dit le marquis avec mesure, il était encore ici il y a deux jours.

— Avec elle?

— Que voulez-vous dire, mon enfant? interrogea doucement Villedavray.

Et il lui prit les deux mains comme pour la soutenir.

— Que raconte-t-on à son sujet... et à celui de la duchesse de Maudribourg?

— A son sujet?... Eh bien! On le connaît, on en a peur ou on l'estime. Il est M. de Peyrac, maître de Gouldsboro, et le bruit court que Nicolas Parys veut lui vendre ses territoires du golfe Saint-Laurent, raison pour laquelle ils se sont rencontrés en ce lieu la semaine passée.

— Et elle?

— Que savez-vous? interrogea à son tour le petit marquis.

Angélique rendit les armes.

— Elle m'a dit qu'il était son amant, avoua-t-elle d'une voix étouffée.

Pêle-mêle, elle lui fit le récit de son entrevue avec Ambroisine.

Villedavray se taisait. Il l'écoutait gravement et Angélique sentait qu'elle avait en lui un ami sincère, et de plus de valeur qu'il ne semblait.

Lorsqu'elle se tut, il secoua la tête d'un air dubitatif. Il ne paraissait pas troublé ni bouleversé.

— Les avis sont partagés en la place sur notre chère duchesse, dit-il. Les uns la portent aux nues comme une sainte d'une vertu irréprochable, tel le capitaine breton qui marche sur le chemin de la conversion pour lui complaire. D'autres, moins sots, ne sont pas sans deviner sa vraie nature, mais il semblerait qu'elle a su préserver sa réputation. Si elle ne se prive pas d'accueillir en sa couche quelques-uns de ces mâles avides qui l'environnent, le secret est bien gardé.

— Comme à Gouldsboro, comme à Port-Royal, fit Angélique avec lassitude. Les uns mentent, les autres se taisent par honte ou par crainte, d'autres enfin s'illusionnent et la vénèrent.

Elle hésita un peu, puis décida de ne rien cacher de son humiliation.

— Il y avait chez elle, pendu au mur, un vêtement de Joffrey.

— Comédie!..., réagit vivement Villedavray. Ruse pour vous désespérer. Elle savait que vous viendriez. Et c'est vous qu'elle veut atteindre... Elle a dérobé ce vêtement...

— Vous en êtes certain? supplia Angélique.

— Quasi certain! Cela lui ressemble. C'est d'un féminin, cette ruse. Vous n'allez pas vous y laisser prendre. En revanche, ce qui est plus inquiétant, c'est qu'elle a aussi préparé à votre venue les esprits qui auraient pu succomber, en vous voyant, à votre charme. Les uns vous prennent pour une dangereuse intrigante, les autres pour une créature dépravée qui couche avec les Indiens ou encore pour une incarnation du diable au service des hérétiques et décidée à bouter les bons Français catholiques hors des possessions que Dieu leur a données. Dans la mesure où M. de Peyrac attire les sympathies, vous êtes la Messaline qui lui fait porter des cornes et, dans la mesure où on le redoute, vous êtes son âme damnée.

— Il m'a semblé pourtant que Nicolas Parys m'adressait la parole sinon avec aménité, du moins sans hostilité ouverte.

— Le vieux, c'est autre chose. Il ne croit qu'en lui-même et ce n'est même pas une Ambroisine qui l'empêchera de penser ce qu'il veut. Mais il s'est mis dans la tête de l'épouser, il lui fait une cour pressante et on ne sait jusqu'où il peut se laisser étourdir par la sirène à la langue fourchue.

Angélique n'attachait qu'une attention distraite aux calomnies qu'Ambroisine avait répandues sur son compte. Elle était plus avide de reprendre espoir en ce qui concernait son mari.

— Alors, là encore, au sujet de Joffrey, elle mentirait?...

— Il me semble... Vous me dites qu'elle crie de rage contre les hommes, qu'elle veut exterminer Abigaël, qu'elle grince des dents à la pensée que *vous* vous attirez l'amour et les hommages... Cela sous-entend : pas elle... Je ne vois pas en ses débordements le signe d'une maîtresse triomphante, sûre d'être aimée par l'homme qu'elle a arraché à sa rivale... Et je gagerais même volontiers que si elle a essayé de prendre notre intraitable comte et seigneur de Peyrac dans ses filets, elle ne s'en est pas tirée sans quelque humiliation cuisante. Ses protestations amères sembleraient le prouver.

— Alors, vous ne croyez pas qu'il est son amour?...

— Jusqu'à nouvel ordre, non, affirma-t-il avec force.

— Mon Dieu! que je vous aime! fit-elle en l'étreignant.

Nantie de ce regain d'espoir, elle dormirait tant bien que mal.

Cantor gîtait dans un appentis proche. Elle pouvait l'entendre se retourner et parfois ronfler légèrement derrière la cloison.

Ce qui était un gage de sécurité, ainsi que la présence du sagamore Piksarett devant la maison, assis, drapé dans une couverture de traite, près d'un petit feu qu'il alimentait de quelques brindilles.

La nuit était humide et froide. On aurait dit que le sel et l'odeur de la morue pénétraient partout et collaient à la peau. Un brouillard épais flottait sur le hameau. Angélique avait renoncé à faire une flambée dans l'âtre et s'était glissée tout de suite dans les couvertures disposées sur le bat-flanc qui servait de lit. Les habitations désaffectées une partie du temps suivant les errances et les pérégrinations des pêcheurs se ressemblaient toutes. On y trouvait le même ameublement grossier : lits, tables, escabeaux, un bûcher avec une provision de bois, voire quelques marmites, pichets et calebasses.

Celle-ci, assez vaste, comportait aussi deux bancs de rondins écorcés avec accoudoirs, dressés des deux côtés de la cheminée, et un coffre vermoulu dans un coin. Des épis de maïs et des peaux pendaient aux solives.

Angélique grelottait. Son esprit restait à l'état de veille et parfois elle reprenait conscience brusquement avec la sensation d'avoir fait un horrible cauchemar. Les énormes chiens terre-neuvas de Nicolas Parys rôdaient en liberté à travers l'établissement. La nuit on les détachait, à plusieurs reprises ils grondèrent en s'approchant de Piksarett, reniflèrent et soufflèrent contre les interstices de la cabane. Cela rappelait la peur du loup, jadis, dans les campagnes.

En somme, la duchesse n'avait pas nié lorsqu'elle l'avait accusée d'avoir essayé d'empoisonner Abigaël, d'avoir cherché à tuer le petit chat. Lorsque Angélique songeait à ce dernier, à cette petite bête innocente entre les mains de cette femme cruelle, l'horreur que lui inspirait Ambroisine la rendait malade. Le mal qu'on fait aux bêtes ou aux jeunes enfants a toujours été frappé d'un caractère particulier d'horreur. S'attaquant à des êtres qui ne peuvent se défendre eux-mêmes privés qu'ils sont, non seulement de la force physique, mais de moyens de communication que donne la parole, cette lâcheté suprême reste parmi les hommes le signe même de Satan. L'homme effrayé y reconnaît le pire de lui-même, le gouffre insondable et vertigineux de sa dépravation, de sa déchéance, de sa folie possible, de sa possible damnation éternelle...

Le reflet de Satan dans le cœur des hommes, Satan venait mirer en ce miroir à l'image de Dieu sa face grimaçante...

« Quand j'étais petite fille, songeait Angélique, je plaignais le Diable que l'on représentait si laid aux portails de nos églises... »

Elle rêva un instant. Les églises du Poitou, aux façades boursouflées de personnages de pierre, d'entrelacs, de grappes de raisins et de pommes de pins, à l'intérieur, sombres comme des cavernes... le pain béni du dimanche, l'encens... le parfum des générations exorcisées... Là-bas, au Vieux Monde, bon an, mal an, siècle après siècle, Satan avait fait alliance avec les hommes, s'était glissé dans sa vêture imposée, de laideur bestiale.

Mais ici, dans la virginité des lieux, il s'imposait, redoutable, retrouvait son vrai visage, celui d'un ange...

« Je délire. Ambroisine!... », se dit Angélique en reprenant pied dans la réalité, comme après avoir manqué une marche. Son cœur battait la chamade. Elle fermait les yeux avec entêtement afin de parvenir au sommeil, mais son esprit ne pouvait s'empêcher de tourner et retourner des pensées confuses.

— Pourquoi m'a-t-elle dit qu'elle était poitevine puisque c'était faux... Pour mieux me séduire, m'endormir... Pas un mot qui ne touchât son but, ne tissât la trame qui devait m'aveugler et me dissimuler ce qu'elle voulait que j'ignorasse.

Elle évitait de penser à Joffrey... L'attendre, c'était tout. Villedavray confirmait qu'il avait fait voile pour Terre-Neuve. Terre-Neuve? La grande île à l'est, c'était le bout du monde... Reviendrait-il? Reviendrait-il à temps?

Il semblait à Angélique qu'elle revivait hors du temps l'attente qui avait été la sienne au cours de sa vie et ce qui allait se jouer était comme le symbole du combat qu'elle devait mener contre les forces du désespoir, pour mériter, oui mériter, ce miracle de l'avoir retrouvé sur la terre.

Est-ce qu'ils avaient su apprécier, en son temps, le bouleversant bonheur?

Lorsque sur le *Gouldsboro* le Rescator avait ôté son masque, révélant les traits du comte de Peyrac à celle qui jadis avait été son épouse, ils s'étaient heurtés, trop meurtris pour se reconnaître dans la pérennité de leur premier amour.

Maintenant il semblait que tout se jouait à nouveau, mais à l'état pur, avec une violence inouïe. C'était en ces quelques jours qu'elle devait à la fois le perdre et le retrouver. Et toutes les douleurs allaient se trouver ranimées, résumées. Et toutes les joies aussi, peut-être plus tard.

Elle s'éveilla plus calme, plus sûre d'elle-même. C'était le premier jour.

Avant de se lever, elle continua de raisonner chaque fait, dans un demi-sommeil, comme on prépare à l'avance chaque point d'une bataille. Et d'abord, il y avait cette intuition qui ne cessait de la tourmenter, qu'un lien existait entre Ambroisine de Maudribourg et les naufrageurs qui s'étaient attachés à leurs pas pour leur nuire.

« Ils ont un chef, avait dit Clovis, dont ils prennent les ordres, qui est à terre. Ils l'appellent Belialith. »

Belialith! cela sentait le surnom satanique et il s'en dégageait une sorte de féminité ambiguë.

Elle battit le briquet, alluma la mèche dans la veilleuse d'huile de phoque qu'elle avait posée sur un escabeau et chercha l'enveloppe qu'elle avait glissée sous son oreiller, en retira le papier trouvé dans la poche du naufrageur.

Une fois de plus, elle relut les mots tracés, elle approcha le feuillet de ses narines, fermant les yeux, cherchant à capter le parfum qui en émanait.

— *Je viendrai ce soir si tu es sage...*

Ambroisine!

Une vision se dégageait... Le naufrageur à la tignasse d'ours, au gourdin sanglant. Ambroisine... Ambroisine enchaînant cette brute grossière par ses caresses perverses... Tout était possible. Et si cela était, alors tout à coup les paroles de Lopez, le matelot de Colin sur *Le Cœur-de-Marie*, prenaient un sens : « Quand tu verras le grand capitaine à la tache violette, tu sauras que tes ennemis ne sont pas loin. »

Job Simon, le capitaine de *La Licorne*, le vaisseau frété par la duchesse de Maudribourg pour amener les Filles du roi à Québec... Mais c'était un brave homme et qui le premier avait dénoncé l'attentat dont il avait été victime.

Où se situait le pont qui reliait ces trois inconnues : le navire à la flamme orange et son équipage de bandits, *La Licorne* portant Job Simon et la duchesse, et *Le Cœur-de-Marie* appartenant au corsaire Barbe d'Or, aujourd'hui Colin Paturel, car, lui aussi, bien qu'indirectement et non concerté sciemment, semblait avoir fait partie du complot destiné à abattre Peyrac et à ruiner Gouldsboro.

Angélique frémissait d'excitation. Il lui parut qu'elle était sur le point d'atteindre une vérité importante.

Mais soudain elle se décourageait. Non, cela ne tenait pas! Un détail et non des moindres démolirait toujours l'échafaudage de ses hypothèses. C'était ces mêmes naufrageurs qu'elle accusait d'être les complices de la duchesse de Maudribourg, qui avaient attiré *La Licorne* sur les récifs et massacré son équipage. Donc, ils ne pouvaient avoir reçu l'ordre d'Ambroisine d'accomplir un tel forfait, puisqu'il s'agissait de son propre navire, qu'elle était à bord et n'avait été sauvée de la noyade que par miracle.

Par miracle!... à moins que!... que l'heure fût

venue que se réalisât la vision entrevue par la religieuse de Québec.

La démone chevauchant une licorne... sortant des eaux, abordant au rivage de Gouldsboro...

Une femme portant un enfant dans les bras avait posé son petit pied chaussé de cuir précieux sur le sable... Sa cheville gainée de soie rouge se tendait avec élégance...

Ses vêtements étaient déchirés, salis... Mme Carrère, qui les avait nettoyés et ravaudés, disait :

— Il y a quelque chose que je ne comprends pas dans ces vêtements... quelque chose de pas net. On dirait que...

Voulait-elle dire qu'on les a déchirés, salis intentionnellement!

Angélique aujourd'hui se reprochait de ne pas avoir interrogé avec plus de soin la Rochelaise, de ne pas l'avoir obligée à exprimer toute sa pensée.

## 7

Angélique avait décidé de reprendre le pourpoint de Joffrey à Ambroisine. Elle guetta le départ de son ennemie pour la messe.

Elle vit toute une compagnie, la « Bienfaitrice » en tête, se diriger vers le promontoire où la cloche de la petite chapelle appelait les fidèles.

Ici à Tidmagouche, la duchesse paraissait tenir sa cour à l'instar d'une reine. Arrivée la première, elle s'était solidement implantée. Angélique aurait du mal à la détrôner. Il lui fallait non seulement ses filles, son secrétaire, Job Simon, pour l'escorter, mais encore ses admirateurs et soupirants au grand complet. Nicolas Parys était là ainsi que quelques-uns de ses hôtes la veille, y compris le capitaine du morutier, bon nombre des pêcheurs bretons et naturellement Villedavray, très détendu, faisant des ronds de jambe, et suivant le sentier sablonneux avec autant de grâce et d'apprêt qu'une allée de Versailles.

Dès que le cortège eut disparu au tournant du bois, Angélique se précipita dans la demeure d'Ambroisine. Elle se saisit du pourpoint de Joffrey et le serra sur son cœur. Puis elle regarda autour d'elle.

L'idée lui vint de profiter de cet instant pour essayer d'en savoir plus long sur son ennemie. Elle commença d'ouvrir les coffres, les sacs, les tiroirs des meubles.

Elle retournait des étoffes, des lingeries. Il en émanait ce parfum envoûtant qui avait frappé Angélique dès l'instant où la duchesse avait mis les pieds sur la plage.

Instant étrange, hors du temps, sans dimension. Elle frissonnait en y songeant. Quelle en était la signification invisible?

D'où tenait-elle toutes ces robes, cette naufragée?... Les coffres étaient pleins. Présents de ses admirateurs, de Joffrey?... Une brusque douleur la tenailla. Mais elle s'interdit de penser plus loin.

Elle continua ses investigations, mais ne retint rien qui pût l'éclairer. Tout à coup, de la poche d'une robe, un pli tomba. C'était une lettre de plusieurs feuillets. Angélique la ramassant la reconnut au premier coup d'œil : c'était la lettre du père de Vernon.

## 8

Comment cette lettre était-elle tombée entre les mains de la duchesse de Maudribourg? Avait-elle fait poursuivre, tuer l'enfant suédois, porteur de ce message d'outre-tombe du grand jésuite? Pourquoi avait-elle voulu s'en emparer à tout prix? Pourquoi le conservait-elle par-devers elle? Quel secret d'une importance extrême contenaient ces lignes qu'Angélique n'avait pu lire jusqu'au bout?

Aux premiers mots, sous le coup de l'émotion pénible, elle n'avait pu poursuivre sa lecture, elle avait posé la missive sur la table et, à ce moment, *Ambroisine était entrée dans la chambre et l'enfant messager s'était enfui.* Combien de fois par la suite s'était-elle reproché sa sensibilité impulsive qui l'avait détournée de connaître aussitôt la teneur entière de cette épître, dont peut-être dépendait leur sort à tous?

Une des raisons qui l'avaient poussée à essayer de rejoindre Peyrac au plus tôt, au lieu de l'attendre sagement à Gouldsboro, ç'avait été la hantise de cette lettre disparue, qui semblait l'accuser de façon dangereuse et irréparable, et qui risquait d'atteindre son implacable destinataire, le père d'Orgeval, avant qu'elle-même et son mari aient pu établir un plan de défense contre d'aussi affreuses calomnies.

Mais maintenant qu'elle l'avait retrouvée ici, dans l'antre de la Démone, elle s'apercevait qu'un lent travail s'était fait en elle, la guidant insensiblement à comprendre le sens caché des mots écrits par le jésuite, mots qui, au premier abord, lui avaient déchiré le cœur, comme lui révélant la trahison, à son endroit, d'un ami sûr... d'un ami cher...

Serrant contre elle son précieux butin, le pourpoint de velours vert et la lettre du père de Vernon, Angélique regagna furtivement sa propre habitation. Elle s'y barricada et, posant le vêtement de Joffrey sur la table près d'elle, elle déplia les feuillets de la lettre épaisse, qui, durcis par la sécheresse, crissèrent dans le silence de la cahute.

Ses yeux aussitôt reconnurent les mots déjà lus.

*Oui, mon père, vous aviez raison... la Démone est à Gouldsboro... y faisant régner une atmosphère de désordre, de luxure et de crimes...*

Mais cette fois la haute écriture élégante du jésuite ne lui parut pas hostile et accusatrice. L'ami était là, devant elle. De ces lignes tracées, émanait la vérité de sa personne, à la fois distante, froide et chaleureuse. Par cette lettre qu'elle tenait à nouveau entre ses mains, elle comprit qu'il allait lui parler à mi-voix, lui communiquer, en confidence, son terrible secret. Puisque sa lettre portant son suprême message n'avait pu parvenir à celui auquel elle était adressée, le père de Vernon la lui remettait à elle, Angélique, la comtesse de Peyrac, comme il avait essayé de la lui remettre au moment de sa mort. « La lettre... pour le père d'Orgeval... il ne faut pas qu'elle... »

Elle comprenait maintenant le sens de ses mots suprêmes. Rassemblant ses dernières forces, il voulait supplier : « Il ne faut pas qu'elle s'en empare. La Démone... Veillez-y, madame. Moi seul connais la vérité et si elle s'en empare, elle l'étouffera... Et le Mal et le Mensonge continueront d'égarer les esprits, de plonger les êtres dans le malheur et dans le péché... En ces quelques jours à Gouldsboro, frappé d'effroi sous l'intuition qui m'assaillait, j'ai mis toute ma science mystique et ma volonté de bien à découvrir cette vérité... Et l'ayant découverte, dévoilée, dénoncée par cet écrit, voici que je meurs sans avoir pu la faire éclater au grand jour... Essayez, madame, de prendre de vitesse ces démons... Cette lettre... pour le père d'Orgeval... il ne faut pas qu'elle... »

C'était comme s'il lui avait expliqué tout cela, tout bas, assis à ses côtés. Alors, rassemblant ses forces, et presque pieusement, Angélique entreprit de lire la suite des lignes qu'elle n'avait pas eu le temps de déchiffrer naguère.

— Oui, mon père, vous avez raison. La Démone est à Gouldsboro...

» ... Epouvantable femme en vérité... cachant l'instinct et la science de tous les vices sous une apparence de charme, d'intelligence et même de dévotion qui s'emploie à perdre ceux qui l'approchent comme la fleur carnivore des forêts américaines se pare de couleurs et d'odeurs suaves pour mieux attirer les insectes ou oiseaux qu'elle veut dévorer. N'hésitant pas devant le sacrilège. S'approchant des sacrements en état de péché mortel, mentant en confession, allant jusqu'à induire en tentation les ministres de Dieu revêtus de la robe sacerdotale. Je n'ai pu déterminer si elle est victime de ce qu'on appelle en théologie l'obsession, c'est-à-dire : tracasserie des démons extérieurs à l'âme et la personne et qui la font agir presque inconsciemment, état qui s'apparente et peut se confondre avec la folie, ou s'il s'agit d'un cas relativement commun de possession, les démons entrant dans le corps et l'esprit d'un être humain et s'emparant de sa personnalité, ou enfin, cas plus rare et redoutable, celui de l'incarnation d'un esprit mauvais, d'un démon émané de l'Arbre Séphirothique, proche de l'un des sept principes noirs de la Gouliphah, succube en l'occurrence et qui aurait reçu le pouvoir de s'incarner afin de pouvoir habiter quelque temps parmi les humains et semer parmi eux la destruction et le péché (1).

» Encore que comme moi vous le savez ce cas soit rare, il n'est pas à exclure en l'affaire qui nous occupe car il corrobore plus exactement votre propre opinion, mon père, sur ce sujet qui

(1) Certains termes utilisés dans la lettre du Jésuite ont été empruntés à une lettre du XVIIe siècle traitant d'un cas de démonologie.

a été depuis environ près de deux années votre principal souci et correspondrait également aux révélations de la visionnaire de Québec dont vous avez été saisi à cette époque.

» Menace de l'apparition prochaine d'un démon succube dans les territoires de l'Acadie. Votre vigilance pour ce pays qui vous est cher vous obligeait à ne pas négliger un tel avertissement, à vous attacher à l'interprétation de cette vision, à en rechercher les signes prémonitoires, à ne pas renoncer, en somme, à suivre à la piste comme nous sommes obligés de le faire en forêt, les traces du phénomène, sa venue, son déploiement possible.

» Cette piste vous a mené jusqu'à Gouldsboro. Etablissement récent, sur les côtes de Pentagoët, mais créé subitement et presque à notre insu par un gentilhomme d'aventure ne relevant d'aucune bannière et plus ou moins allié des Anglais. Enquête menée par vos soins, il s'avéra qu'il était d'origine française et de haut rang, mais banni du royaume pour crimes anciens de sorcellerie. Tout concordait. Puis une femme apparut à ses côtés, belle, séductrice. Le doute n'était plus possible...

» Eloigné quelques mois des lieux par ma mission en Nouvelle-Angleterre, je n'avais pas suivi le développement de cette affaire et je devine que c'est sans doute à cause précisément de mon ignorance, pourrais-je dire de mon indifférence à ce sujet, et qui me laissait plus libre de mon jugement, sans parti pris, sans idée préconçue et avis passionné, que vous m'avez chargé « au débotté », lorsque je parvenais avec mon voilier dans les eaux acadiennes, de vérifier vos conclusions *de visu*, et de vous en faire le procès-verbal complet, tranchant non seulement sur l'exacte portée politique des faits qui se déroulaient à Gouldsboro, mais aussi sur la véritable identité mystique des antagonistes. Vous me conseilliez de me rendre à Gouldsboro, de rencontrer personnellement ces gens, de les observer et de les sonder et, mon opinion faite, de vous la communiquer sans fards et dans le détail.

» Me voici donc une fois de plus ce soir, à Gouldsboro, où je viens de résider plusieurs jours, et après quelques semaines d'enquêtes et d'observation attentive, priant l'Esprit-Saint de m'éclairer en toute lucidité et justice, vous rédigeant mon rapport, et vous affirmant — hélas! — oui, mon père, les avertissements du ciel, et vos propres appréhensions ne vous ont pas trompé. La Démone est à Gouldsboro. Je l'y ai vue. Je l'y ai abordée. J'ai frémi de croiser son regard où tremblaient comme de fugitives lueurs de haine, lorsqu'il rencontrait le mien. Vous connaissez l'instinct subtil et divinatoire de tels êtres à notre égard, nous les soldats du Christ, qui avons mission de les débusquer et possédons les armes nécessaires pour ce faire.

» Ceci posé, je dois maintenant, mon très cher père, me livrer à une sorte de rétablissement de la situation auquel je ne vous sens pas préparé, ce qui me fait craindre que, recevant mon témoignage dans sa brutalité, vous n'ayez tendance à l'écarter comme le fruit d'un état d'égarement passager... »

— Oh! ces jésuites! avec leurs circonlocutions! s'impatienta Angélique.

Elle se retenait de sauter les lignes et de tourner les pages sans les avoir entièrement parcourues afin de parvenir plus vite à la conclusion. Son cœur battait à se rompre.

Il exagérait, ce Merwin, avec ses précautions oratoires. Il ne se rendait pas compte qu'Ambroisine allait bientôt revenir de la messe, avec toute sa troupe, qu'elle s'apercevrait que l'on avait fouillé ses affaires, que la lettre qu'elle conservait avait été subtilisée.

Angélique se maîtrisa. Elle devait tout lire sans en passer un seul mot, car tout avait une extrême importance, rien ne devait demeurer imprécis, et elle comprenait malgré tout les atermoiements du jésuite car il lui avait été dévolu de statuer sur une mystification diabolique, sur le renversement d'apparences inattaquables et même un esprit supérieur se laisse difficilement persuader qu'il a été dupe de ses propres passions, lorsqu'il les a crues justifiées par la nécessité du Bien. Or, elle le sentait, c'est ce qu'entreprenait le père de Vernon vis-à-vis de son interlocuteur, ce très remarquable et redoutable père d'Orgeval, leur ennemi irréductible, à elle surtout, et dont elle ne pouvait oublier qu'il était lui aussi présent en ce dialogue, puisque c'est à lui que n'avait cessé de s'adresser Merwin tandis que sa plume à la fois incorruptible et prudente courait sur le papier. Il ne devait pas ignorer certains aspects du caractère de son supérieur, puisqu'il émettait la crainte que celui-ci recevant son témoignage dans sa brutalité « ne l'écartât comme le fruit d'un égarement passager dû à la faiblesse humaine dont nous sommes tous susceptibles d'être un jour les victimes ». « Aussi vous demanderais-je, mon très cher père, continuait-il, de bien vouloir vous souvenir de l'équité dont j'ai toujours cherché à faire preuve dans les diverses missions dont vous m'avez chargé depuis plusieurs années tant aux Iroquois qu'en Nouvelle-Angleterre, tant auprès du gouvernement de Québec qu'à Versailles ou à Londres.

» Réprouvant l'outrance, l'enthousiasme, les prémonitions, j'ai toujours cherché à présenter les faits dans leur contexte actuel, ne me basant que sur mes observations personnelles, et aidé, je le répète, de l'Esprit-Saint auquel je ne cesse d'adresser chaque jour de nombreuses oraisons, le priant de me rendre clairvoyant à la seule vérité.

» Ainsi vous nommerais-je aujourd'hui celle qui m'est apparue comme l'instrument de Satan parmi nous, avec la nette conscience que je n'ai d'autre devoir envers vous que de vous livrer cette vérité nue et claire, telle que vous m'avez demandé de l'exprimer et telle qu'elle m'est apparue selon l'évidence et bien que je ne puisse me dissimuler le désordre que mes déclarations vont entraîner. Et pour commencer, vos propres doutes à mon égard. Je n'ignore pas que vous attendez sous ma plume un nom. Or, ce n'est pas celui-là que je vous livrerai.

» Lorsque vous m'avez fait parvenir vos instructions au sujet de cette nouvelle mission, vous me priiez d'essayer de retrouver Mme de Peyrac, qui vous avait échappé à Newehewanick mais que vous pensiez errant du côté de Casco. Je n'ignorais pas que votre conviction était faite au sujet de l'épouse de celui qui est désormais le maître de Gouldsboro et d'une bonne partie des terres d'Acadie depuis le Haut-Kennebec jusqu'au delà du mont Désert.

» Tout chez Mme de Peyrac, la réputation de beauté, de charme, d'esprit, de séduction, concordait à la désigner comme celle dont vous craigniez l'empire néfaste sur votre œuvre. J'étais moi-même disposé à incliner en ce sens et, non sans curiosité, je l'avoue, de m'assurer de sa personne afin de pouvoir l'observer de près et à loisir. Aidé par le hasard et quelques complicités je pus assez rapidement la retrouver. Je la pris à mon bord. Au cours des quelques jours de voyage qui suivirent, il fut simple pour moi d'établir mon jugement. Une barque, isolée sur la mer, est un lieu clos où il n'est guère facile à ceux qui l'habitent de feindre et de ne pas se montrer sous son jour réel. Tôt ou tard l'éclair surgit qui révèle le fond des âmes.

» Mme de Peyrac m'est apparue comme une

personnalité féminine certes hors du commun, mais vivante, saine, courageuse, indépendante sans forfanterie, intelligente sans ostentation. Elle a des gestes et des attitudes d'une liberté étrange et séduisante. Cependant l'on ne peut découvrir dans l'intention qui les dicte que l'expression d'un sentiment naturel à vivre selon ses goûts et son tempérament personnel qui est sociable, porté à la gaieté et à l'action.

» Ainsi j'ai mieux compris comment elle pouvait retenir le dévouement des sauvages, entre autres l'Iroquois Outtaké, ce fauve intraitable, et surtout le Narrangasett Piksarett, des caprices duquel votre campagne guerrière a tant pâti. Ni maléfices ni intentions dépravées m'a-t-il semblé dans ces attachements insolites. Mme de Peyrac amuse et intéresse les Indiens par sa vivacité, son habileté aux armes, sa science des plantes, ses raisonnements spécieux, qui ne le cèdent en rien dans la fantaisie et le retors avec ceux de nos messires de sauvages que nous ne connaissons que trop bien.

» Le fait qu'elle parle déjà quelques langues indiennes, ainsi qu'assez bien l'anglais et l'arabe, ne m'a pas paru chez elle un signe de diabolisme comme on pourrait le faire remarquer, mais le fait d'un esprit doué sur ce point, curieux de communiquer avec ses semblables, soucieux de s'instruire et de faire l'effort nécessaire pour y parvenir. Ce pour quoi, il faut le reconnaître, bien peu de femmes ont le goût, selon les effets d'une paresse d'esprit inhérente à leur sexe et aussi à la matérialité de trop de tâches qui leur sont assignées.

» En résumé, qu'elle échappât à la loi commune ne m'a pas paru pour autant la désigner comme ennemie du bien et de la vertu.

» Parvenu à Pentagoët je ne crus pas devoir la retenir et la laissai regagner Gouldsboro. Je m'y rendis moi-même la semaine suivante. C'est alors que je rencontrai la Démone... »

Angélique fit une pause le cœur battant à se rompre, tourna la dernière page de cette longue missive. Elle était si absorbée et en suspens qu'elle comprenait à peine que c'était d'elle que le père de Vernon venait de parler en ces lignes qu'elle venait de parcourir et où transparaissait comme le souffle d'un amour pour elle.

Quelque chose d'incertain, d'informulé, de profond et d'attendri, qui prenait valeur d'aveu, à être prononcé par cette voix d'outre-tombe. Et bouleversée, elle éprouvait un sentiment de douceur déchirante.

— Oh! Jack Merwin! Oh! Mon pauvre ami! murmurait-elle.

Elle n'aurait jamais dû douter de lui. C'était indigne de sa part. Elle en était cruellement punie par les remords qui l'assaillaient. L'autre fois, parcourant les premières lignes de cette lettre, elle avait eu peur d'affronter une vérité trop cruelle. Elle s'était laissé émouvoir, effrayée. Son hésitation, sa défaillance, cela avait été le iota, la marge de temps infime qui avait décidé de la vie et de la mort d'un enfant innocent, le pauvre petit messager du prêtre mort, et de la victoire de l'esprit mauvais, sur le justicier attaché à ses pas, et qui le dénonçait dans cette même lettre qu'elle avait craint de parcourir plus avant, de fuir, d'y voir sa condamnation à elle.

Joffrey le disait souvent. « Il ne faut jamais avoir peur... de rien. »

Aujourd'hui le drame se dénouait, s'inscrivait sous ses yeux.

« Qui est-elle, me direz-vous, si ce n'est Mme de Peyrac?

» Eh bien! voici. Récemment un naufrage a jeté sur les côtes une noble dame bienfaitrice se rendant au Canada avec quelques jeunes femmes et filles à marier. C'est elle que je vous désigne comme cet être redoutable, suscité du fond des enfers, pour notre malheur et notre perdition.

» Son nom? Il vous est connu.

» C'est la duchesse de Maudribourg.

» Je n'ignore pas qu'elle est votre pénitente depuis de longues années, et même de votre parenté, et j'avais ouï-dire que vous l'encouragiez à venir en Nouvelle-France et à mettre son énorme fortune à la disposition de nos œuvres de conversion et d'expansion de la très sainte religion catholique.

» Mais la surprise a été de la découvrir là et, très vite, de percer à jour sa redoutable perversion. Or, elle me dit être mandatée par vous pour abattre la superbe et l'insolence de vos ennemis personnifiés, le comte et la comtesse de Peyrac, et qu'elle se trouvait en ces lieux sur vos ordres pour une mission sainte en laquelle je devais la soutenir... »

— Quoi? Quoi donc? Ah! voilà du nouveau, s'écria Angélique stupéfaite. Et réalisant simultanément que l'on tambourinait à sa porte depuis un bon moment, elle replia la lettre et la glissa dans son corsage. Machinalement, elle alla ouvrir, et regarda rêveusement le marquis de Villedavray qui gesticulait devant elle. Comme un pantin en délire.

— Etes-vous passée de vie à trépas ou jouez-vous à me faire mourir de frayeur? fulmina-t-il, j'ai failli défoncer la porte...

— Je me reposais, dit-elle.

Elle hésitait à lui parler immédiatement de la lettre retrouvée, la révélation qu'elle venait d'avoir subitement d'une collusion possible entre ce père d'Orgeval, acharné à les écarter, et la grande dame corrompue, arrivant d'Europe sous des dehors de bienfaisance, jetait un jour nouveau sur le rôle de celle-ci et le hasard étonnant qui l'avait amenée dans les parages de Gouldsboro...

Villedavray entra suivi de deux de ses hommes portant son hamac de coton des Caraïbes. Il fit accrocher celui-ci aux poutrelles.

— On m'a logé dans une cambuse, expliqua-t-il. Je ne peux m'y retourner, encore moins y suspendre mon hamac. Je viendrai faire la sieste chez vous. De toute façon, il vaut mieux que nous ne nous séparions pas trop.

Angélique le laissa s'installer et partit à la recherche de Cantor. Ici, c'était comme à Port-Royal. On avait l'air de vivre le plus naturellement du monde. Un établissement français de la côte, aux derniers jours de l'été. Des pêcheurs saisonniers, des Indiens apportant des fourrures, quelques fermes, la forêt derrière, des allées et venues, des gens qui passaient apportaient des nouvelles, repartaient, d'autres qui campaient en attendant l'arrivée d'un navire, la possibilité d'un départ pour l'Europe ou pour Québec. On commerçait, on devisait, on faisait des plans, des projets, le milieu du jour endormait tout le monde, le soir, au contraire, suscitait une animation un peu factice, dans une réaction d'oublier qu'on était loin des siens, sur un continent sauvage. On allumait des feux sur la plage, les pipes se bourraient, Nicolas Parys tenait table ouverte, tandis que la ritournelle d'un biniou breton s'élevait quelque part dans l'obscurité. Tard dans la nuit, on entendrait des matelots revenir, saouls, du village indien.

On paraissait réunis entre braves gens, liés par la promiscuité de l'exil.

Comme à Port-Royal, Angélique retrouvait l'impression de s'être isolée des siens, de porter seule la charge d'un secret incommunicable. Par moments, elle aurait cru rêver, sans cette lettre du père jésuite, qu'elle portait dissimulée dans son corsage et dont la gêne lui rappelait d'étranges et catégoriques affirmations : « Un esprit succube exercé au mal... son nom vous est connu... c'est la duchesse de Maudribourg... elle se dit mandatée par vous... »

Ambroisine chargée par le père d'Orgeval de circonvenir « par l'intérieur les dangereux conquérants des rives de l'Acadie, installés à Gouldsboro... Ce n'est pas elle pourtant qui avait pu l'égarer à Houssnock, ni l'envoyer au rendez-vous de l'îlot du Vieux-Navire. Alors? Elle avait des complices. Et, fiévreusement, Angélique rassemblait les éléments qui lui permettaient cette thèse qu'Ambroisine n'agissait pas seule, qu'elle n'était que l'âme, l'instigatrice de cette vaste cabale montée pour les abattre et les achever sans rémission. Alors il fallait admettre que tout ou presque tout ce qui était arrivé au cours de cet été maudit avait été préparé intentionnellement pour atteindre ce but, même *La Licorne* venant se briser intentionnellement sur les rivages de Gouldsboro. Démentiel! Ambroisine était à bord, elle n'aurait pas couru un tel risque, si folle qu'elle fût... Les Filles du roi ne se seraient pas laissé immoler ainsi... Il fallait tout de même se souvenir que les malheureuses n'avaient été sauvées que *in extremis* et une partie de l'équipage avait été massacrée, l'autre noyée...

Quels étaient les survivants de l'équipage? Le mousse et le capitaine. Job Simon qui le premier avait dénoncé l'attentat, criant que des naufrageurs les avaient attirés sur des récifs et achevés à coups de gourdin... Son désespoir, devant la perte de son navire, n'était pas feint. Mais à son sujet il restait un fait inexplicable. C'est que ce capitaine de navire ne parût pas réaliser l'erreur qu'il avait commise, en se retrouvant dans la Baie Française alors qu'il était censé se diriger sur Québec. N'était-il pas fou, lui aussi? Le regardant déambuler au loin, en balançant ses longs bras, dégingandé et voûté, sa hure puissante tendue en avant comme s'il cherchait en vain quelque chose et branlant du chef de temps à autre, Angélique se le demanda. Tous ces pauvres gens paraissaient désormais trop gravement touchés par leurs malheurs. Et c'était faux, comme elle en avait eu l'impression tout à l'heure, que les apparences demeurassent sereines et normales. Les yeux, comme dessillés, notaient l'expression hagarde, ou soupçonneuse, ou effrayée de certains regards, des pâleurs, des traits, creusés, des rides soudain surgies au coin de lèvres amères, une volonté de silence, un air de hantise, ou bien une hostilité sourde qui se traduisait par des dos tournés sur son passage ou, au contraire, des regards la suivant avec trop d'insistance.

Elle parcourut l'établissement de part et d'autre, à la fois consciente de l'atmosphère, mais aussi indifférente car son esprit était occupé par un problème plus taraudant. Elle ne trouva pas Cantor. Après avoir longé la plage, elle remonta vers le hameau. Les maisons étaient groupées autour d'une sorte de placette d'où l'on pouvait voir plus loin sur l'horizon. Elle s'arrêta la main en auvent sur les yeux, avec l'espoir craintif d'apercevoir sur l'étendue pailletée d'or de la mer, une mer couleur de miel et comme déjà touchée par la mélancolie de l'automne, une voile qui grandirait se dirigeant vers l'entrée de la Baie. Mais l'horizon était vide.

En se retournant, elle vit Ambroisine arrêtée derrière elle.

Les yeux de la duchesse étincelaient.

— Vous vous êtes permis de fouiller dans mes bagages, dit celle-ci, d'une voix métallique et frémissante. Bravo! Ce ne sont pas les scrupules qui vous étouffent!

Angélique haussa les épaules.

— Des scrupules? Avec vous?... Vous plaisantez.

Elle comprenait, à voir se pincer et frémir le

nez délicat de la jeune veuve, sous l'effet de la colère, qu'elle avait trompé celle-ci dans ses estimations habituelles. Choisissant souvent ses victimes parmi des gens de bonne compagnie, des esprits élevés, disposés à voir en leur prochain le meilleur, elle comptait sur leur délicatesse native et les réactions de leur éducation pour les duper impunément, et basait son action sur leur incapacité à user pour leur défense de vils moyens qu'elle employait elle-même pour l'attaque : mensonge, calomnie, indiscrétion...

Or, elle commençait à comprendre qu'elle avait rencontré en Angélique une hermine qui ne craignait pas les taches de boue.

— Vous avez pris cette lettre, n'est-ce pas?

— Quelle lettre?

— Celle du jésuite, du père de Vernon?

Angélique l'observa en silence comme si elle voulait donner à ses pensées le temps de la réflexion.

— Voulez-vous dire que vous aviez cette lettre en votre possession? Comment cela est-il possible? Ainsi vous ne reculez devant rien. Vous avez fait tuer l'enfant qui me l'avait apportée, n'est-ce pas? Vous l'avez fait tuer par vos complices? Je me souviens maintenant : il cherchait à se faire entendre, il disait : « « Ils » me suivent, « ils » veulent me tuer, pour l'amour du ciel, aidez-moi... » Et moi je ne l'écoutais pas! Pauvre enfant!... Jamais je ne me le pardonnerai... Vous l'avez fait assassiner!...

— Mais vous êtes folle! s'écria Ambroisine d'un ton suraigu, que me baillez-vous là avec cette histoire de complices? C'est la deuxième fois... Je n'ai pas de complices...

— Alors comment cette lettre a-t-elle pu parvenir entre vos mains?

— La lettre était sur la table entre nous. Je l'ai prise, c'est tout...

C'était vraisemblable.

« Mais pourquoi l'enfant s'est-il enfui? pensait Angélique, quand *elle* est entrée... Il avait peur d'elle comme le petit chat... Il savait qu'elle était habitée par le mal; mais où est-il maintenant? »

Elle songeait au petit Abbial, à l'enfant suédois qui était venu lui demander secours après la disparition de son bienfaiteur. Impardonnable!

— Vous avez cette lettre, j'en suis certaine, reprit Ambroisine, mais tant pis pour vous. Ne croyez pas qu'elle pourra vous servir de quelque façon que ce soit contre moi. Le jésuite est mort. Les paroles d'un mort sont toujours sujettes à caution. Je dirai que vous l'aviez envoûté, que vous lui avez soufflé cette lettre pour me perdre parce que moi j'étais sur le point de dénoncer les turpitudes qui régnaient à Gouldsboro, je dirai que vous l'aviez débauché, qu'il était votre amant... Et c'est vrai qu'il vous aimait! Cela éclatait aux yeux. Je dirai que quand vous avez eu cette lettre truquée en votre possession et certaine de vous disculper par ce témoignage, vous l'avez fait assassiner à Gouldsboro, dans votre repaire de bandits et d'hérétiques, qui sait de quelle façon il est mort, là-bas? Quel témoin croira-t-on parmi eux qui se présenteront? Sinon moi-même qui étais présente alors. Qui pourra raconter à Québec comment j'ai vu un horrible Anglais se jeter sur le malheureux ecclésiastique et le tuer sauvagement tandis que la foule, et vous-même au premier rang, l'encouragiez de vos cris et de vos rires dans son forfait... Je dirai combien je suis restée frappée d'avoir assisté à un pareil spectacle et quelle difficulté j'ai eue à quitter ces lieux maudits, sur lesquels vous régniez, sans risquer moi-même de perdre la vie...

Elle eut un geste de sa main gracieuse et qui semblait inviter Angélique à assembler autour d'elles les habitants de Tidmagouche.

— Allez-y... Désignez-moi!... Criez, voici la Démone!... C'est la duchesse de Maudribourg... Je vous la dénonce expressément... Qui vous croira? Qui vous soutiendra?... Votre légende est déjà bien accréditée chez ces Français du Canada ou d'ailleurs, et je n'ai point manqué depuis que je suis ici d'y ajouter quelques détails piquants... A leurs yeux, vous êtes impie, dangereuse, malfaisante, et jusqu'à présent votre conduite n'est point venue m'apporter de démenti... Vous êtes sortie des bois accompagnée de vos sauvages, vous vous êtes acoquinée avec ce Villedavray qui est haï et considéré comme le plus grand voleur qu'on ait jamais eu comme gouverneur dans la région, et... Vous a-t-on vue au Saint-Sacrifice de la messe, ce matin?... Moi, j'y étais...

Elle secoua la tête avec un rire léger.

— ... Non, madame de Peyrac... Cette fois, votre beauté ne vous sauvera pas. Ma position est trop forte... Si loin que vous alliez brandir votre lettre à Québec ou ailleurs... Entre vous et moi, c'est moi que Sébastien d'Orgeval croira.

— Vous connaissez donc le père d'Orgeval? interrogea Angélique.

Ambroisine tapa du pied avec rage.

— Vous le savez parfaitement puisque vous l'avez lu. N'essayez pas de jouer au plus fin avec moi, vous ne gagneriez pas.

Elle tendit la main.

— Rendez-moi cette lettre.

Les yeux étincelaient et lançaient des flammes. Angélique songea qu'il émanait de sa personne une méchanceté si impérative que des personnes simples et émotives devaient se laisser facilement subjuguer et effrayer lorsqu'elle s'adressait ainsi à elles et lui obéir comme en état second. Elle ne se laissa pas démonter et dit à mi-voix :

— Calmez-vous! On nous regarde de loin et votre

réputation de vertu et de bénignité risque de souffrir de vos petits mouvements d'humeur.

Elle passa devant Ambroisine et regagna sa demeure.

La nuit, s'étant barricadée, elle acheva de lire la lettre du jésuite, à la lueur de la chandelle.

Dans les dernières lignes de sa missive, le père de Vernon avait paru montrer quelque hâte.

« J'aurais d'intéressantes observations à vous communiquer sur l'établissement de Gouldsboro mais la place et le temps me manquent ici. Je vais remettre ma lettre au messager de Saint-Castine. Je vais quitter la place car je ne suis plus en sécurité. Je ne veux pas cependant trop m'éloigner de la région car il me semble que ma présence peut en quelque sorte suspendre dans la mesure du possible les maléfices qui y rôdent. Le mieux serait pour vous d'essayer de me joindre au village de X où je dois trouver le père Damien Jeanrousse. Nous nous concerterons et je vous transmettrai de vive voix les observations sur lesquelles j'ai étayé mes jugements. »

Suivaient des formules de politesse qui malgré une certaine tournure un peu formelle révélaient l'affection et le respect que se portaient mutuellement les deux religieux.

Angélique avait renoncé à parler de cette lettre à son fils et au gouverneur. Elle ne se dissimulait pas qu'Ambroisine avait raison lorsqu'elle disait : « Qui vous croira? » Qui la croira? Une telle épître habilement commentée pourrait se retourner contre elle, Angélique. Elle n'en pouvait tirer aucun indice venant étayer sa thèse qu'Ambroisine avait des complices, qu'elle n'agissait pas seule, qu'elle n'était que l'âme, l'esprit dirigeant d'un vaste complot, conçu pour les détruire contre toute raison. Hors d'un certain contexte les déclarations du jésuite paraîtraient folles, inacceptables. Le fruit d'une hypnose. Il n'était plus là pour révéler et pour prouver les faits et déductions qui l'avaient amené à ses conclusions. Les accusations contre Ambroisine paraissaient sans fondement tant au point de vue théologique que politique. Elles portaient contre une personne de haute noblesse, de grand renom et qui avait quelque réputation dans les hautes sphères des sciences religieuses et il semblait qu'elle eût assez habilement partagé ses terrains d'action gardant une réputation irréprochable parmi ceux dont elle voulait le soutien et l'approbation et se déchaînant lorsqu'elle était certaine de pouvoir faire tourner toute délation à son avantage.

Angélique, malgré l'arme qu'elle tenait entre ses mains avec ce témoignage, demeurait en position instable. Mais elle préférait ne pas trop réfléchir et garder ce soir-là le réconfort d'avoir retrouvé avec la lettre du père de Vernon un ami qui, au delà de la mort, veillerait encore à la défendre.

## 9

Le deuxième jour de leur arrivée à Tidmagouche, le lieutenant de Barssempuy demanda un entretien à Angélique. Il avait une requête à lui présenter.

Nonobstant qu'il lui avait joué un mauvais tour à la pointe Maquoît, puisque, comme lieutenant de Barbe d'Or, c'était lui qui l'avait capturée, elle s'entendait assez bien avec ce jeune seigneur d'aventures, capable comme ses pareils du meilleur et du pire, mais non sans qualités foncières. Il était courageux, chevaleresque, entreprenant, nanti d'une bonne éducation reçue au fond de quelque château, où il avait grandi, sans doute, cinquième ou sixième d'une nombreuse famille de nobles ruinés. Maintenant que tout s'était arrangé

avec les pirates du *Cœur-de-Marie,* que Barbe d'Or était devenu le gouverneur de Gouldsboro, Barssempuy, son lieutenant, professait le plus parfait dévouement à l'égard du comte et de la comtesse de Peyrac.

C'était lui qui, au moment du naufrage de *La Licorne,* avait trouvé Marie-la-Douce blessée dans les rochers. Il l'avait ramenée dans ses bras et en était tombé fort amoureux. Malheureusement, le départ de Mme de Maudribourg avec ses protégées pour Port-Royal avait interrompu cette idylle.

Angélique remarqua qu'il avait les traits creusés et n'affichait plus son air de pirate sans peur et sans reproche, heureux de vivre et de se retrouver vivant chaque soir. Il lui demanda un entretien, mais comme Villedavray, qui se prélassait dans son hamac, n'avait pas l'air disposé à se retirer, il affirma qu'il parlerait sans gêne devant M. le gouverneur. Aussi bien il s'agissait des paroles qu'Angélique et le marquis de Villedavray avaient échangées devant lui, hier matin, quand leur caravane était arrivée à la côte et qu'ils avaient discuté à propos de Mme de Maudribourg.

— M. le marquis lui-même m'a paru effrayé à l'idée de se retrouver devant elle. Alors j'ai compris que mon sentiment personnel pour cette femme dangereuse et perverse n'était pas faux et, maintenant plus que jamais, je tremble pour ma bien-aimée. Vous vous souvenez, madame, combien cette délicieuse jeune fille a inspiré mon amour. Cela fut dès le premier instant lorsque je la trouvai tout en sang. Et pourtant je suis un homme dur et je peux affirmer que jusqu'à ce jour je ne faisais que rire à la pensée que je pourrais, moi, me sacrifier à une passion si profonde. Pourtant c'est ainsi! Et j'ai cru les premiers temps que cette jeune fille répondrait à ma flamme. Nous avons échangé quelques confidences. Elle est d'une excellente famille, mais, pauvre et sans dot, elle a été confiée à un couvent pour y prendre le voile comme sœur converse. C'est là qu'il y a environ deux ans, Mme de Maudribourg lui offrit de devenir sa demoiselle de compagnie. J'eus l'impression, à Gouldsboro, que je ne lui étais pas indifférent. Voyant l'attachement qu'elle portait à sa protectrice, j'allai trouver celle-ci afin de lui faire part de mon désir d'épouser Marie et je lui exposai mes titres et qualités. Mme de Maudribourg m'assura qu'elle en parlerait à Marie, puis me transmit peu après une réponse négative, me demandant de ne pas insister, que Marie était très sensible, trop droite et trop honnête pour avoir la moindre inclination pour un pirate qui, manifestement, avait du sang sur les mains, que cela lui faisait horreur, etc. Cela me porta un coup terrible, me bouleversa et m'accabla de telle sorte que je ne sais comment cela se fit ni comment elle s'y prit, cette noble dame pour me consoler, mais... je me retrouvai à passer la nuit avec elle... la duchesse...

Il avait l'air si étonné en faisant cet aveu que Villedavray gloussa de rire dans son coin.

— Maintenant je comprends que je n'ai été qu'une de ses victimes innombrables, que Marie sans doute en est une autre, et je voudrais mettre tout en œuvre pour l'arracher à ses griffes. Le hasard a voulu que, vous escortant, je retrouve ici celle que j'aime, alors que je la croyais déjà voguant sous d'autres cieux, et ne jamais la revoir... L'occasion me semble offerte de la sauver... Mais elle me fuit. Vous, peut-être, pourrez lui parler, la convaincre de mon amour, de mon désir de l'aider.

— J'essaierai.

Depuis qu'elle avait découvert le véritable caractère d'Ambroisine de Maudribourg, Angélique s'in-

terrogeait, non sans malaise, sur les rapports qui unissaient la « Bienfaitrice » aux jeunes femmes qui l'entouraient. Jeunes filles, sages, pieuses, recrutées dans les orphelinats de l'Hôtel-Dieu pour aller se marier en Nouvelle-France, telles que Marie-la-Douce, la raisonnable Henriette, la charmante et timide Mauresque, Antoinette, quelques autres encore, effacées, dociles, gentilles, une veuve discrète comme Jeanne Michaud et son petit Pierre, des demoiselles de petite noblesse, pauvres mais choisies pour la décence de leurs manières, leur esprit ouvert et cultivé, et même parfois une personnalité qui ne manquait pas de piquant et de caractère comme Delphine Barbier du Rosoy ou Marguerite de Bourmont. Sans parler de la vieille duègne Pétronille Damourt, brave et bonne quoique un peu simple.

Or, certaines d'entre elles connaissaient la duchesse depuis longtemps. Pétronille semblait presque l'avoir élevée. D'autres seulement depuis quelques mois, lorsqu'elle les avait retenues pour l'expédition en Nouvelle-France. Toutes sans exception l'adoraient. Elle n'avait vu que Julienne — une fille des rues qui déparait dans le lot et qui avait dû s'y glisser pour échapper à un départ pour les îles — qui la détestait et l'avait d'ailleurs crié sans ambages.

Mais le dévouement des autres était sans bornes à l'égard de la duchesse.

N'y avait-il pas, même, dans ses manifestations quelque chose d'excessif, d'anormal? Elle se souvenait de leur émotion délirante quand on avait annoncé que la « Bienfaitrice » était sauvée des eaux, comme elles s'étaient jetées à ses pieds, l'étreignaient, embrassant ses genoux, sanglotant de joie. Et en une autre circonstance, le premier soir, lorsqu'elles craignaient que la duchesse ne trépassât, leur affolement disproportionné, leurs supplications pour qu'Angélique restât au chevet de la malade, toutes ces filles folles pendues à sa robe, leur insistance étrange... Que savaient-elles de la duchesse?

Etaient-elles dupes, inconscientes, envoûtées, terrorisées? La requête du lieutenant de Barssempuy lui offrait l'occasion d'en savoir plus long.

Elle aborda Marie-la-Douce, à l'abri d'une des maisons du hameau. La jeune fille était allée cueillir des fleurs sur la falaise et revenait par un sentier qui passait derrière cette cahute désaffectée. De là Angélique espérait que la duchesse ne la verrait pas parler à l'une de ses protégées.

Elle arrêta le mouvement de recul de Marie à sa vue.

— Ne fuyez pas, Marie. J'ai à vous parler sans témoins. Nous disposons de peu de temps.

Les fleurs aux doigts, la jeune fille la regardait sans pouvoir dissimuler son effroi. Elle était assez jolie avec une expression timide mais aussi primesautière qui intriguait. Son plus grand charme résidait en un cou ravissant, des yeux bleu de ciel, des cheveux blonds et légers, une grâce de fleur simple et fragile. Mais elle avait beaucoup maigri ces derniers temps, sans doute épuisée, mal remise de ses blessures par tant de voyages et de changements.

Elle était pâle. Sa peau et ses lèvres semblaient gercées par la sécheresse et le sel. Surtout elle avait une expression traquée que traduisaient ses prunelles dilatées, un peu fixes, sa bouche entrouverte comme si le souffle lui eût manqué. Angélique aussi se sentait à l'intérieur d'elle-même comme un câble tendu à se rompre.

Il n'y avait pas de temps pour les détours entre elles.

— Marie, dit-elle. Vous, vous « les » avez vus? Vous répétiez lorsqu'on vous a amenée à moi : « Les démons, je les vois, ils me frappent dans la nuit... » Vous avez vu ces hommes qui sont sortis de la nuit avec des gourdins pour achever les naufragés... Maintenant, parlez, dites-moi tout ce que vous croyez savoir, soupçonner... Il faut que ces crimes s'arrêtent... C'est elle, c'est *elle,* n'est-ce pas, qui leur donne des ordres?...

La jeune fille l'avait écoutée d'un air terrifié. Elle ne put que secouer la tête en une dénégation affolée.

— Vous vivez près d'elle, dans son intimité, depuis deux années, insista Angélique qui avait l'impression que les minutes lui étaient comptées, vous ne pouvez pas ignorer qui elle est. Maintenant vous devez parler afin de m'aider, avant que nous soyons tous morts, détruits... Parlez.

Marie-la-Douce eut un sursaut de brûlée.

— Non, jamais, dit-elle, farouchement.

Angélique l'attrapa vivement par son poignet frêle.

— Pourquoi?

— Je ne peux oublier ce qu'elle a fait pour moi. J'étais seule au monde, sans autre avenir que les murs de ce couvent. Elle s'est intéressée à moi, m'a permis de revivre, de m'épanouir, d'être heureuse enfin...

Elle baissa les paupières.

— C'est bon d'être aimée, murmura-t-elle.

Jusqu'à quel point l'amoralité habile d'Ambroisine avait-elle abusé de la naïveté d'une jeune fille orpheline, maintenue dans un esprit d'enfance par sa nature rêveuse, la solitude et l'ignorance de la vie. Il était difficile de le déceler.

— Si ce n'était que cela, dit Angélique en pesant ses mots, je ne vous jugerais pas. Mais elle est pire que cela, vous le savez. Elle est capable de tout. Un abîme de perdition, le Mal à l'état pur. Aimée, dites-vous? Barssempuy vous aimait. Il voulait vous épouser. Vous a-t-elle seulement mise au courant de sa démarche? Non, je le vois à votre expression stupéfaite. Peut-être même a-t-elle médit de lui devant vous, tandis qu'elle lui faisait savoir que vous le repoussiez... et qu'elle le séduisait pour son propre compte. Et c'est cette femme-là, diabolique, effrayante, qui vous a pris votre bien-aimé, que vous voulez défendre, protéger d'un châtiment mérité! Parlez, je vous en conjure. Parlez!

— Non! Je ne sais rien, s'écria la jeune fille en se débattant, je vous assure que je ne sais rien...

— Si. Vous soupçonnez, vous devinez, vous vivez trop proche d'elle pour ne pas remarquer certaines choses... Elle a des complices, n'est-ce pas, ces naufrageurs qui ont voulu vous tuer sur la plage? Voyez, elle vous a sacrifiée, immolée comme les autres...

— Non, pas moi...

— Que voulez-vous dire? Pourquoi pas vous?...

Mais arrachant son poignet à l'étreinte d'Angélique, Marie-la-Douce s'enfuit courant comme une folle pourchassée...

Il faudrait essayer encore, se disait Angélique.

Maintenant, elle savait que l'entourage de la duchesse pourrait lui apporter des renseignements précieux. Mais on venait de comprendre que ce ne serait pas facile. Ces êtres jeunes, vulnérables ou trop simples, étaient maintenus dans le silence par la terreur, la honte, la docilité, l'habitude inhérente aux gens du peuple de ne pas juger les affaires des grands selon la mesure du commun. La sottise, l'ignorance, la naïveté, l'innocence. Comme Ambroisine avait su user habilement de tout cela pour parvenir à ses buts!

— Vous semblez triste, lui dit Villedavray qui se balançait dans son hamac en grignotant des grains de maïs que Cantor avait fait éclater sur des braises. Allons, ma chère Angélique, il ne faut pas se laisser assombrir ni prendre trop à cœur la vilenie de l'espèce humaine. La rencontrer, la supporter, cela fait partie de nos obligations terrestres. Il y a des compensations. Vous verrez, quand nous serons à Québec et que nous dégusterons un petit verre de rossoli, au coin du feu en écoutant votre charmant fils nous jouer de la guitare. Vous oublierez tout ça... Nous en rirons ensemble.

Mais, malgré ces encouragements, Angélique ne se sentait pas prête à rire de quoi que ce soit. Elle regardait sans cesse par la porte ou la fenêtre. Elle ne savait pas exactement ce qu'elle guettait ainsi. Peut-être la silhouette d'un voilier grandissant à l'horizon et pénétrant dans la rade?

Vers la fin de l'après-midi, elle se précipita dehors car elle croyait distinguer un point infime dans l'éblouissement métallique de la lumière vers l'est. La main sur les yeux, elle resta en observation.

Elle entendit Delphine du Rosoy, non loin d'elle, héler Marie-la-Douce et lui dire :

— Mme de Maudribourg est allée cueillir des airelles avec Pétronille et la Mauresque. Elles vous attendent près de la croix bretonne pour les aider à porter les paniers...

La jeune fille s'éloigna par le chemin par lequel le matin les fidèles s'étaient rendus à la messe. Un instant, elle hésita se demandant si ce n'était pas l'occasion de renouveler sa tentative près de Marie. Celle-ci avait dû réfléchir. Même de loin Angélique avait pu discerner que la pauvre fille avait les yeux rouges et le visage ravagé. Mais en essayant de la suivre et de l'aborder sur le chemin de la falaise elle risquait de voir la duchesse de Maudribourg venir à leur rencontre. Elle rentra chez elle.

De son hamac, le marquis suivait les allées et venues du lieu tant par la porte que par la fenêtre.

— La pêche sera mauvaise aujourd'hui, émit-il, la morue sera mal salée et il y aura beaucoup de doigts coupés parmi les « trancheurs »...

— Pourquoi donc?...

— Mme de Maudribourg est allée visiter ces messieurs. Je l'aperçois là-bas qui se mêle aux pêcheurs comme une reine à ses vassaux, escortée de notre capitaine breton qui fait des ronds de jambe. Il a beau se défendre d'être dur comme l'acier, elle le sidère...

Angélique suivit la direction de son regard et en effet, là-bas, au bord de l'eau près des échafauds où les Bretons s'activaient à leur besogne, elle distingua la silhouette d'Ambroisine retenant l'attention générale.

Elle avait une véritable cour, car un navire partant pour l'Europe faisait escale pour sa provision d'eau et mouillait dans la rade. Quelques passagers étaient descendus à terre se dégourdir les jambes.

— Si ce navire va sur la France ce serait peut-être pour moi l'occasion de confier un message pour une très chère amie que j'ai à Paris. Je vais aller voir.

Il quitta son hamac.

« Mais pourquoi Ambroisine a-t-elle envoyé Marie-la-Douce la rejoindre dans une direction opposée à celle où elle se trouvait? » s'interrogeait Angélique.

Elle vint sur le seuil, regardant vers le promontoire. A quelques pas de la maison, Barssempuy, assez mélancolique et désœuvré, taillait un bout de bois.

La vue du jeune homme qui aimait Marie-la-Douce déclencha en elle, par une association d'idées, un réflexe subit, et elle se précipita vers lui.

— Venez vite, lui dit-elle à voix basse, venez vite avec moi. Monsieur de Barssempuy, Marie-la-Douce est en danger!

Sans questionner, il la suivit et ils s'engagèrent sur le sentier qui menait à la Croix bretonne.

— Qu'y a-t-il? Que craignez-vous? interrogea-t-il enfin lorsqu'ils furent hors de vue du village.

— Ils vont la tuer, répliqua-t-elle d'une voix hachée, peut-être suis-je folle, mais j'ai ce pressentiment. Ils vont la tuer. On m'a vue parler avec elle ce matin, on a dû l'interroger, lui faire avouer le sujet de notre entretien.

Ils couraient maintenant. Ils parvinrent essoufflés au promontoire où se dressaient la chapelle et la croix de bois.

— Elle n'y est pas, dit Angélique. Est-ce bien ici? On l'a envoyée près de la croix bretonne...

— C'est plus loin, jeta Barssempuy. Une croix de pierre érigée, il y a deux siècles, par les pêcheurs bretons. A cette autre extrémité, là-bas...

— La plus haute falaise, dit Angélique avec désespoir. Venez vite, il ne faut pas qu'elle y parvienne. Nous n'avons pas le temps de contourner la crique, nous allons descendre par la plage. Nous la hélerons d'en bas...

-Ils se laissèrent glisser non sans peine jusqu'à la grève qui était de galets et de cailloutis. Cela ne facilitait pas leur course. La falaise paraissait s'éloigner.

— Ah! J'aperçois Marie, s'écria Barssempuy.

Une frêle silhouette féminine venait de se dessiner sur le ciel blanchâtre.

Elle s'avançait le long du promontoire vers la croix bretonne dressée tel un menhir celte à la toute extrémité.

— Marie, cria Angélique de toutes ses forces, Marie, *arrêtez-vous!* Fuyez!

Trop loin! La voix ne portait pas.

— Marie! Marie! cria Barssempuy à son tour. Ah!...

Le même hurlement fou leur échappa. Puis ils se turent ensemble, le cœur suspendu d'horreur devant la chute tourbillonnante du jeune corps.

— On l'a poussée, haleta Barssempuy hagard, j'ai vu... quelqu'un... survenir... par-derrière...

Ils se remirent à courir, titubant sur les cailloux, les rocs et les amoncellements de varech, trébuchant, dans un cauchemar.

Ils découvrirent Marie-la-Douce dans le creux d'un rocher, comme ce jour où Barssempuy l'avait trouvée, après le naufrage de *La Licorne*. Le jeune homme poussait des râles inconscients comme si un coup mortel venait de lui arracher les entrailles.

— Faites quelque chose, madame, faites quelque chose, je vous en prie.

— Je ne peux rien, dit Angélique agenouillée près du corps disloqué.

Et elle gémissait elle aussi inconsciemment tant la vue de ce jeune être gracile et timide ainsi massacré brisait le cœur.

Marie-la-Douce ouvrit les yeux.

Angélique eut conscience de l'esprit encore lucide qui veillait derrière ces prunelles bleues semblant refléter le ciel.

— Marie, fit-elle en retenant ses larmes, Marie, pour l'amour de Dieu qui va vous accueillir, dites-moi quelque chose... avez-vous vu votre assassin? Qui est-ce?... Dites-moi quelque chose, je vous prie, pour m'aider.

Les lèvres pâles bougèrent. Angélique se pencha afin de saisir les mots imperceptibles qui les franchissaient dans un souffle épuisé, le dernier.

— Au moment du naufrage... elle n'avait pas... ses bas rouges...

## 10

— Expliquez-moi tout, suppliait Barssempuy. Comment avez-vous su qu'on allait attenter à sa vie?... Dites-moi qui sont ces criminels. Je les poursuivrai jusqu'au bout. Je les exterminerai.

— Je vous dirai tout si vous vous calmez.

Aidée de Villedavray, de Cantor et des deux autres hommes du *Rochelais* qui étaient venus avec eux, elle dut mettre tout en œuvre pour apaiser le désespoir du jeune homme, le convaincre de ne pas se livrer à des gestes extrêmes, criant à l'assassin parmi des gens déjà surexcités et alors que seuls la patience, la ténacité et le sang-froid pouvaient permettre de faire face à un ennemi aussi roué, et de le démasquer quel qu'il fût. S'il se savait accusé, soupçonné, il se méfierait désormais, et cela deviendrait plus difficile et plus dangereux de recueillir des indices, de trouver une piste. Le moment n'était pas encore venu d'accuser la duchesse. Tous les hommes présents subissaient son charme. Barssempuy serait traité de fou et il se trouverait certainement quelqu'un pour lui régler son compte sous un prétexte ou sous un autre. Il finit par se rendre à leurs raisons et resta assis près de la cheminée, morne et accablé.

Le lendemain, on conduisit Marie-la-Douce à sa dernière demeure. Les Filles du roi pleuraient. Elles parlaient de Marie-la-Douce, leur sœur et compagne. Elles disaient qu'elle n'était pas prudente, qu'elle voulait toujours aller cueillir des fleurs dans des endroits dangereux, qu'elle les trouvait plus belles... Elle était tombée...

A l'absoute, dans le petit cimetière aux pauvres croix de guingois, Angélique se trouva placée fortuitement près de Delphine Barbier du Rosoy. Cette jeune fille de noble famille lui était sympathique. Elle avait montré beaucoup de courage et de sang-froid au cours du naufrage de *La Licorne*, elle dominait nettement ses compagnes par son éducation, ses jugements, sa culture. Celles-ci se tournaient vers elle naturellement et Angélique avait remarqué qu'Ambroisine lui adressait la parole avec une certaine nuance de considération qu'elle n'avait pas pour les autres, comme si elle eût voulu la ménager, obtenir ses bonnes grâces ou déjouer la perspicacité, facilement en éveil, de Delphine.

Or, la voyant le visage couvert de larmes et sanglotant misérablement comme une enfant, ce qui n'était pas dans sa nature mesurée et sage, Angélique eut pitié.

— Puis-je vous aider, Delphine? lui glissa-t-elle tout bas.

La jeune fille la regarda avec surprise puis s'essuya les yeux et se moucha en secouant la tête négativement.

— Non, madame, hélas! vous ne pouvez pas m'aider.

— Alors vous, aidez-moi, se décida Angélique brusquement. Aidez-moi à perdre le démon attaché à nos pas pour notre malheur à tous.

Delphine la regarda subrepticement puis resta silencieuse, la tête baissée. Mais sur le chemin du retour vers l'établissement, elle marmonna en passant près d'Angélique : « Je viendrai chez vous avec quelques-unes des filles un peu avant le repas de midi. Nous dirons que votre fils Cantor nous a proposé de nous chanter des chansons... »

— Chanter, bougonna Cantor. Ces belles n'ont guère de sens. On enterre une des leurs aujourd'hui et elles veulent des chansons, ça ne m'a pas l'air très futé comme prétexte...

— Tu as raison, mais c'est sans doute tout ce qui lui est venu en tête, pauvre Delphine! Il y a des moments où l'on ne sait plus quoi inventer.

— Bon, je leur chanterai des cantiques, fit Cantor. Cela paraîtra plus sérieux!

Lorsque les jeunes filles se présentèrent, Angélique remarqua que c'était l'heure où Nicolas Parys venait faire sa cour à la duchesse. Elle entraîna Delphine à l'écart tandis que Cantor retenait l'attention du cercle.

— Delphine, dit Angélique, vous savez d'où vient le mal, n'est-ce pas? Elle!...

— Oui, dit tristement la jeune fille. J'ai été dupe longtemps moi aussi, mais il m'a bien fallu me rendre à l'évidence. En France, personne ne pouvait se rendre compte, mais ici, il y a dans l'air quelque chose de... sauvage, de primitif qui contraint les personnalités à se montrer sous leur vrai jour. Peu à peu à Gouldsboro, à Port-Royal, j'ai vu clair, j'ai compris de quelle sorte *elle* était.

» Certes, auparavant, je n'approuvais pas qu'elle nous contraignît trop souvent à mentir pour dissimuler les crises dont elle était saisie... Par modestie, disait-elle, pour qu'on ne sût pas qu'elle était visitée par l'esprit de Dieu. J'aurais dû comprendre plus tôt que de telles crises relevaient de la folie ou de la possession, et non de l'extase mystique comme elle voulait nous en convaincre... Combien nous avons été naïves! Il n'y avait que Julienne qui avait vu juste en elle, tout de suite. Et nous qui la détestions et la méprisions, pauvre fille! Et maintenant, que devenir? Nous sommes désarmées, abandonnées en son pouvoir, au bout du monde. Hier, quand je voyais ce navire en rade partant pour l'Europe, j'aurais tout donné pour pouvoir monter à bord, fuir n'importe où. Que Dieu nous prenne en pitié!

— Delphine, croyez-vous que la duchesse soit en relations avec un autre navire, des complices auxquels elle pourrait donner des ordres pour l'aider à exécuter ses desseins criminels?

Delphine la regarda avec étonnement.

— N...non, je ne crois pas, balbutia-t-elle.

— Alors, pourquoi êtes-vous convaincue en votre for intérieur que Marie a été assassinée? Par qui? Même si cela s'est fait sur les ordres de votre bienfaitrice, ce n'est pas elle qui a pu la pousser au bord de la falaise. Elle était ici, chez les morutiers, je l'ai vue.

— Je... je ne sais pas... Il est difficile, impossible, de savoir tout d'elle, on dirait parfois qu'elle a un don d'ubiquité... et aussi elle ment tellement et ses mensonges ont un tel accent de vérité qu'on ne peut s'y retrouver, dire exactement si elle était à tel endroit ou non...

— Et... les dernières paroles de Marie... pouvez-vous me les expliquer?... Elle a murmuré : « Au moment du naufrage *elle n'avait pas ses bas rouges.* »

Delphine la regarda fixement.

— Oui, c'est vrai, dit-elle, comme répondant à une question qu'elle n'avait jamais osé se poser à elle-même... ces bas rouges... qu'elle portait lorsqu'elle a débarqué à Gouldsboro, je ne les lui avais jamais vus auparavant... et je crois même pouvoir affirmer qu'elle ne les avait pas dans ses bagages à bord de *La Licorne* car je les ai souvent faits... Et si Marie-la-Douce a dit cela... elle le savait mieux qu'une autre puisqu'elle est descendue dans la barque avec elle...

— Que voulez-vous dire?

— Je n'ai jamais été bien certaine de ce que j'ai vu. Il faisait si noir et après tout cela ne signifiait rien! Après le naufrage, tout s'est brouillé dans ma tête. Je n'arrivais pas à remettre les événements en ordre. On disait que notre bienfaitrice était noyée et puis ensuite qu'elle avait été sauvée et qu'elle avait sauvé l'enfant de Jeanne Michaud. Il me semblait qu'il y avait quelque chose qui ne concordait pas. Mais maintenant, je suis sûre; c'est *avant* que *La Licorne* donne sur les récifs que j'ai vu la duchesse avec Marie, l'enfant et le secrétaire qui prenaient place dans un canot. Presque aussitôt on a entendu ces craquements horribles et on a crié : « Sauve qui peut, nous périssons. »

— Alors tout s'expliquerait. Elle a quitté le navire *avant sa perte.* Pendant les deux jours où on l'a crue perdue elle rejoignait des complices à leur bord, sans doute ce voilier dissimulé dans les îles et que nous avons aperçu, elle y trouvait des vêtements de rechange, comme ces bas rouges qu'elle a inconsidérément enfilés avant de débarquer comme une naufragée misérable sur notre rive.

— Mais Marie? Elle était aussi parmi les noyés... Faudrait-il envisager que du canot ils l'aient jetée à l'eau... Non, non, ce serait trop horrible.

— Pourquoi pas! Tout est horrible, dans cette affaire, tout est possible... tout!... de toute façon nous ne saurons jamais... Marie est morte.

— Non! Non! répétait Delphine avec angoisse. Non, ce n'est pas possible. C'est moi qui dois me tromper... Nous avions déjà donné sur les récifs quand j'ai vu cette scène... Je ne suis plus certaine de rien. C'était la nuit. Ah! je vais devenir folle...

Il y eut un remue-ménage du côté de la porte de la maisonnette.

— Elle? murmura Delphine en pâlissant d'effroi.

Ce n'était heureusement que Pétronille Damourt qui venait rappeler ses ouailles à la décence et à la discipline.

— Vous deviez travailler au ravaudage de vos hardes en disant le chapelet. Vous avez profité de ce que je faisais un petit somme pour venir vous distraire. Madame sera très mécontente!...

— Soyez indulgente à la jeunesse, chère Pétronille, intervint Villedavray déployant toute sa galanterie enjôleuse pour calmer la duègne. La vie est si triste sur cette plage, à attendre on ne sait quoi? Comment pourraient-elles rester insensibles à la grâce d'un beau jeune homme armé d'une guitare?

— C'est inadmissible!

— Allons! Allons! vous vous faites plus sévère que vous n'êtes. Vous aussi méritez un peu de distractions. Venez vous asseoir avec nous. Aimez-vous les grains de maïs éclatés? Avec un peu de cassonade dessus, c'est une friandise délicieuse...

— Pétronille, chuchota Delphine à l'oreille d'Angélique, c'est elle qu'il faut questionner. Essayez de la faire parler. Elle est un peu simplette. Mais elle est au service de Mme de Maudribourg depuis plusieurs années et elle se rengorge volontiers de ce que la duchesse lui accorde toute sa confiance. Elle a dit parfois qu'elle savait bien des choses qui en effraieraient beaucoup, mais qu'on ne peut vivre intimement avec une personne aussi sainte et qui a des extases et des visions sans partager de terribles secrets.

## 11

Depuis un instant Cantor avait cessé de gratter sa guitare. Il dressait l'oreille.

— Qu'est-ce?... Ces bruits qu'on entend?

Venant du fort, des aboiements lointains et forcenés parvenaient jusqu'à eux.

Le jeune garçon alla sur le seuil, saisi d'un pressentiment.

— Les chiens de Terre-Neuve! A qui en veulent-ils?...

Les aboiements furieux s'enflaient. Dans leur paroxysme, ils évoquaient l'appel d'une meute en chasse, lancée sur la piste de la proie.

— On a détaché les chiens!

Les deux molosses apparurent, dévalant la colline, sur les traces d'une sorte de boule sombre qui fuyait devant eux.

— Wolverines!

Lâchant sa guitare, Cantor s'élança au secours de son protégé. Wolverines galopait vers le refuge de leur demeure, où il savait que se trouvait son maître, mais sa vélocité de grosse belette était gagnée de vitesse par les bonds gigantesques de ces féroces poursuivants.

Les trois bêtes débouchèrent presque ensemble, dans un nuage de poussière sur la petite place du hameau. Se sentant rejoint, Wolverines brusquement fit face, découvrant ses crocs féroces, prêt à affronter l'assaillant et à lui sauter à la gorge. Un glouton de grande taille peut facilement égorger un orignal, un lynx, un lion des montagnes. Mais il avait affaire à deux adversaires. Tandis que le premier, prudent, retenait son élan, se contentant d'aboyer à pleine gorge, mais à quelque distance, le second arrivant sur sa lancée, bondit sur Wolverines par-derrière et lui planta ses crocs dans l'échine. Wolverines se retourna et lui fendit le ventre d'un coup de griffes. L'autre chien alors s'élança. Mais Cantor arrivait. Il s'interposa, le coutelas haut levé, entre l'animal et son glouton blessé. La gorge tranchée, le colosse retomba.

Tout cela se déroula en quelques secondes dans un flot de poussière, de sang, un bruit infernal d'aboiements, de grognements, de râles, dominés par les cris aigus que poussaient les Filles du roi et leur duègne.

Comme par magie, un cercle se forma aussitôt. Tous les habitants de Tidmagouche, refluant comme par enchantement vers le lieu du drame. Les pêcheurs bretons et leur capitaine, les Indiens qui traînaient, quelques-uns des Acadiens sédentaires, Nicolas Parys, sa suite de concubines et de serviteurs, de coureurs de bois et de hobereaux, les compagnons de ses beuveries. Tous contemplant les chiens qui achevaient d'expirer dans une mare de sang, le glouton lui aussi sanglant continuant à darder ses yeux flamboyants alentour et à menacer ceux qui l'approcheraient de ses dents aiguës. Cantor se tenait debout à ses côtés, son couteau au poing, les yeux aussi étincelants que ceux de l'animal.

Il y eut un silence incertain, puis le propriétaire du lieu, le vieux Parys, s'avança quelque peu en direction de Cantor.

— Vous avez tué mes bêtes, jeune homme, fit-il d'un air mauvais.

— Elles attaquaient la mienne, répliqua Cantor hardiment. Vous avez vous-même prévenu qu'elles étaient dangereuses et qu'il fallait les tenir à la chaîne. Qui les a détachées? Vous ou elle? ajouta-t-il en pointant son couteau sanglant dans la direction d'Ambroisine.

La duchesse se trouvait au premier rang, affichant juste ce qu'il fallait d'expression épouvantée pour une dame bien née contemplant un aussi répugnant spectacle. Malgré sa maîtrise, l'attaque de Cantor la prit de court et elle lui lança un regard de haine implacable. Promptement elle se ressaisissait, retrouvait son expression douce, sereine, un peu puérile qui donnait envie de la protéger.

— Mais que lui prend-il? s'exclama-t-elle d'un ton effrayé. Cet enfant est fou.

— Cessez de me traiter d'enfant, répliqua Cantor en la fixant avec colère. Il n'y a pas d'enfants pour vous. Rien que des mâles pour vos plaisirs... Vous vous croyez habile!... mais je dénoncerai vos turpitudes à la face du monde...

— Oui! Il est fou! cria quelqu'un.

Angélique vint se placer à côté de son fils et lui posa vivement la main sur le bras.

— Calme-toi, Cantor, dit-elle à mi-voix, calme-toi, je t'en prie, ce n'est pas l'heure.

Elle avait l'impression alarmante qu'aucun des êtres présents, au moins parmi les hommes, n'était prêt à entendre de telles accusations contre la duchesse de Maudribourg. Ils en étaient encore au stade de la fascination sans condition, aveugles ou envoûtés. Et, en effet, les paroles de Cantor soulevaient une houle de protestations furieuses.

— Oui... il est fou, le gamin!

— Je vais te faire rentrer tes paroles dans la gorge, morveux, gronda le capitaine du Faouët en s'avançant d'un pas.

— Venez, je vous attends, répliqua Cantor brandissant son long couteau de coureur de bois, vous ne serez qu'une mauvaise bête de plus que j'égorgerai, tout morveux que je sois.

Les pêcheurs bretons indignés de cette réponse faite à leur capitaine grondèrent et s'interposèrent.

— N'y allez pas, capitaine. Il est dangereux, ce jeune-là...

— Et puis méfiez-vous... Il est trop beau pour être un humain... C'est peut-être...

— C'est un archange, lança la voix douce d'Ambroisine.

Et dans le silence haletant, elle acheva.

— Mais un archange qui défend le diable. Regardez!...

Et elle désignait aux pieds de Cantor le glouton toujours en arrêt, découvrant sa mâchoire blanche dans un rictus cruel. Sa fourrure noire hérissée de toutes parts, sa queue dressée en panache, battant l'air, ses yeux dilatés lançant des éclairs fixes et terribles ne pouvaient qu'impressionner les spectateurs.

— N'est-ce pas la face même de Satan? répéta encore Ambroisine en mimant un frisson.

Sur ces esprits superstitieux, de telles paroles prononcées d'une voix féminine, persuasive, à propos d'une bête inconnue et bizarre, qui était comme une incarnation de ces monstres de pierre grimaçants, de ces gargouilles de cathédrales vomissant l'eau des pluies, de cette représentation velue de l'esprit du mal, que les hommes d'Europe étaient accoutumés à contempler, depuis l'enfance, aux façades de leurs églises ou dans les enluminures de leurs missels, de telles paroles concrétisant le sentiment d'effroi mystique qu'ils éprouvaient à la vue de la beauté de Cantor, dressé dans sa colère juvénile parmi des bêtes sanglantes et aussi de la beauté d'Angélique à ses côtés, avec l'Indien emplumé et tatoué derrière elle, sa lance en main prêt à la défendre, inexplicable gardien de ces deux êtres au même regard vert insolite, et ce qu'ils captaient tous, malgré eux, dans leurs cerveaux obscurs et leur intuition primitive de paysans et de pêcheurs, du drame invisible qui se jouait entre les différents antagonistes de cette scène, achevaient de les bouleverser d'un sentiment de transe qui ne pouvait trouver son soulagement que dans un acte de violence.

— Il faut tuer la bête...

— Voyez-la.

— C'est un démon...

— Même les Indiens disent qu'elle est maudite.

— Elle va nous porter malheur.

— Tuons-la!

— Abattons-la!...

Et Angélique eut un instant l'impression que cette foule d'hommes surexcités, armés de couteaux, de bâtons ou de cailloux allaient se jeter d'une poussée irrésistible sur elle et son fils afin de s'emparer du pauvre Wolverines, pour l'achever et le mettre en pièces.

L'attitude résolue de Cantor, la sienne aussi qui porta la main à son pistolet, celle des hommes qui étaient venus avec elle de la Baie Française et se tenaient derrière elle, les frères Defour armés de leurs mousquets, Barssempuy et son sabre d'abordage, le fils aîné de Marcelline sa hache et son casse-tête indien en main, et les deux hommes du *Rochelais* qui s'étaient emparés de solides gourdins, sans compter Piksarett et sa lance, autant d'éléments qui retinrent un instant la fureur hystérique prête à se déchaîner. Et Villedavray intervint.

— Ne nous énervons pas, dit-il en s'avançant avec mesure pour venir se placer au centre du cercle resserré autour d'Angélique et des siens, mes amis, c'est la fin de l'été et vous avez tous la tête près du bonnet, mais ce n'est pas une raison pour vous entre-tuer à propos de deux chiens et d'une belette.

» De plus, vous oubliez que je suis le gouverneur de l'Acadie et que je n'admets aucune rixe sanglante dans les domaines qui relèvent de ma juridiction, mille livres d'amende, la prison et même le gibet, voilà ce qu'encourront, selon la loi, les fauteurs de trouble, si j'en fais mon rapport à Québec.

— Faudrait-il encore que vous puissiez y faire parvenir ce rapport, gouverneur, intervint un solide Acadien, assez jeune, qui se révélait être le gendre de Nicolas Parys, vous avez déjà perdu votre bateau et pas mal du fruit de vos rapines, vous n'allez pas vous risquer à perdre la vie pour une belette comme vous dites. Un glouton, c'est la plus mauvaise bête de la forêt, elle saccage tous les pièges. Même les Indiens disent que les démons l'habitent.

— Ce n'est pas une raison parce qu'elle appartient à ce beau jeune homme et que vous voulez lui complaire... renchérit ironiquement le capitaine du morutier.

Il s'interrompit sous le regard glacé du marquis. L'œil bleu clair de celui-ci allait de l'un à l'autre et avait la dureté de la pierre.

— Prenez garde vous deux! Je peux être méchant!

— Ça oui, il peut l'être, approuva un des frères Defour en faisant un pas en avant. Je m'en porte garant. De toute façon, vous, les Bretons, continua-t-il en dardant un doigt menaçant vers le capitaine et l'équipage du morutier, vous êtes des étrangers ici. Ça ne vous regarde pas *nos* histoires avec notre gouverneur ou avec les bêtes de *nos* forêts, à *nous* autres *Acadiens*. Foutez le camp et laissez-nous régler nos affaires entre nous, ou sinon nous vous chasserons de nos grèves à l'avenir, et alors bernique pour la morue!

» Quant à vous, les Acadiens de la côte est, si vous voulez que ça chauffe, ça chauffera et mieux qu'avec votre saloperie de charbon plein de soufre que vous avez le culot de vendre dix fois plus cher que le nôtre à Tantamare.

— Qu'est-ce que tu insinues avec ton soufre? interrogea le gendre de Nicolas Parys en s'avançant les poings serrés.

— Pax! jeta le marquis de Villedavray s'interposant très autoritaire dans sa redingote prune et son gilet à fleurs, entre les deux colosses. J'ai dit que je ne voulais pas de rixes et j'entends être obéi! Que chacun retourne à ses travaux. L'incident est clos. Quant à vous, Gontran, s'adressa-t-il au gendre de Nicolas Parys qui l'avait insulté, vous pouvez vous apprêter à retourner les poches de vos basques pour la prochaine collecte de taxes impayées.

» Par Dieu, je ne vous oublierai pas... Et vous non plus, Amédée, fit-il, en frappant amicalement sur le bras de Defour. Vous avez été magnifique. Allons, je vois que bon an mal an nous avons appris à nous apprécier. C'est une heureuse surprise, mais il n'y a que l'adversité pour découvrir le fond des cœurs.

Souriant, il regarda avec satisfaction se disperser lentement la foule. Cantor se pencha sur son glouton blessé et des serviteurs vinrent en silence ramasser les cadavres des chiens.

Le marquis de Villedavray avait les paupières humides.

— Le geste d'Amédée m'a beaucoup ému, dit-il à Angélique, vous avez vu quelle fougue et quelle habileté a déployées cette brute épaisse pour me défendre?... Ah! l'Acadie! Je l'adore! Décidément, la vie est belle!

# 12

— Mon pauvre Wolverines, ils t'ont blessé, disait Cantor en soignant les plaies de son favori, ils disent que tu es un démon; mais tu n'es qu'une bête innocente. Ce sont eux les démons, eux, les êtres humains.

Il philosophait, agenouillé devant son glouton qu'il avait installé devant le feu pour le panser. Wolverines avait perdu beaucoup de sang mais ses blessures n'étaient que superficielles et il ne tarderait pas à se remettre. Il écoutait Cantor lui parler en le regardant avec beaucoup d'attention et ses prunelles, lorsqu'il n'était pas habité par la nécessité de se défendre et de faire face à un ennemi qu'il fallait terrifier, avaient de profonds reflets mordorés, une mélancolie et comme l'expression anxieuse d'un être muet qui ne peut s'exprimer mais qui comprend.

— Oui, toi, tu comprends, lui disait Cantor en le caressant, toi, tu sais où se trouvent le mal et la folie. J'aurais mieux fait de te laisser dans la forêt plutôt que de t'amener parmi ces bêtes sauvages, les hommes.

— Dans la forêt aussi il aurait péri, fit remarquer Angélique oppressée par l'amertume qui vibrait dans les paroles de son jeune fils. Souviens-toi quand tu l'as trouvé, il était trop jeune pour survivre... Tu ne pouvais faire autrement que de l'élever. C'est une des propriétés de l'homme de pouvoir corriger les lois intransigeantes de la nature.

— Les lois de la nature sont droites et simples, rétorqua Cantor, docte.

— Mais aussi cruelles dans leurs exigences. Ton glouton le sait, il préfère être avec toi parmi les hommes que d'avoir péri misérablement dans la forêt sans sa mère. Cela se voit dans ses yeux.

Cantor considéra pensivement la grosse bête poilue qui, malgré sa lourdeur apparente, pouvait être si vive et si souple.

— Alors ton destin aura donc été de venir parmi nous partager nos vies? l'interrogea-t-il en regardant Wolverines dans les yeux, dans quel but? Quel sera ton rôle parmi nous? Car un glouton ce n'est pas une bête comme les autres et c'est vrai qu'il est habité par un esprit particulier et c'est pour cela que les Indiens le craignent et le haïssent tant. Les coureurs de bois disent que c'est la bête la plus proche de l'intelligence des humains. On dirait qu'il peut les juger selon leur valeur morale et qu'il saisit d'instinct le fond de leur vraie nature. Un glouton saura reconnaître un homme méchant et lui fera mille noises. Perrot m'a raconté qu'un sale individu s'était réfugié dans la forêt. Un glouton du voisinage, dont il avait tué la femelle, l'a pris en haine. Il est allé jusqu'à lui percer ses seaux, lui démolir toutes ses marmites. Que faire sans un seau, sans une cope, l'hiver dans la forêt quand on ne peut même pas faire fondre un peu de neige sur le feu? L'homme a dû décabaner, regagner avec mille peines les régions habitées. Le glouton ne lui laissait pas un instant de répit. L'homme était comme fou et disait qu'un démon invisible s'était acharné à ses pas.

— Comme c'est intéressant! lança Villedavray. Il faudrait que je ramène un tel animal à Québec. Ce serait très distrayant.

— N'empêche que Piksarett nous a quittés, dit Angélique. Il a donné comme prétexte qu'il devait joindre Uniacké, mais j'ai senti que l'affaire de Wolverines le troublait. Reviendra-t-il?

— Il reviendra s'il n'est pas sot. Ce qu'il y a entre les Indiens et le glouton, c'est une rivalité de bêtes des bois acharnées à survivre. Le glouton démolit les pièges sans se faire prendre parce qu'il sait que le piège est destiné à capturer l'animal et à le tuer. C'est une machine de mort qu'il se doit de détruire et même il rend inutilisable la proie déjà piégée afin de punir l'homme et de le décourager de venir en poser d'autres sur son territoire. Naturellement, cela met les Indiens en rage. Car souvent le glouton est le plus fort et certaines places où il règne doivent être abandonnées. On dit qu'elles sont maudites et qu'un démon les défend...

Deviser ainsi les distrayait de soucis plus tragiques. Or, la nuit amenait une trêve. En se barricadant dans les masures, en recommandant des tours de ronde aux veilleurs, les hommes de Villedavray et ceux d'Angélique se partageant la garde, on pouvait goûter, jusqu'au jour prochain, une relative quiétude. Mais le drame récent de Marie-la-Douce, l'incident de Cantor et du glouton qui avait été sur le point de mal tourner, surexcitaient les nerfs et faisaient fuir le sommeil. On jetait dans l'âtre une bourrée de genêts et l'on préférait bavarder jusqu'à une heure tardive, avant de se séparer pour un court sommeil agité.

A l'occasion, Angélique avait montré au marquis le mouchoir brodé d'un griffon qu'elle avait trouvé dans les bagages de la duchesse et il confirma que c'était bien là les armes des Maudribourg. Il prit dans la poche de son gousset une petite loupe pour examiner la broderie.

— Ce travail a dû être exécuté par une ouvrière flamande. Elle a le même sceau sur la doublure du manteau qu'elle porte, près de l'encolure, la broderie des armes est toute d'or et d'argent. Une merveille d'une finesse arachnéenne.

— Le manteau! s'exclama Angélique. Oui, c'est là, en effet, que j'avais remarqué sans y prendre garde le signe du lion griffu... Mais alors? Elle serait donc revenue à Gouldsboro avec un manteau marqué des armes des Maudribourg... Elle ne peut plus prétendre qu'il lui a été donné par un capitaine inconnu... Cette fois, tout est clair. Ce sont bien des complices qu'elle va rejoindre dans les îles, auxquels elle donne des ordres.

Elle était tout enfiévrée de sa découverte. Elle avait tiré un fil et maintenant tout l'écheveau venait : le navire à la flamme orange rôdant, commençant à brouiller les pistes, puis elle, Ambroisine, survenant d'Europe sur *La Licorne,* quittant le navire avant le naufrage, réapparaissant à Gouldsboro en malheureuse victime, naufragée, dépouillée de tout pour mieux abuser les esprits, endormir les méfiances susceptibles de s'éveiller.

Angélique était aussi certaine qu'il y avait une parenté entre le sceau du lion griffu et la signature apposée sur le billet trouvé dans la casaque du naufrageur mort.

Elle voyait partout des correspondances, des coïncidences flagrantes, des évidences, mais par instants, ce qu'elle voulait établir lui échappait, glissait de sa compréhension comme une goutte de mercure que l'on s'épuise en vain de capter. Rien ne se reliait vraiment. Ce n'était que détails infimes, légers comme fétus de paille que le vent emportait.

Barssempuy et Cantor n'envisageaient rien moins que de mettre le feu partout et de tuer tous ces bandits et leur dangereuse femelle. Angélique et le gouverneur de l'Acadie préconisaient une attitude plus patiente et comme indifférente, qui tromperait leurs ennemis. Chaque jour gagné rapprochait le retour du comte de Peyrac.

— Mais pourquoi ne vient-il pas déjà? répétait Cantor. Pourquoi nous abandonne-t-il ainsi?...

— Il ne sait même pas que nous sommes ici, fit remarquer Angélique. C'est ma faute aussi. Je n'arrive jamais à demeurer à l'endroit où il me croit être. Et je comprends qu'il s'en exaspère parfois. Je m'en corrigerai désormais...

Ce qu'elle vivait, dans le voisinage de cette femme qui prétendait avoir séduit Joffrey, et à découvrir, chaque heure, un aspect plus inquiétant et plus dangereux de son pouvoir et de ses ruses, lui paraissait être l'épreuve la plus insurmontable qu'elle eût jamais à affronter.

Elle en ressentait le contrecoup jusque dans son être physique et si son esprit restait ferme, repoussant le doute et cherchant à garder sa maîtrise, une angoisse incontrôlable s'emparait d'elle parfois, elle avait l'impression que tout son être intérieur fondait, se dissolvait et qu'elle allait s'évanouir dans un spasme de peur, une sorte de panique qui lui criait follement : « Tout est perdu... Tout tout!... Tu ne triompheras pas cette fois... *Elle* est la plus forte... »

D'un effort, elle se remettait, se calmait. Mais tel était son malaise qu'elle en demeurait glacée, couverte de sueur. A plusieurs reprises au cours de la nuit, elle dut se lever pour se rendre aux commodités.

C'était un endroit assez rustique et inconfortable, situé à quelque distance. Angélique aurait préféré avoir à traverser seule l'Atlantique ou des lieues de désert. La nuit brouillée de brumes et de lune invisible semblait chargée de maléfices grimaçants, de pièges, d'horreurs sans nom. L'odeur humide de saumure et de poissons montait de la plage, comme les relents d'une fosse ouverte, putride, l'environnant. Elle craignait d'y trébucher, de s'y engloutir. Où était l'amour dans ce cauchemar? Où étaient la sécurité de la joie, le bonheur d'être?... Les monstres grouillants des enfers étaient sortis des abîmes et rampaient sur le sable vers elle... La Démone tuerait Cantor... Joffrey ne reviendrait plus... Honorine resterait orpheline... nul n'assumerait son destin. Elle serait moins sur la terre qu'un petit chat perdu... Et Florimond? Comment avait-elle pu le laisser partir au fond des forêts inexplorées, vers de tels dangers, sans comprendre qu'il ne pourrait y échapper, que jamais plus elle ne le reverrait...

Une chouette hululait, sur un mode ironique et sinistre.

Tout était perdu, tout... Et la mort venait et la défaite...

## 13

Et c'était le troisième jour de cette attente.

Un dimanche. L'occasion s'offrait de ne pas déclarer forfait, de ne pas laisser se forger une situation intenable; Angélique et les siens, peu nombreux, face à l'hostilité générale, aux soupçons, à la dangereuse peur des foules qu'entretiendrait si habilement Ambroisine, et son charme vénéreux se devaient de ne pas s'isoler, de se garder aussi longtemps que possible.

Sous l'égide de Villedavray, dont l'entregent en une telle affaire était précieux et pouvait se déployer plus qu'à loisir, ils se rendirent tous à la messe, y compris les deux hommes du *Rochelais* qui étaient huguenots, mais savaient s'adapter aux circonstances. Ils en avaient vu d'autres à La Rochelle. S'il fallait, une fois de plus, se trouver dans la nécessité de circonvenir de maudits papistes, on ruserait!

Seul Cantor se récusa. Il craignait, dit-il, s'il laissait derrière lui son glouton blessé, que quelqu'un ne vînt l'achever en leur absence. Angélique lui fit promettre de se tenir coi.

L'office dura deux heures. Toute la population blanche et indienne de l'établissement y assistait pieusement et personne ne parut souffrir du sermon du Récollet qui officiait et qui n'en finissait plus de parler de la nécessité de faire intervenir la Vierge Marie et tous les saints du calendrier breton lorsqu'on est en but aux tracasseries des démons, et particulièrement ceux de l'air qui vous poussent à fuir votre travail, vos obligations terrestres pour vagabonder, sans souci des pièges qu'entraînent de telles négligences, etc.

— L'homélie était un peu longuette, dit Villedavray alors que la foule se dispersait après la dernière génuflexion. Je m'étonne toujours de voir les équipages avaler si dévotieusement les sermons interminables de leurs aumôniers. Mais pour les matelots qu'un prédicateur parle beaucoup des anges, des saints et du diable, qu'il les mêle en fricassée ou en salade, il a toujours bien rempli son office. Tous les marins et surtout les Bretons n'ont que trop tendance à tomber à genoux. Mais voyez, cela les a calmés, on dirait... C'est qu'ils sont inquiets. Il y a un mauvais vent cette saison sur la « grave ». Certains commencent à déserter, un jeune a disparu depuis deux jours. Le capitaine tempête et a chargé l'aumônier de les rappeler à l'ordre. Mais aussi cet homme, pourquoi s'est-il laissé prendre dans les filets de notre chère duchesse?... Elle lui trouble l'esprit et la discipline se relâche. Tant pis pour lui et pour tous ceux qui se laissent prendre dans ses rets. Ne voilà-t-il pas que ce vieux dur à cuire de Parys parle de l'épouser...

— Vous qui êtes versé en toutes sortes de sciences, lui dit Angélique, connaissez-vous celle de lire le caractère de quelqu'un dans l'écriture? Depuis longtemps je voudrais vous soumettre un document qui m'intrigue.

Villedavray reconnut qu'il avait quelques notions de graphologie et, pour tout dire, il était réputé en la matière.

Revenu chez eux et une fois le marquis installé dans son hamac, Angélique lui remit le papier qu'elle avait trouvé dans la poche du naufrageur.

Son expression s'était animée et ce fut avec une sorte d'empressement qu'il se saisit du petit morceau de papier qu'Angélique avait trouvé dans la casaque du naufrageur et qu'elle lui tendait.

Mais dès qu'il y eut jeté les yeux il changea de couleur.

— D'où tenez-vous ce grimoire? demanda-t-il en dardant sur Angélique un regard perçant.

— Je l'ai trouvé dans la poche d'un vêtement, répondit-elle.

— Mais encore?...

— Qu'a donc de si remarquable ce cryptogramme?

— Mais... c'est ce qui se rapproche le plus de l'écriture de Satan!

— Mais a-t-on jamais vu l'écriture de Satan?

— Oh! oui, certes, il existe quelques exemplaires. La plus remarquable, de la source la plus authentique, date du siècle dernier, au moment du procès du Docteur Faust et a été écrite sous la dictée satanique. Tous les experts s'accordent pour y retrouver les caractéristiques de l'Esprit du Mal. En général, Satan signe du nom d'un de ses sept démons principaux. Ainsi, dans le document faustien, il signait Asmodée. Et celui-ci?...

Il examina la signature embrouillée à laquelle Angélique avait trouvé l'allure d'un animal mythique.

— Bélial! murmura-t-il.

— Qui est Bélial?

— L'un des sept principes noirs en question.

C'est un démon qui apparaît en beauté et comme le plus actif agent de Lucifer. Il a pourtant un caractère féroce et dissimulé, mais sa belle apparence, pleine de charmes, en fait presque douter. Il développe la force génésique, érotique, mais aussi destructrice, et porte la réputation d'être le plus pervers des démons de l'enfer. Et aussi l'un des plus puissants car il commande à quatre-vingts légions de démons, soit plus d'un demi-million d'esprits mauvais.

Villedavray hocha la tête pensivement.

— Quatre-vingts légions! nous voilà bien!...

— Vous pensez comme moi que cette écriture pourrait être la *sienne*?...

— Cette écriture ressemble à cette femme...

— Belialith! murmura Angélique.

Ils restèrent silencieux un long moment. Il s'allongea de nouveau sur son hamac et bâilla.

— Pourquoi avez-vous appelé votre bateau *Asmodée*? demanda Angélique.

— Une idée comme cela, qui passait. Asmodée, c'est le surintendant des maisons de jeux de l'Enfer, c'est lui qui tenta Eve au Paradis terrestre, c'est le Serpent!... Il me plaisait. J'aime beaucoup plaisanter avec les démons. Après tout, ce ne sont que de pauvres diables. Et personne ne les plaint... Les théologiens se trompent en les accusant de tous les méfaits. C'est l'esprit du Mal, *plus* l'homme, qui est horrible.

Angélique le regarda sans pouvoir dissimuler son étonnement.

— Vous dites des choses très profondes.

Il rougit légèrement.

— J'ai étudié la théologie et même la démonologie. J'avais un évêque d'oncle qui voulait me léguer ses bénéfices. Un temps, j'ai touché aux sciences sacrées pour lui complaire. Mais vraiment, je n'aime pas me cantonner en un seul domaine et ainsi j'ai renoncé aux substantiels revenus abbatiaux de mon cher oncle. Cependant, j'aime assez discuter de ces choses avec quelques personnes choisies. A Québec, je vous ferai connaître le frère Luc qui tire les tarots mieux que personne et Mme de Castel-Morgeat qui est plus savante qu'une abbesse et aussi la petite Mme d'Airreboust si elle daigne quitter sa retraite de Montréal. Elle est très intéressante. Je l'aime comme une sœur. Elle ne vient que pour moi à Québec. Même pas pour son mari et pourtant il mériterait mieux. C'est un excellent ami à moi. Mais au fait, j'y songe! Vous le connaissez. Il vous a même rendu visite cet hiver dans votre fort de Wapassou...

» Encore un que vous avez retourné cul par-dessus tête... Ainsi que Loménie-Chambord. Et vous allez vous décourager pour quatre-vingts légions d'esprits et un seul démon incarné!... Il est vrai qu'il est assez réussi, mais... Allons, pour vous, Angélique, c'est une vétille!... Pourquoi me regardez-vous de cet air étrange, belle amie?

— Est-ce que nous ne sommes pas en train de devenir fous, tous les deux?... murmura Angélique.

## 14

— Ce que je ne comprends pas, dit Angélique en regardant avec attention le rond visage qui lui parut être devenu bouffi et blafard de Pétronille Damourt assise devant elle près de l'âtre, ce que je ne comprends pas, c'est pourquoi Mme de Maudribourg a pris Marie-la-Douce dans le canot et non pas vous. Certes, elle ne savait pas que *La Licorne* allait faire naufrage, mais si elle vous avait emmenée avec elle vous n'auriez pas eu à traverser cette horrible épreuve.

— Oui, c'est ce que je me répète sans cesse,

s'exclama la gouvernante avec un élan qui faillit renverser la tasse de tisane qu'elle tenait.

Angélique avait réussi à la faire entrer chez elle. Assise sur le banc, en face d'elle, la grosse duègne avait accepté de boire une médecine qu'Angélique lui recommandait pour ses douleurs d'estomac. Elle absorbait bruyamment le liquide. Elle aussi avait changé. Conséquences de trop de baignades éprouvantes, de trop d'émotions et de fatigues pour une femme âgée et d'une nature poussive et casanière, certains signes de sénilité se faisaient jour dans son comportement. Ses mains et ses lèvres tremblaient légèrement. Ses gros yeux pâles avaient un regard fixe. Une sorte de sourire vague les hantait. Elle paraissait sans cesse savourer la satisfaction vaniteuse de partager un secret d'importance. La voyant ainsi dans le vague, Angélique comprit qu'elle ne gagnerait rien à lui poser des questions précises. Risquant le tout pour le tout, elle s'était mise à parler comme si elle était au courant des préoccupations intérieures de la gouvernante et il semblait que ses réflexions trouvaient écho dans le cerveau embrouillé de la pauvre femme.

— Vous avez bien raison de le dire, madame, l'approuvait Pétronille en hochant son bonnet fripé et un peu de travers, ce n'est pas des choses qu'on devrait connaître dans la vie que de se noyer. L'eau était si froide. Ça vous entre par les yeux, les oreilles, la bouche, et voilà que je ne sais pas quand ça va finir. On n'en sortira jamais de ces plages, de ces bateaux. Moi, mon cœur va lâcher.

Elle s'agitait. Angélique lui prit sa tasse des mains.

— Vous auriez dû descendre avec elle dans ce canot, dit-elle d'une voix apaisante, cela vous aurait évité une si dure épreuve. Je m'étonne qu'elle ne vous ait pas demandé de l'accompagner, vous qui lui êtes si chère et dont elle ne peut se passer...

Angélique avançait à pas lents, prudents, revenant sur une scène dont elle sentait que la gouvernante s'était beaucoup tourmentée.

— C'est qu'elle sait que je n'aime pas son frère, dit celle-ci.

Son frère?... Le cœur d'Angélique battit un coup d'avertissement mais elle se retint de poser une question... Sans mot dire, elle passa à son interlocutrice un nouveau bol de tisane. Pétronille Damourt but quelques gorgées mais elle pensait à autre chose.

— J'espérais pourtant bien qu'on en serait débarrassé de cet oiseau-là, en Amérique. Pensez-vous, il l'attendait ici. C'est lui qui avait envoyé cette barque pour la prendre. Pourtant, je lui ai dit et M. Simon, le capitaine, lui disait aussi. « C'est pas prudent. Il fait sombre, la mer n'est pas si bonne. Il y a peut-être de vilains récifs par là, je ne connais pas le coin, lui disait le capitaine, et puisqu'on aperçoit la côte et les lumières, attendez qu'on soit à l'ancre ». Mais, bernique! Allez lui faire entendre raison quand son frère l'appelle.

Elle but encore avec gourmandise.

— Ça fait du bien, soupira-t-elle.

Angélique retenait son souffle, craignant de la distraire par un mot du chapelet de ses pensées confuses.

— C'est pas qu'elle lui obéisse, reprit la grosse femme, elle n'obéit à personne, mais elle a besoin de le voir, on dirait que c'est le seul être au monde avec lequel elle puisse s'entendre, son Zalil. J'ai jamais compris. Y fait peur cet homme avec sa face de carême, ses yeux de poisson froid, et pas plaisant avec ça. Je ne sais pas ce qu'elle lui trouve. D'ailleurs, vous voyez, tout de suite, ça nous a porté malheur qu'il soit dans les parages.

On a fait naufrage et beaucoup de braves gens sont morts.

— Pourquoi son frère l'attendait-il dans la Baie Française?

Le ton interrogatif parut éveiller Pétronille de son monologue inconscient et Angélique comprit qu'elle avait commis une erreur. Le duègne la fixa d'un air soupçonneux.

— Qu'est-ce que je suis en train de vous raconter, moi? Vous me faites dire des sottises!

Elle voulut se lever, mais ne put ébaucher un mouvement. Une terreur soudaine paraissait la clouer sur son siège.

— Elle m'avait interdit de vous parler, balbutia-t-elle. Qu'est-ce que j'ai fait? Qu'est-ce que j'ai fait?

— Elle vous tuera?...

— Non, pas moi, dit la vieille Pétronille avec un sursaut d'orgueil et de ferveur.

Elle avait eu la même réaction que Marie-la-Douce.

— Vous savez donc qu'elle est capable de tuer, glissa Angélique doucement.

Pétronille Damourt se mit à trembler. Angélique la pressa de parler, cherchant à éveiller sa conscience, à lui faire comprendre qu'elle rachèterait sa semi-complicité avec les actions criminelles de sa maîtresse, qu'elle n'avait pu entièrement ignorer au cours de toutes ces années où elle l'avait servie dévotieusement, en les aidant. Ce fut en vain. Elle ne put en tirer un mot de plus, ni lui faire confirmer que le bateau qu'ils avaient aperçu à plusieurs reprises était celui du frère d'Ambroisine, l'homme pâle.

Elle ne savait rien, disait-elle. Rien! Rien! et l'affirmait en claquant des dents. Elle ne savait qu'une chose, c'est que si elle faisait un pas hors de cette maison « ils » la tueraient... et paraissait décidée à rester là jusqu'à la fin des temps.

— Nous voilà bien avec ce gros tonneau accroché à nos basques, dit Cantor quand Angélique le mit ainsi que Villedavray au courant de la situation. Et pourtant on ne peut pas la jeter dehors, elle a peur d'être assassinée.

— Elle n'a peut-être pas tort, glissa Villedavray.

Dans la soirée, la duchesse de Maudribourg fit mander sa duègne. Angélique avertit que la vieille femme ayant eu une indisposition elle la gardait chez elle pour la nuit afin de lui donner des soins. Elle craignait de voir arriver Ambroisine mais celle-ci ne se manifesta pas.

La nuit fut agitée. Pétronille ne sortait de sa prostration que pour gémir et pleurer. De plus, elle souffrait de maux d'entrailles que sa terreur renouvelait. Angélique dut à plusieurs reprises l'accompagner dehors car elle n'aurait pu faire deux pas seule. Elle voyait partout des monstres, des assassins cachés. Enfin Pétronille se souvint qu'elle avait dans son réticule un remède qui lui était de bon secours, en ces malaises. Angélique le lui administra et elles purent enfin se reposer.

Au matin, elle paraissait mieux. Ils tinrent conseil autour de la table où le cuisinier de Villedavray et son aide leur servaient le premier repas. Ils essayèrent de convaincre la pauvre gouvernante de conserver une attitude naturelle et de retourner auprès des Filles du roi. C'était la meilleure façon de ne point attirer les soupçons. Bientôt M. de Peyrac serait là et tout s'arrangerait.

Elle parut reprendre courage. Villedavray la remit tout à fait d'aplomb en lui disant qu'il avait deviné rien qu'à la voir qu'elle était du Dauphiné et ils s'entretinrent de sa province natale.

Afin de n'être pas tributaire de l'hospitalité de Nicolas Parys, Angélique avait organisé de prendre ses repas chez elle avec Villedavray, Cantor, Barssempuy, Defour et le fils de Marcelline.

C'était, malgré tout, des moments de détente

que la verve de Villedavray rendait agréables. Une façon de se serrer les coudes, de ne pas trop se sentir isolés dans cette atmosphère sinistre.

Tout à coup, la duchesse de Maudribourg apparut sur le seuil. Elle était accompagnée de ses chevaliers servants habituels, le vieux Parys, le capitaine du Faouët, propriétaire d'une censive à quelques lieues et qui les parcouraient allègrement chaque jour pour rencontrer la belle duchesse.

Tout ce beau monde revenait apparemment de la messe.

La duchesse était vêtue d'une robe rouge de moire tirant sur le feu. Cela communiquait à sa chevelure sombre des reflets un peu roux. Ainsi, à contre-jour, une sorte d'auréole la parait. Elle entra en disant :

— Je viens prendre de vos nouvelles, Damourt. Que vous est-il arrivé, ma bonne?

La grosse gouvernante devint blême et se mit à trembler de tous ses membres. L'expression de peur qui envahit ses traits bouffis la transforma à tel point qu'on eût dit une hideuse caricature aux yeux exorbités, aux bajoues tremblotantes, à la grosse lèvre pendante d'où tombaient des miettes de gâteau. C'était tellement pénible que même le mondain marquis ne trouva pas un mot ou une boutade pour rompre le silence sidéré.

— Qu'avez-vous donc, Pétronille? interrogea Ambroisine avec une nuance de surprise dans sa voix d'ange, on dirait que je vous fais peur.

— Ne vous ai-je pas toujours bien soignée, madame? chevrota la vieille femme, tandis que sa lèvre déformée ébauchait un sourire pitoyable, vous étiez comme mon enfant, pas vrai?...

Ambroisine jeta sur l'assemblée un regard circulaire atterré.

— Que lui arrive-t-il? On dirait qu'elle n'est pas bien...

— Je vous ai gâtée, pas vrai? continuait la

malheureuse. Je vous ai laissé prendre tous vos plaisirs et même je vous aidais...

— On dirait qu'elle perd la tête, chuchota Ambroisine en regardant Angélique. J'avais remarqué qu'elle était un peu bizarre ces temps-ci. Remettez-vous, ma bonne Pétronille, continua-t-elle à voix plus haute en se rapprochant de la duègne qui parut un gros crapaud fasciné par un serpent, vous êtes un peu fatiguée, n'est-ce pas, mais ce n'est rien... Il faut seulement vous soigner. Avez-vous votre remède qui vous fait du bien habituellement? Ah! le voici...

Avec sollicitude elle avait pris dans le réticule en tapisserie brodée de la gouvernante la fiole contenant les pastilles qu'Angélique lui avait déjà administrées au cours de la nuit précédente, elle en jeta deux dans le bol que Pétronille avait devant elle puis y versait de sa blanche main un peu d'eau et l'élevait vers les lèvres de la malade.

— Buvez, ma pauvre amie. Buvez, cela vous fera du bien. Je suis désolée de vous voir en cet état. Allons, buvez...

— Oui, madame, bredouilla l'autre, vous êtes bien bonne... oui, ça oui, vous avez toujours été bonne pour moi...

Ses mains qui essayaient de tenir le récipient tremblaient tellement que le liquide se renversa sur son corsage. Ambroisine l'aida, encore. Maladroitement, la femme but avec bruit, comme un gros poupon effaré.

— Quel malheur! commenta la duchesse à mi-voix, s'adressant à l'assemblée. Les épreuves qui ne cessent de nous accabler ont fini par lui déranger l'esprit. Elle était trop âgée pour courir de tels risques. J'ai essayé pourtant de la dissuader de me suivre en Amérique. Mais elle ne voulait pas me quitter...

Brusquement, Angélique capta l'expression de Cantor qui était près de son glouton, devant la cheminée. Les yeux de l'adolescent et ceux de la bête fixés sur Ambroisine brillaient de la même flamme d'effroi et de haine implacable.

— Ah! que j'ai mal! gémit Pétronille Damourt, en portant ses deux mains à son estomac. Ah! je vais mourir!

Et des larmes lui jaillirent des yeux, inondant son visage d'une pâleur de suif. Angélique se leva, se décidant à secouer l'apathie étrange qui la clouait sur son escabeau.

— Venez, Pétronille! décida-t-elle, venez, ma pauvre. Je vais vous soutenir jusqu'au retrait.

Elle s'approcha de la duègne et se pencha vers elle pour l'aider à se soulever.

La duchesse glissa à mi-voix.

— Cette vieille femme ne vous répugne pas? Vous êtes décidément... très bonne. Moi je ne pourrais pas. Ah! la déchéance humaine, quelle chose affreuse!...

— Elle va me tuer, gémissait Pétronille Damourt, tandis qu'Angélique la guidait non sans mal sur un chemin malaisé qu'elles avaient déjà parcouru maintes fois depuis la veille, elle va me tuer, comme elle a tué le duc, et l'abbé, et Clara, et Thérèse, et l'abbesse, et le jeune homme qui l'avait vue par la fenêtre, et le valet, c'était un brave gars, j'aurais pas voulu... C'était pas bien ce qu'elle a fait là. Je le lui ai dit. Mais elle a ri... Elle rit toujours de voir mourir... Et maintenant, elle va me tuer à mon tour... Vous l'avez dit, madame, je vais mourir, et elle rira, je vais mourir, je le sens, que Dieu me pardonne mes péchés...

— Restez là, dit Angélique que ce monologue de cauchemar couvrait de « chair de poule » et qui se sentait presque aussi malade que la misérable créature, ne bougez pas de cet endroit, tant que vous ne serez pas remise. (Elle la cala dans le retrait.) Ne revenez que lorsque vous aurez repris votre calme. Je vais essayer de convaincre la duchesse de vous laisser avec nous. Je dirai que vous avez une maladie qui peut se communiquer... Gardez courage, ne montrez pas votre terreur devant elle...

Dans la salle, Ambroisine était toujours là, très séduisante, une reine parmi ses sujets. Villedavray lui disait :

— Le Dauphiné est un beau pays, nous en parlions à l'instant. Connaissez-vous, duchesse?...

Il avait retrouvé son aisance, peut-être même un peu trop. Le sujet du Dauphiné n'était-il pas un sujet brûlant, puisque Ambroisine avait caché d'en être originaire, ayant fait croire à Angélique qu'elle était poitevine afin de mieux lier amitié avec elle.

— C'est un pays de révolte et d'indépendance, expliquait le marquis. Par le fait de plateaux perdus où les populations vivent isolées des vallées pendant aux moins dix mois d'hiver. Les ours, les loups...

Ils devisèrent ainsi à bâtons rompus et Angélique avait l'impression du fait de la présence d'Ambroisine, de sa beauté rayonnante, de sentiments dissimulés de tous qu'ils baignaient dans un climat de comédie sinistre et irréelle.

L'éternelle odeur de marée et de pourriture venue des plages où séchait la morue, où fondaient au soleil les foies entassés sur des caillebotis et suintant leur huile précieuse mais malodorante, accentuait une sensation générale de nausée.

Le temps n'avait plus de dimension.

— La vieille Pétronille ne revient pas, jeta tout à coup le jeune Cantor qui demeurait jusque-là silencieux.

— C'est vrai! il y a plus d'une heure que nous parlons, constata Villedavray en consultant sa monture guillochée d'or et elle n'est pas de retour.

— Je vais aller voir ce qu'elle devient, se précipita Angélique, devançant le mouvement d'Ambroisine.

Mais ils la suivirent mus par un pressentiment, qui s'accentuait alors que s'approchant ils distinguaient déjà, là-bas, l'ébauche d'un attroupement.

Effondrée, à demi coincée dans le réduit étroit, parmi les relents de ses vomissures, la vieille femme était morte. Elle avait la peau grise et comme tachetée de noir.

— C'est affreux! murmura le marquis de Villedavray en portant son mouchoir de dentelle à ses narines.

Angélique, glacée d'horreur, hésitait à comprendre, à croire à un tel forfait.

« Elle l'aurait empoisonnée tout à l'heure devant nous!... A notre table? Quand elle lui a préparé benoîtement son remède. Elle aurait laissé tomber subrepticement du poison dans le breuvage! Elle lui a fait boire la mort sous nos yeux!... »

Elle levait sur Ambroisine un regard effaré, incertain. Et elle voyait luire sur les lèvres de la duchesse dans l'ébauche d'un sourire fugitif, à elle adressé, la délectation du triomphe et l'expression d'un défi satanique.

## 15

— Il faut que père vienne maintenant, dit Cantor d'une voix d'enfant affligé, sinon nous allons tous périr. Qu'est-ce que c'est ce cauchemar? Est-ce que je rêve?...

Sa jeune autorité cassante cédait devant la profondeur de l'abîme entrevu.

— Viens, mon Cantor, dit Angélique en lui tendant les bras.

Il s'assit près d'elle, posant son front sur son épaule.

— Tu vas partir, lui dit-elle, tu vas aller chercher ton père où qu'il soit, tu vas lui dire de se hâter.

— Partir, fit-il, amer, ce n'est pas si simple. Les navires ne viennent que rarement mouiller dans la baie. *Le Rochelais* ne peut être ici avant deux semaines. Avec une coque de noix, je serais capable d'atteindre Terre-Neuve ou d'explorer tout le golfe, mais nous n'avons même pas cela.

Ils étaient réunis devant le feu, les quelques fidèles groupés, autour d'Angélique, de son fils et du marquis de Villedavray, au soir de cette journée où l'on avait déjà porté en terre le corps de la vieille femme décédée le matin même.

Son inhumation n'avait pu attendre. Il semblait que ces chairs flasques, flétries et déjà gonflées du vivant de la duègne, se décomposassent à vue d'œil. Hâtivement, on avait creusé une tombe, marmonné une absoute, rejeté la terre protectrice, planté une croix. Un vent de panique soufflait sur les Filles du roi, livides et muettes, sur les Bretons superstitieux, murmurant que le mauvais sort rôdait, sur les habitants, acadiens et indiens, craignant une épidémie de peste ou de variole...

L'atmosphère d'hostilité et de soupçon régnant contre les nouveaux venus, et surtout depuis la scène avec le glouton, s'accentuait encore.

— Tu vas partir, réitéra Angélique à l'égard de Cantor qu'elle sentait le plus menacé maintenant. Si tu ne peux par mer, tu vas partir par terre, comme tu l'as fait lorsque nous étions à la pointe Maquoît, et essayer de gagner un point de la côte, un port, Shédiac par exemple, où tu pourras t'embarquer.

— Le puis-je encore? dit Cantor, si les complices

d'Ambroisine hantent la forêt je ne passerai pas.

Il faisait allusion à ce qu'avait raconté Piksarett à son retour de la forêt. L'Indien avait remarqué deux voiliers embossés dans une crique voisine et parmi les hommes d'équipage certains visages des naufrageurs entrevus dans la Baie Française. Ces individus, qui commençaient à rôder dans les bois environnants, trafiquaient un peu d'alcool avec les sauvages, n'annonçaient-ils pas les renforts armés de la diabolique duchesse.

Ils se tournèrent vers Piksarett qui était assis devant l'âtre et fumait son calumet.

— Cantor peut-il partir par les bois sans danger?

Il secoua la tête négativement.

— Alors, nous sommes donc encerclés? dit Cantor.

Angélique continua de s'adresser à Piksarett.

— Crois-tu vraiment que ces matelots qui rôdent sont liés avec la femme pleine de démons?...

— L'esprit m'en avertit, répondit Piksarett avec lenteur, mais les certitudes intérieures ne suffisent pas, surtout quand il s'agit des Blancs. J'ai dit à Uniacké : « Prends patience, tu ne peux aller lever la chevelure d'hommes blancs sur ces côtes, sans que ton geste ne paraisse fou, une provocation de guerre... » Il faut qu'ils se révèlent, qu'ils se montrent sous leur vrai jour, que leur noirceur soit connue. Pour l'instant, ils ne font que troquer un peu d'alcool pour débaucher les femmes. Ils fondent la poix sur la plage et radoubent leurs navires comme tous les matelots qui viennent ici l'été. Ce n'est pas assez pour les exterminer. Il faut attendre. Peut-être un jour l'un d'eux joindra-t-il la femme? Peut-être sera-ce elle qui essayera de les rencontrer? Et nous serons avertis, les bois ont des yeux.

— Attendre, répéta Cantor, et nous serons tous morts demain.

Il se dressa dans un élan.

— Je vais la tuer! dit-il farouchement, ces êtres-là, les laisser vivre, c'est un péché. On doit les tuer avant qu'ils ne vous tuent. Je vais la tuer!

— Allons-y, dit Barssempuy en se levant. Je suis avec toi, mon garçon.

Angélique intervint.

— Tenez-vous tranquilles tous deux. Aujourd'hui, sa mort inexplicable aux yeux des témoins entraînerait presque sûrement la nôtre. Il faut tenir jusqu'à ce que la vérité éclate. Alors le châtiment viendra.

— Ta mère a raison, petit, approuva Villedavray. Si nous précipitons les événements, ton père, le comte de Peyrac, risque de ne trouver ici qu'un monceau de cadavres. Les Indiens saouls dans les forêts, des vauriens prêts à tout aux ordres d'une folle possédée, des femmes effrayées, des hommes à bout, tous les événements sont réunis... Les grèves sanglantes, en fin d'été, sur ces côtes maudites, c'est monnaie courante. Et démêler pourquoi, le diable seul le sait.

— Mais je ne peux vous laisser, elle va vous tuer, mère.

— Non, pas moi, riposta Angélique.

Et se souvenant des paroles de Marie-la-Douce et de Pétronille, elle rectifia.

— Pas moi, pas encore. Elle ne me tuera que lorsqu'elle se sentira achevée, anéantie, perdue... Nous avons quelques jours devant nous.

— Pars, toi, petit, insista Villedavray. Toi tu es maintenant le plus en danger parce que tu es vulnérable. Ah! la jeunesse, quel état de grâce ineffable! Comme c'est émouvant un jeune homme en colère contre la vilenie du monde... Il faut essayer de trouver un navire...

Angélique avait dans l'idée de chercher du côté des pêcheurs bretons afin de se procurer un esquif dans lequel Cantor pourrait s'éloigner. Elle entreprit le capitaine Marieun Aldouch dans l'espoir de l'amadouer, lui proposa d'aller donner ses soins à son fils malade, qu'il gardait à bord de son bâtiment dégréé dans la rade. Mais l'homme se montra hostile et soupçonneux et elle n'en put rien tirer.

Lorsque Angélique passait, suivie de Piksarett attaché à ses pas, un murmure ou bien des ricanements la suivaient. Certains crachaient à terre, d'autres se signaient.

Mais, vers le soir du sixième jour, le ciel vint à leur secours sous la forme d'une grosse barque, à la voile carrée, qui entra dans la rade et poussa jusqu'à la rive avant de jeter l'ancre. Les occupants avaient manifestement l'intention de descendre à terre remplir leur tonneau d'eau douce. Les gens de Tidmagouche leur crièrent de s'éloigner, qu'on ne voulait pas d'étrangers ici et qu'on allait leur tirer dessus. Mais le patron du sloop ne se laissa pas faire et Angélique de loin reconnut avec stupeur sa voix de crécelle.

— Faudrait beau voir qu'y ait une côte dans le monde où un frère de la côte pourrait pas débarquer!... Arrière, malappris, ou je vous troue vos cervelles de bigorneaux. J'ai ce qu'il faut pour ça.

Aristide Beaumarchand, un pistolet dans chaque main, montait la plage suivi de Julienne et du négrillon Thimothy, portant tous deux des tonnelets et des dames-jeannes vides.

Angélique s'élança à leur rencontre. Ils ne parurent pas excessivement surpris.

— Contents de vous revoir, m'dame. Le *Sans-Peur* n'est pas encore arrivé?

— Le *Sans-Peur?...*

— Y z'ont de sales gueules dans votre coin, continua Aristide, et ça en sales gueules j'm'y connais.

— Est-ce le hasard qui vous amène par ici tous deux?

— Oui et non. On savait que M. de Peyrac avait

donné rendez-vous au *Sans-Peur* par ici au début de l'automne, et Hyacinthe doit m'y apporter ma provision de tafia.

— Doit-il arriver bientôt? interrogea-t-elle, effrayée à la pensée que Hyacinthe Boulanger pourrait venir s'ajouter à cette assemblée de bandits.

— Savoir. Ça dépend du vent qui soufflera des Caraïbes. Mais puisqu'ils ne sont pas encore au rendez-vous, je m'en vais. Les naturels du pays ne m'ont pas l'air d'aimer les visites.

— Ce sont de francs bandits, prenez garde de ne pas laisser votre barque sans surveillance, lui conseilla Angélique regardant avec inquiétude du côté du rivage où l'attroupement augmentait.

— Pas de danger, ricana Aristide, elle est bien défendue ma patache.

Mr Willoagby trônait à l'avant de la barque et grognait sans aménité en direction de ceux qui cherchaient à l'approcher de trop près.

— On s'est mis en cheville avec le parpaillot du Connecticut, expliqua l'ancien pirate tandis qu'ils remplissaient leurs tonneaux à la source jaillissant de la falaise avant de se perdre dans le sable. On cabote. Il vend sa camelote et moi la mienne. On a fait de bonnes affaires sur tout le pourtour de la Nouvelle-Ecosse, mais par ici, ça ne vaut que dale. C'est le Canada. Les gens ne connaissent rien au rhum. Ils préfèrent leur tord-boyaux d'alcool de grains. On va vivoter en attendant que Hyacinthe s'amène au rendez-vous. Je pensais rester dans le coin mais ça sent trop mauvais et je ne parle pas de leur sacrée saloperie de morue... Vaut mieux pas s'attarder.

— Et M. de Peyrac? s'informa Julienne.

— Je l'attends ici. Il ne peut tarder.

— Ça doit pas être farce pour vous d'être là toute seule, dit Julienne flairant l'insolite, bien qu'elle fût bâtie pour ne s'étonner de rien.

— C'est terrible. Et vraiment, c'est le Ciel qui vous envoie, tous les deux.

— Vous croyez?

Aristide la regarda par en dessous avec soupçon. C'était bien la première fois qu'on leur disait une chose pareille, à lui et à Julienne.

— Oui. Nous nous sommes fait prendre dans un piège dont nous ne pouvons même pas sortir pour aller chercher du secours. Vous allez emmener Cantor.

Elle les mit rapidement au courant. Comment depuis le début de l'été des gens malintentionnés à la solde peut-être de gouvernements qui voulaient les décourager de s'installer dans ce coin d'Amérique cherchaient à leur nuire de toutes les façons et, finalement, s'attaquaient à leurs vies. Il semblait que la duchesse de Maudribourg en était plus ou moins le chef occulte.

Julienne blêmit en apprenant que la « Bienfaitrice » n'était pas loin.

— Alors on ne s'en débarrassera donc jamais de cette garce-là, gémit-elle. Friponne, fille de pute, assassine... elle est tout, celle-là. Y a pas de bon Dieu pour les braves gens!...

— Alors, en somme, dit Ventre-Ouvert, c'était bien pour nous les filles de *La Licorne?...* Quand je vous le disais! On n'a rien pris à personne... Et vous, m'dame, est-ce qu'on vous laisse comme ça? C'est que j'ai des obligations envers vous. Vous m'avez recousu la panse, pas vrai?

— Sauvez Cantor, et envoyez mon mari à mon secours. Vous aurez bien payé vos dettes et racheté les mauvais tours que vous m'avez joués jadis.

L'affaire fut rondement menée.

Afin que personne n'essayât de s'interposer au moment de son départ, Cantor, prévenu par sa mère, dévala la côte, son glouton sur les talons, alors que la barque déjà débordait du rivage.

Aristide retenait la voile, déversant un flot d'injures colorées sur les spectateurs éberlués.

Cantor fendit la foule, entra dans l'eau et, jetant Wolverines dans la barque, s'y hissa à son tour, aidé par Julienne et Elie Kempton.

— A la revoyure, lança la voix grasseyante du pirate, tandis que le sloop et son hétéroclite chargement s'éloignaient dans la brume montante du crépuscule.

Qui songerait à les poursuivre?...

## 16

Sept jours. Marie-la-Douce était morte, Pétronille aussi. Cantor menacé s'était enfui avec son glouton... Les jours paraissaient sans fin, à la fois lents et fiévreux. Le drame surgissait avec l'éclat bref d'un coup de tonnerre et l'on croyait avoir rêvé.

Ambroisine vint du seuil et se dirigea vers le hamac de Villedavray. Celui-ci était absent. A cette heure, il se rendait au fort pour entretenir Nicolas Parys. Il avait déjà ses habitudes auxquelles il tenait mordicus...

La duchesse s'étendit dans le confortable hamac avec un plaisir évident et, les bras sous la nuque, elle glissa vers Angélique un regard ironique.

— Vous vous êtes beaucoup agitée ces jours-ci, ce me semble, dit-elle de sa voix de sirène. Je reconnais que vous m'avez gagnée de vitesse. Le bel archange s'est envolé. Bah! ce n'était que du menu fretin. J'ai d'autres armes pour vous atteindre.

Angélique venait de s'asseoir devant la table où elle avait posé son miroir à pied. De savoir Cantor hors de danger l'apaisait. Il découvrirait bien son père, comme il l'avait trouvé jadis, étant pourtant tout enfant.

Aussi l'intrusion d'Ambroisine ne l'émut pas outre mesure. Elle défit sa chevelure et commença à la brosser lentement.

— Qu'espérez-vous? continua-t-elle de sa voix doucereuse où perçait une ironie apitoyée. Le reconquérir? Votre comte de Peyrac? Mais, ma pauvre chère, vous le connaissez mal et que de choses vous ont échappé quand nous étions encore à Gouldsboro. J'avais presque pitié de vous. Je n'aurais pas voulu que vous soyez dupée à ce point car nous sommes toutes deux de noblesse poitevine et cela crée une entente...

— Ne vous donnez pas tant de mal, interrompit froidement Angélique. Je sais déjà que vous n'êtes pas poitevine. Et quant à votre noblesse, ses quartiers sont minces, fortement entachée de bâtardise.

Son intuition féminine lui avait soufflé les flèches seules capables d'atteindre Ambroisine et elle ne se trompait pas. La duchesse réagit avec vivacité.

— Qu'insinuez-vous là? s'écria-t-elle en se dressant à demi, mes quartiers de noblesse valent les vôtres!

Puis, changeant d'expression subitement ainsi qu'elle le faisait souvent :

— Comment savez-vous cela? Qui vous l'a dit?... Ah! je devine. C'est cette petite putain de Villedavray. Je savais bien qu'il m'avait reconnue. Ses comédies ne m'ont pas leurrée.

— Que vient faire Villedavray là-dedans? répliqua Angélique qui trembla pour le pauvre marquis et se reprocha d'avoir provoqué Ambroisine et éveillé sa dangereuse lucidité. Je vais tout vous avouer. Un jour, vous vous êtes trahie dans votre délire en faisant allusion à votre père, le prêtre. Avoir été engendrée par un ecclésiastique n'est jamais pour nous, catholiques, un certificat de légitimité. Quant à savoir que vous êtes née dans le Dauphiné, c'est Pétronille Damourt qui m'en a fait la confidence.

Elle se permettait ce mensonge. La pauvre gouvernante n'avait plus rien à perdre.

— La vieille punaise, siffla Ambroisine. J'ai bien fait de...

— ... la tuer, acheva Angélique, tout en continuant à passer avec sang-froid sa brosse dans ses cheveux. Certes, étant donné tout ce qu'elle était sur le point de me confier sur votre compte, vous avez agi avec prudence.

Ambroisine resta silencieuse un long moment. Elle respirait avec gêne et ses narines se pinçaient. Entre ses paupières mi-closes, son regard filtrant examinait Angélique avec acuité.

— Je l'ai su tout de suite, dit-elle enfin, dès que je vous ai aperçue, là-bas, sur la plage, près de lui, j'ai su que vous ne seriez pas une adversaire facile. Après, je me suis rassurée. Vous paraissiez tendre et bonne. Les gens tendres et bons n'ont pas de défense. Mais j'ai vite déchanté. Vous êtes coriace, imprévisible... Par quel bout s'y prendre pour vous circonvenir, vous charmer? Je me pose encore la question. En quoi réside le secret de votre charme et de votre séduction? Vous êtes vraiment, je le crois, un être humain sans artifice. Eve devait vous ressembler.

— On me l'a déjà dit. C'est usé!

Les petites dents de la duchesse étincelèrent comme celles d'une louve prête à mordre.

— Mais pourtant le démon a eu raison d'elle, siffla-t-elle.

Et, après une pause :

— Qu'y a-t-il entre le comte de Peyrac et vous, dites-le-moi?

Angélique dirigea son regard vers elle.

— Ce qu'il y a entre lui et moi, les êtres de votre espèce ne peuvent le comprendre.

— Vraiment! Et quelle est donc mon espèce?

— Diabolique!

Ambroisine se mit à rire, d'un rire moqueur mais où éclatait une sorte d'orgueil.

— Mais, c'est vrai, je ne comprends pas, reprit-elle. Je l'avoue. Et pourtant je suis très savante en toutes sortes de sciences. Mais vous m'avez tout de suite posé un mystère... Là, sur la grève... et puis quand je me suis éveillée... malade de ce sommeil horrible... J'avais vu des monstres qui me guettaient... un démon avec des yeux sur les fesses, un autre à bec d'oie... Je connaissais leurs noms... Ils me terrifiaient... Et quand je me suis éveillée vous étiez tous deux à mon chevet... Je sentais que lui brûlait de vous emmener pour vous aimer et que vous étiez impatiente de le suivre, que rien n'existait vraiment pour vous, que les instants qui allaient suivre pour vous, vous seuls, pour vos deux êtres, pour vos deux corps, et que par je ne sais quelle grâce inconnue, vous alliez être heureux *comme au paradis*. Pour moi, la nuit qui venait serait terrifiante et amère, pour vous, elle serait divine... Quelle cruauté dans votre hâte à me quitter! Je n'étais que l'épave rejetée par la mer! Quand vous vous êtes éloignés, j'ai souffert atrocement... Il m'a semblé que mon âme s'arrachait de mon corps. J'ai crié... comme un damné qui sombre en enfer.

— Ce cri! Je m'en souviens! Pourtant, je suis revenue sur mes pas, j'ai interrogé Delphine et Marie-la-Douce qui étaient à la fenêtre et ne paraissaient pas savoir d'où il venait...

Ambroisine sourit de son sourire exécrable et ravissant.

— Que vous figurez-vous? Qu'elles ne savent pas jouer la comédie? Je les ai bien dressées, mes fidèles! Elles mentiraient au roi même pour me complaire. Et alors elles tremblaient de m'avoir déplu. Ne leur avais-je pas donné l'ordre de vous retenir coûte que coûte toute la nuit à mon chevet? *Je ne voulais pas* qu'il vous emmène! Mais elles avaient échoué...

Elle grinça des dents.

— Ah! sans cesse vous déjouiez mes plans. Parfois, vous me faisiez peur, vous paraissiez sur le point de me deviner. J'avais une peine infinie à détourner votre attention. Même le sort semblait être avec vous. Ainsi quand Mme Carrère est entrée et a bu votre café à votre place, on aurait presque dit que vous l'aviez convoquée... Ah! Gouldsboro, murmura-t-elle en secouant la tête, je ne sais pas ce qu'il y a là-bas... Je ne me sentais pas à l'aise. Ce que j'entreprenais ne marchait pas comme d'habitude... Pourquoi? Pourquoi?

Angélique avait suspendu ses mouvements pour l'écouter attentivement.

« C'est l'Amérique, pensa-t-elle, c'est peut-être le Nouveau Monde qui nous a sauvés de ses maléfices. Ici, on est obligé de vivre à nu. On ne daube pas la nature. Et puis par la force des choses, les gens sont dressés à se méfier de tout : des Indiens, de la mer, du vent qui tourne, des pirates qui peuvent surgir. Cela les rendait plus attentifs, moins faciles à piéger dans ce miel empoisonné. »

Ambroisine continuait songeuse, étendue, les bras sous la nuque.

— Je me souviens... Au début.

Et Angélique convint à part elle qu'il y avait dans ce timbre un peu voilé, où défaillait parfois comme une hésitation, un charme difficile à fuir, et qu'on ne pouvait s'empêcher de l'écouter avec fascination... Au début... Je vous voyais passionnée par tant de choses... c'était à la fois un étonnement et un effroi. Je ne savais comment captiver votre attention. Passionnée par cet amour... C'était votre rôle... Passionnée par vos amis... Abigaël... Et même par ce pays... Oui, vous l'aimiez, ce pays... et moi, vous ne me voyiez pas. J'ai appris à haïr la mer... Les oiseaux qui passaient...

Elle marqua un temps d'arrêt, parut réfléchir.

— *Lui!...* J'étais sûre que je vous l'arracherais un jour... Je ne voulais pas savoir ce qu'il y avait entre vous... Mais Abigaël, quelle douleur!...

Elle reprit, parlant les dents serrées, avec une intensité implacable qui faisait tout à coup flamboyer ses yeux agrandis.

— J'ai appris à haïr la mer parce que vous l'aimiez et aussi je haïssais les oiseaux parce que vous les trouviez beaux... et extraordinaire leur vol quand ils passaient par milliers, en nuages qui assombrissaient le ciel... Quand vous aviez le visage levé vers eux j'aurais voulu vous distraire de l'amour que vous leur portiez...

Elle se redressa encore.

— Mais aujourd'hui vous ne les voyez plus, fit-elle d'un ton d'indicible triomphe, vous ne savez même pas que les oies sauvages de l'automne couvrent le ciel en ce moment... Je suis quand même arrivée à cela. *Vous ne voyez plus les oiseaux.*

Elle retomba en arrière. On aurait dit qu'elle était épuisée.

— Ah! Pourquoi aimiez-vous tant de choses, tant de gens et pas moi?... Pas moi, *seulement?*

Elle parut cracher ces derniers mots dans une convulsion de rage où s'exhalait tout son narcissisme exacerbé.

— C'est alors que je me suis juré de vous détruire, vous, *lui, tous deux,* par la trahison, l'avilissement, la mort enfin, et la damnation de vos âmes!...

La passion qui vibrait dans cette horrible déclaration atteignit Angélique comme un coup et longtemps le frisson qui la saisit parut descendre en elle en circonvolutions de plus en plus profondes jusqu'à atteindre une zone de peur nue, abjecte, qui demeurait la seule sensation qu'elle fût capable d'éprouver en cet instant.

« Si elle parle ainsi, se disait-elle comme une

enfant à bout de terreur, c'est qu'elle est sûre de sa victoire. Quels sont ses pouvoirs? De qui les tient-elle? »

Une telle exécration, elle l'avait entendue résonner déjà dans une voix de femme, celle de Mme de Montespan... Mais là, c'était encore pis! La damnation de vos âmes. Une menace pareille, qui pouvait la prononcer sans être pénétrée jusqu'à la moelle d'une haine sans rémission?

A quoi bon lutter! Elle n'échapperait pas à une telle volonté de destruction dirigée contre elle!

Elle craignait que ses doigts sur la poignée de la brosse et du peigne ne se missent à trembler. Elle craignait surtout que dans un réflexe de défense et d'horreur elle ne se rue sur la criminelle pour la mettre hors d'état de nuire en la tuant. Elle l'aurait fait pour une bête sauvage l'attaquant. « Mais prends garde, l'adjurait une voix intérieure, de tels actes, si justifiés soient-ils, te coûteront trop cher, et à lui surtout, et à tes enfants. Que fait-on devant une bête sauvage quand on est sans armes? On garde son sang-froid. Souviens-toi! C'est la seule chance... S'il y en a une! »

Lentement elle recommença à passer sa brosse dans ses cheveux. Puis elle les secoua sur ses épaules. Ambroisine se taisait et l'observait. La nuit venait.

Angélique se leva pour prendre un bougeoir d'étain sur le rebord de la cheminée, le posa près du miroir sur la table et alluma la chandelle. Le miroir lui envoya son image, une face pâle noyée à demi dans une pénombre sous-marine. Mais elle fut étonnée de trouver à ses traits tirés une expression de jeunesse inattendue. Toujours ç'avait été ainsi. L'anxiété, l'angoisse donnaient à ses traits une expression juvénile. Ambroisine reprit :

— Abigaël et ses enfants, vos préférés, ces

Indiens puants que vous faisiez rire, les blessés qui vous attendaient comme leur mère, et votre chat, et l'ours. J'ai été jalouse de l'ours et j'ai même été jalouse de la vieille Miss Pidgeon lorsque vous êtes allée la consoler après la mort de ce gros imbécile de Patridge.

— Celui-là aussi vous l'avez tué?

— Moi? Que dites-vous?

La duchesse ouvrait de grands yeux innocents.

— Ne vous souvenez-vous pas qu'il s'est battu en combat singulier avec Louis-Paul de Vernon?

— Le jésuite vous avait démasquée. Il fallait qu'il meure. Mais comment y arriver sans trop attirer de soupçons? Un jésuite ne se laisse pas tuer comme ça. Alors, vous-même ou quelqu'un des vôtres avez fait courir le bruit chez les Anglais qu'on allait les emmener captifs au Canada. Vous saviez qu'il n'en faudrait pas plus pour rendre le pasteur dangereux comme un sanglier.

Ambroisine parut enchantée.

— Habile, n'est-ce pas?

Le besoin qu'Angélique éprouvait d'étrangler Ambroisine, au moins de la frapper, lui donnait la nausée.

Elle restait impassible, devinant que si elle se laissait aller, elle risquait de dépasser les limites de la prudence.

Ambroisine parut se lasser de ne pouvoir la jeter hors de ses gonds. Elle se leva du hamac et s'approcha d'Angélique qui surveillait ses mouvements. La jeune femme lui faisait l'impression maintenant d'une bête venimeuse et la seule perception de son parfum la comblait de malaise. Ambroisine semblait s'amuser de la voir pâlir.

Pour se donner une contenance, elle ouvrit son sac et y rangea ses accessoires. Ambroisine, machinalement, regarda à l'intérieur du sac et jeta une exclamation.

— Qu'est-ce cela?

Elle venait d'apercevoir la matraque de plomb qu'Angélique avait prise des mains de l'homme que Piksarett avait tué sur la grève de Saragouche.

— Comment possédez-vous un tel objet? interrogea la duchesse en dardant sur Angélique un regard cruel, exorbité.

— C'est un franc-mitou de Paris qui me l'a donné jadis.

— Ce n'est pas vrai!

— Et pourquoi ne serait-ce pas vrai?

Les yeux d'Angélique flamboyèrent.

— Qu'avez-vous donc à faire avec cette arme de naufrageur, madame de Maudribourg? En quoi cela peut-il vous intéresser? Comment pouvez-vous savoir que je ne peux tenir cette arme que d'un des bandits qui achèvent les naufragés dans la Baie Française, cette saison? C'est vous, n'est-ce pas, qui ordonnez leurs crimes? C'est vous leur chef mystérieux?... Belialith!...

Elle attrapa Ambroisine par les poignets.

— Je vous démasquerai, fit-elle les dents serrées. Je vous ferai arrêter, emprisonner... on vous traînera en place de Grève!... Je vous dénoncerai à l'Inquisition, je vous ferai brûler comme sorcière!

Les colères d'Angélique avaient toujours déconcerté ses adversaires. Elles naissaient à l'instant même où ils étaient dupés par sa distinction de grande dame qui ne peut se laisser aller aux débordements vulgaires du peuple, par la révélation qu'elle leur avait donnée, de la vulnérabilité de son cœur.

— Mais... vous êtes effrayante, gémit-elle. Comment pouvez-*vous* être aussi méchante?... Aïe! Aïe! lâchez-moi, vous me faites mal.

Angélique la lâcha si brusquement qu'elle tituba en arrière et alla s'effondrer à demi sur le hamac.

Elle resta là assise à frotter ses poignets meurtris.

— Vous m'avez enfoncé mes bracelets dans la chair, gémit-elle d'une voix pleurarde.

— Je voudrais vous enfoncer un couteau dans le cœur, riposta Angélique farouche, mais cela viendra un jour! Vous ne perdez rien pour attendre.

A nouveau, Ambroisine la regarda avec étonnement. Puis, se renversant en arrière sur le hamac, elle se mit à se rouler en tous sens, en se tordant les bras et en poussant des cris inarticulés, des mots sans suite qui peu à peu devinrent intelligibles.

— Oh! Satan, oh! mon maître, gémissait-elle, pourquoi m'as-tu obligée de m'attaquer à elle? Elle est d'une cruauté inouïe... Je n'en puis plus. Pourquoi elle?... Pourquoi m'a-t-il forcée à m'attaquer à elle? Pourquoi est-il venu me relancer avec son œil bleu qui transperce comme un saphir?... Pourquoi permets-tu que de tels êtres existent sur la terre, toi facilement ému de la vilenie d'autrui? Trompé même par la perfection de sa beauté, une telle beauté s'associant souvent dans l'esprit des gens avec l'idée de sottise et endormi à son insu par son apparent détachement qu'on prend pour un aveu de défaite, par ses passes d'armes verbales dans un style mondain, dont on ne discerne plus les pièges, ses ennemis les plus roués, les plus cruels pouvaient se croire maîtres de la situation et de la sensibilité d'une femme à laquelle ils avaient assené tous les coups!

La colère d'Angélique c'était la tempête qui surgit en quelques secondes d'un horizon pur, avant qu'on ait eu le temps d'abattre les voiles, la lame de fond imprévue et sournoise qui retourne la barque.

L'intensité des sentiments qu'elle exprimait avait une telle force qu'il semblait que le destin lui-même parlât par sa bouche.

A l'instant où, penchée sur la duchesse, elle prononçait ces paroles terribles, la flamme du bûcher de l'Inquisition parut s'élever entre elles géante, craquant, ronflant, consumant avec des convulsions cruelles, le corps de chair de la Démone, et Ambroisine elle-même ne put échapper à cette évocation.

— Qui est le maître de l'Univers... « Il » est plus fort que toi!... Quand l'abattras-tu enfin! Il t'a échappé déjà une fois... Oh! ma belle enfance! Lui et son œil bleu et ses mains pleines de sang!... Lui et Zalil ruisselants de sang humain. Nous étions tous entre tes mains, Satan! Mais il t'a fui... Et maintenant « il » me terrorise... Il m'a livrée à cette créature épouvantable... Elle! Elle! Angélique! Elle s'appelle Angélique! Prends pitié! prends pitié!

Elle poussa encore un gémissement désespéré, puis se détendit et resta immobile, raidie dans un état de semi-catalepsie. Angélique avait assisté à ce délire avec un effroi mêlé d'accablement. Cette femme était mauvaise, démoniaque et, par-dessus le marché, folle à lier. Comment sortir de là?

Quand le silence retomba, elle demeura sans force debout près de la table, écoutant le souffle du vent autour de la masure. Par moments, on percevait les murmures des hommes, errant de la plage au hameau, et l'appel d'une conque, très lointaine, qui ressemblait, nostalgique, au cri des loups-marins.

Limbes sinistres pour les êtres ayant démérité de Dieu, purgatoire où les âmes abandonnées se devaient d'être en but aux esprits du mal et aux tourments afin de mieux apprécier le prix du Bien, le jour où il leur serait donné de revoir la lumière...

Villedavray grattant à l'huis et pénétrant chez elle, avec son aimable sourire, ses talons rouges, son gilet à fleurs et sa redingote prune, lui parut l'être le plus incongru qu'on pût rencontrer en ces lieux maudits.

Aussi bien le sourire du marquis s'effaça comme par enchantement lorsqu'il aperçut Ambroisine étendue dans son hamac.

— Elle a pris mon hamac!

Il avait l'air marri d'un enfant gâté dont on a accaparé le jouet préféré. Très mécontent, il alla s'asseoir sur un des bancs de rondins, près de la cheminée.

Elle lui fit part à mi-voix de son dernier entretien avec la duchesse et les menaces dont elle avait été l'objet. Il fut hors de lui.

— Cette fois, elle dépasse les bornes! Tant pis! J'use de mon autorité de gouverneur pour la faire arrêter et la faire garder à vue.

Puis comprenant l'utopie de cette déclaration, il hocha la tête.

— Rien à faire, hélas! Nous sommes coincés. Elle nous a gagnés de vitesse et voilà elle se déchaîne, nous voyant, petit noyau d'indésirables de plus en plus à sa merci.

Il baissa encore la voix.

— La place est pleine d'hommes suspects. J'en ai fait la réflexion à Nicolas Parys, les Bretons feraient mieux de s'occuper de leur morue plutôt que de traîner partout armés jusqu'aux dents. Que signifie? Il a répliqué : « Il ne s'agit pas des hommes de morutier, de Marieun Aldouch... »

« Alors qui sont ces quidams de mauvaises façons qui viennent faire leurs feux chez vous sans s'annoncer? » ai-je demandé. Il a paru assez ennuyé. « Ils viennent, je crois, de deux navires qui mouillent au sud, de l'autre côté du cap... »

— J'ai compris. Notre duchesse fait entrer ses complices dans la place.

Il cligna de l'œil.

— Les quatre-vingts légions, chuchota-t-il. (Puis se ressaisissant.) Tant pis, nous lutterons. Notre salut réside désormais dans notre sang-froid, notre vigilance, et l'intervention rapide de M. de Peyrac. Il nous faut durer jusque-là. N'empêche, quand nous serons sortis de ce guêpier, je me plaindrai à Québec et même j'irai plus haut : j'écrirai à

Paris. C'est leur manie, là-bas, de prendre les colonies pour un dépotoire, d'y expédier les indésirables, les fous et les folles trop haut placés pour qu'on les enchaîne à Bicêtre, comme le « pauvre Jacques (1) ». Vous croyez, ma chère, que c'est une malchance que de s'en aller jusqu'au bout du monde pour y rencontrer, batifolant en liberté, une duchesse possédée du diable, mais vous vous trompez! C'est une fatalité calculée et soigneusement entretenue par nos fonctionnaires royaux. Le bout du monde, c'est là qu'on les rencontre, ces femmes folles dont même les couvents ne veulent plus, ni la Cour, ni les exorciseurs, ni personne dans un état décent. Tant pis pour ceux qui en héritent aux antipodes. Ils n'avaient qu'à rester chez eux. Quand je pense à tous les ennuis que je dois à cette Messaline. Mon *Asmodée* au fond de l'eau, les réjouissances de mon anniversaire interrompues alors que la fête battait son plein, et vous n'avez même pas vu Marcelline ouvrir des clams. C'est navrant! En somme c'est une saison ratée. Et par la faute de qui? De fonctionnaires plus aveugles que des taupes, qui, là-bas, à Paris, leur plume d'oie sur l'oreille, décrètent du peuplement des colonies. Mais, ça ne se passera pas comme ça! Je vais écrire à M. Colbert lui-même. Je le connais; vous aussi, je crois. C'est un homme très assidu, très capable, mais il est trop occupé et puis, que voulez-vous, tous ces grands bourgeois que le roi favorise, il y a des nuances qui leur échappent. Ils besognent comme des rats, s'imaginent qu'on fait tourner le monde avec un « rôle » bien dressé sur le papier, qu'il suffit d'aligner des écus pour que l'être humain tienne en équilibre... Enfin, que voulez-vous, le monde change. Nous n'y pouvons rien!...

— Ne parlez pas si fort. Elle va nous entendre.

(1) Expression désignant l'homme du peuple.

— Non! Elle est en état de catalepsie, complètement inconsciente. Une façon lâche de fuir la fatigue, de vivre et de faire face aux conséquences de ses actes.

Il prit sa tabatière dans une des poches de ses basques et prisa. Ses éternuements bruyants n'ébranlèrent pas le sommeil de pierre d'Ambroisine.

— Folie, possession, incarnation diabolique!...

Il ne se prononçait pas.

— Ce soir, il semble qu'elle a joué les aveux, la défaite, la peur que vous lui inspirez pour vous attendrir, mais ne vous y laissez pas prendre. Avec ces êtres-là, rien n'est dit, jamais.

Puis, à haute voix et sur un autre ton :

— Ne restez donc pas plantée là comme un cierge, Angélique. Il fait frais ce soir. Venez vous asseoir près du feu et racontez-moi exactement ce que vous avez bien pu trafiquer avec M. Colbert dans le temps! Après tout, nous sommes des alliés, non!

La duchesse de Maudribourg, émergeant peu à peu de l'espèce de sommeil léthargique qui l'avait terrassée, les trouva devisant paisiblement devant l'âtre des cours du cacao sur le marché mondial.

— Désirez-vous que je vous raccompagne chez vous, chère amie? s'empressa le galant marquis, la voyant se lever.

Mais Ambroisine, lui jetant un regard noir, se dirigea vers la porte, et sortit.

## 17

Démonologie, possession, folie!...

Hantée par ces mots, elle s'éveillait de son

sommeil fiévreux et pendant quelques instants tout semblait calme.

Une nuit, sur le golfe, des hommes endormis qui ronflaient, un Indien accroupi près des braises, rongeant à petits coups de ses dents de belette une poire de graisse d'orignal, la lune voguant derrière le brouillard translucide.

Ses craintes, ses soupçons, tout semblait fou. Péniblement, il lui fallait se rappeler qu'en quelques jours deux femmes étaient mortes et que pesaient sur eux des menaces latentes, nées des fantasmes homicides d'un être en folie.

Du fond de la nuit, quelque chose grinçait, rythmé et taraudant. Les tambours des Indiens et leurs flûtes stridentes. « Ils commencent à se saouler », avait dit Villedavray. Dans les forêts qui les cernaient allaient se déchaîner des peuples en délire, abîmés dans la magie de l'alcool, l'eau-de-feu, la limpide, la brûlante, la corrosive source des songes qui reliait aux dieux invisibles.

Par-derrière eux : ces bois dangereux, par-devant : la mer saumâtre à l'horizon clos de brouillards, d'où il semblait qu'aucun recours ne pourrait jamais surgir.

Pourtant elle leur avait amené, la mer, l'arche de Noé d'Aristide. Il semblait que les démons trompés, laissant passer ces grimaçants spécimens d'humanité, avaient pris pour les leurs ces êtres de nulle part, voguant à la crête des vagues sous le signe de la Quincaille et du Rhum frelaté, le Négrillon, l'Ours, la Prostituée, le Colporteur, le Vaurien...

Masques de farce antiques, ils étaient venus s'immiscer dans cette tragédie trop bien réglée, sans qu'on pût savoir de quelles coulisses ils sortaient et c'était peut-être le signe que la Démone commençait à faiblir devant la faconde des humains et leur incroyable désordre à vivre, brouillant tout à coup, sans scrupule, les cartes du jeu si savamment distribuées. Cantor s'était échappé, Cantor trouverait son père, comme il l'avait trouvé jadis...

Les cris d'Ambroisine, au cours de sa crise feinte ou réelle, avaient trahi une inquiétude, un égarement. Certaines images perdaient leur force contondante, se dégonflaient comme baudruche sous le coup d'épingle d'une naïve réalité terrestre. Angélique se débattant dans un demi-rêve voyait un œil de saphir s'implanter dans le front d'Ambroisine, chevauchant l'animal mythique, la Licorne blanche et cruelle qui vit au fond des forêts.

## 18

La licorne à la pointe torsadée essayait de pénétrer dans la maison. Elle se heurtait au chambrale et les rayons du soleil faisaient étinceler son échine d'or pur.

Enfin, elle réussit à s'introduire dans la cabane d'Angélique et derrière elle surgit la hure puissamment laide du capitaine Job Simon.

Il déploya son long corps dégingandé et l'étoupe de sa chevelure grise toucha presque les poutres du plafond.

— Je vous la confie, madame, dit-il de sa grosse voix. Je m'en vais, mais je ne peux pas l'emmener.

— Mais je ne veux pas de cette bête-là chez moi, s'écria Angélique.

— Pourquoi? Elle n'est pas méchante.

Il posa sa main sur l'encolure de la licorne en bois doré.

— Et elle est belle! murmura-t-il avec amour.

Angélique remarqua qu'il avait son sac de marin passé en bandoulière sur l'épaule.

— Vous partez?

— Oui, je pars.

Son visage était ravagé, mangé de barbe grisâtre. Il détourna les yeux.

— L'autre jour, la petite. Avant-hier, Pétronille... C'était une bonne femme. On s'entendait bien. Je peux plus voir ça, je m'en vais! Assez! Je m'en vais avec le mousse, c'est tout ce qu'y me reste...

— Vous ne passerez pas, dit Angélique, à mi-voix. « Ils » sont dans les bois, « ils » sont même ici maintenant...

Job Simon ne demanda pas de qui elle parlait.

— Si... moi, je passerai... Seulement, elle, ma licorne... je vous la confie, à vous, madame. Je reviendrai la chercher quand je pourrai...

— Vous ne reviendrez pas, répéta Angélique. Elle ne vous laissera pas échapper, elle jettera ses hommes à vos trousses, vous savez bien, ces mêmes hommes qui ont fait échouer votre navire et ont massacré votre équipage.

Le vieux Simon la fixa d'un air effrayé mais ne souffla mot. Lourdement il se dirigea vers la porte où l'attendait le mousse à la cuiller de bois.

— Un mot, capitaine... avant que vous emportiez votre secret dans la tombe, l'arrêta Angélique. Vous avez toujours su que vous n'étiez pas sous Québec, vous, navigateur de métier. N'est-ce pas? Que c'était à Gouldsboro dans la Baie Française que vous deviez aller. Comment avez-vous pu ainsi laisser ternir votre réputation de pilote, et même vous taire après ce qui est arrivé?

— Elle m'avait payé pour ça, répliqua-t-il.

— Comment vous payait-elle?

A nouveau, il regarda Angélique avec crainte. Sa lèvre trembla et elle crut qu'il allait parler. Mais il se reprit. Et la tête basse, il s'éloigna, suivi de son mousse.

Peu après, Angélique, assise, fatiguée, en tête à tête avec la licorne, vit arriver le marquis de Villedavray. Très excité, il ferma la porte, mit le loquet, alla vérifier que la fenêtre était bien close et que personne ne pouvait surprendre ce qu'il avait à confier.

— Je sais *tout*, déclara-t-il d'un air ravi, mais alors, là, ce qui s'appelle *tout*.

Dans sa jubilation il ne pensa pas à s'asseoir et parla, marchant de long en large.

— Le vieux Job Simon est venu se confesser à moi. Il m'a dit qu'il vous aurait volontiers tout avoué, mais qu'il avait trop honte, à vous une dame, n'est-ce pas? « Mais ce n'est pas une raison parce qu'on s'est conduit comme un c... pour continuer à l'être jusqu'au bout. » Ce sont ses propres paroles. Je transmets. En bref il m'a dit *tout* ce qu'il savait, lui, et en raboutant cela avec les renseignements de M. Paturel et les soupçons que nous avons conçus sur les accointances de la duchesse de Maudribourg avec ces navires de naufrageurs, l'affaire se tient et même est claire. Comme je m'en doutais, tout semble être sorti d'un de ces antres malodorants où grattent de la plume les fonctionnaires royaux parisiens. Job Simon en quête de chargement, de fret, de commanditaire pour son vaisseau, s'est trouvé « embringué » dans le complot qui déjà se montait là-bas l'an dernier pour essayer de faire échouer les tentatives de colonisations indépendantes de M. de Peyrac, votre mari, sur les côtes que nous considérons — à juste titre soit dit en passant, chère Angélique et sans acrimonie aucune — comme appartenant de droit à la France... Oui, oui, je sais, le traité de Bréda!... C'est un détail. Passons, je ne veux pas entrer dans les détails. Donc, s'agissant de décourager un intrus à s'installer sur la Baie Française, on — là aussi il faudrait déterminer qui : disons : les Pouvoirs —, a décidé de monter une action conjuguée afin de bouter hors du territoire de Gouldsboro les gêneurs qui s'annonçaient un peu trop entreprenants, un peu trop sûrs d'eux, un peu trop riches, un peu trop hors du commun, un peu trop... tout, ma foi. Dangereux, pour conclure : votre époux et sa recrue.

» Alors on accorde des lettres royales et des lettres de courses au navigateur Barbe d'Or, lui aussi en quête de terrains à peupler, à charge pour lui de conquérir l'endroit qu'on lui indique, qu'on lui vend même, et d'en chasser l'hérétique qui s'y est indûment installé. C'est ainsi, je suppose, qu'un homme de Colin, l'accompagnant à Paris, ce Lopez dont vous m'avez parlé, aurait, faisant antichambre à Versailles, échangé quelques mots avec Job Simon, lui aussi convoqué. Job Simon se souvient vaguement de lui. Ils auraient découvert tous deux qu'ils étaient sur la même affaire, chargés de déloger un certain Peyrac de la côte du Maine. Ce qui expliquerait la phrase de Lopez : « Quand tu verras le grand capitaine à la tache violette, tu sauras que tes ennemis ne sont pas loin. »

» Ceci pour l'action, pourrais-je dire, extérieure, guerrière. Barbe d'Or peut conquérir les terres de Gouldsboro mais il peut échouer aussi... ce qui d'ailleurs est arrivé, les quelques misérables hérétiques qu'on lui avait annoncés s'étant rélévés vos durs à cuire de Huguenots de La Rochelle.

» On redoute aussi que même si Gouldsboro tombe entre ses mains, cela ne suffise pas à abattre l'homme qui possède déjà de nombreux postes, des mines, une grande influence dans le pays. Alors c'est là qu'entre en jeu une subtile machination qui me fait vaguement soupçonner d'où est venue la plus violente volonté de rejet contre le comte de Peyrac. Oui, ma foi, médita Villedavray songeur, une si habile combinaison que j'en frémis de crainte et d'admiration — j'adore les combinaisons intellectuelles, l'habileté d'un cerveau pouvant manier les êtres comme des pions sur un échiquier, les faire mouvoir à distance par la seule connaissance spontanée de leur moi le plus intime. On décide, écoutez-moi bien, non seulement d'essayer de briser la force matérielle naissante du comte de Peyrac, mais aussi d'abattre *sa force morale*. Un homme découragé, ayant perdu le sens de ce qui faisait mouvoir sa volonté agissante, ne s'attache pas à un simple coin de terre lui rappelant d'amers souvenirs. Pour le moins, il s'en va; pour le mieux, il se suicide, il se laisse mourir, de toute façon, on en est débarrassé! Et de cette partie psychologique, il semble que ce soit notre duchesse diabolique qui en a été particulièrement chargée. Ah! quelle habileté! c'est confondant. Evidemment, ce n'est pas Job Simon qui m'a expliqué ces subtilités. J'extrapole à partir de ses confidences et de ce qu'il a cru comprendre, le pauvre gars! Lui n'était qu'un naïf à gruger pour bâtir l'apparence inoffensive de l'arrivée de la séductrice sur les lieux de son action. Une « bienfaitrice » riche, pieuse, exaltée, menant à Québec des demoiselles à marier, naufrageant sur les côtes du Maine, prenant dans ses filets le seigneur des lieux... Voici bien une histoire digne de son imagination avide et retorse.... La seule difficulté : amener Job Simon à en passer par tous ses caprices et à se taire... Un Breton n'est pas facile à convaincre. Mais notre belle a ses armes et nous connaissons lesquelles. Voici, pour *La Licorne!* Tout au moins pour le rôle qu'elle est amenée à jouer dans ce complot...

— Asseyez-vous, Etienne, je vous en prie, vous me donnez le vertige, l'interrompt Angélique, et rouvrez la porte. On étouffe ici.

Villedavray alla rouvrir la porte.

— C'est passionnant, n'est-ce pas? murmura-t-il. Avez-vous quelque chose à boire?

Angélique lui désigna une cruche d'eau sur la table. Il se désaltéra, tamponna délicatement ses lèvres. Il réfléchissait avec intensité.

— Je présume, reprit-il, que la duchesse de Maudribourg a été investie de cette délicate mission peut-être parce que c'était l'occasion de l'expédier au loin, mais aussi parce qu'elle avait une grande fortune, de quoi payer grassement toute complicité, et cela est important.

Angélique se décida à lui parler de cette lettre du père de Vernon qui révélait une sorte de collusion entre le père d'Orgeval et Mme de Maudribourg.

— Alors tout s'explique et prend assise. Si elle est sa pénitente, il a dû l'envoyer ici pour faire pénitence. A-t-il été vraiment conscient de sa virulence et des ravages qu'elle pourrait causer? Ou avouera-t-il avoir été dépassé dans ses prévisions? Manier les démons, comme on manie les serpents dangereux, n'est pas un art des plus faciles.

» Ce que je trouve surtout inadmissible, c'est que tous ces messieurs en soutane se soient mêlés des affaires de l'Acadie sans même m'en aviser. On se partage à l'avance le gâteau, on s'installe, on décrète, on nous envoie des démons noirs ou blancs, et moi qu'ai-je à faire là-dedans! C'est d'une insolence... Sans parler des bandits de grand chemin dont la tête est mise à prix et qui viennent empoisonner nos côtes. Il y a de tout dans cette affaire. Des honnêtes gens, des pirates quelque peu suspects, mais d'envergure comme Barbe d'Or, de francs malfaiteurs, et, comme nous le savons, des messagers de l'Enfer.

» Récapitulons : Barbe d'Or part le premier. Après avoir hiverné aux Caraïbes où il bricole avec les Espagnols, il cingle, aux premiers jours du printemps, vers Gouldsboro, attaque, échoue. Il se retire. Mais il est bien décidé de venir à bout du comte de Peyrac. A l'occasion, il capture le chef de ses mercenaires, Kurt Ritz. Et puis ensuite ce sera vous, quand le hasard vous amènera dans la baie de Canso. Car, entre-temps, vous êtes entrée en jeu. Au début, il n'y avait que lui, Peyrac, gentilhomme d'aventure, s'accordant maîtrise à son gré sur terre et sur mer. Et puis, soudain, il y a une femme à ses côtés, une femme qui, comme lui, subjugue, fascine, ajoute la force de sa présence à celle déjà peu commune dont il fait preuve. Alors, c'est trop! Souvenez-vous : abattre sa force morale. On va s'attaquer à ce point sensible. Le navire ou les navires des complices d'Ambroisine sont arrivés à l'entrée de la Baie Française. A Houssnock, ils cherchent à vous faire tomber entre les mains des Canadiens. Vous, morte ou captive à Québec, combien M. de Peyrac deviendrait vulnérable pour recevoir des Français ses conditions de reddition. Mais vous leur échappez. Le hasard vous amène sur le navire de Barbe d'Or. Le père de Vernon vient vous y reprendre. Revenant de New York, il a été averti au passage d'avoir à s'assurer de votre personne. Par qui? Initiative des complices d'Ambroisine ou de celui, je gage, qui tire les ficelles de toute cette histoire. Devant le jésuite, Barbe d'Or s'incline. Vous êtes désormais entre les mains de ceux qui veulent amener M. de Peyrac à déclarer forfait. Mais là encore tout ne va pas marcher « comme d'habitude », ainsi que s'en plaindrait notre charmante duchesse. Le père de Vernon, qui sait que vous êtes un pion d'importance dans la partie qui se joue, mais ne voit pas d'urgentes raisons de vous faire périr ou de porter atteinte à votre liberté, vous laisse retourner à Gouldsboro saine et sauve.

» A partir de là, j'avoue que je m'embrouille un peu. Il semblerait que les hommes du navire inconnu sont intervenus pour utiliser Barbe d'Or comme pomme de discorde entre votre mari et vous afin d'amener tout votre monde à s'entretuer... Qu'est-ce qui s'est passé au juste, Angélique, mon amie? Racontez-moi cela.

— Non, dit Angélique, ce sont des problèmes personnels et puis je suis terriblement fatiguée.

— Vous n'êtes pas gentille, dit Villedavray déçu, je me donne une peine inconcevable pour débrouiller cet écheveau à votre place et vous me refusez une confidence...

— Je vous promets que je vous raconterai tout un jour en détail...

— Quand nous serons à Québec! s'exclama Villedavray joyeux.

— Oui, c'est cela, quand nous serons à Québec, consentit Angélique. Mais pour l'instant, il suffit que vous sachiez que vous avez deviné juste. Ils avaient tout calculé pour que nous nous entretuions. Croyez-vous qu'Ambroisine était dans les parages?

— Non, mais son complice, le bandit qui se trouve à la tête des deux navires. Il peut très bien avoir conçu seul un plan machiavélique. Il est, au masculin, aussi diabolique qu'elle, je vais vous en parler tout à l'heure.

— Je l'ai vu. C'est l'homme pâle, n'est-ce pas? Je l'ai vu une seule fois. Quand il est venu me dire : « M. de Peyrac vous demande dans l'île du Vieux-Navire. » C'est étrange. J'étais lasse après cette longue journée de bataille que j'avais passée près des blessés. J'ai songé seulement : « Comme il est pâle, on dirait un mort. » Mais il ne m'a pas effrayée. Je l'ai suivi sans appréhension.

— C'est une des propriétés des êtres infernaux qui s'incarnent. S'ils effrayaient, on ne tomberait pas dans leurs pièges. Et ils surgissent en général quand le sens intuitif de l'être fatigué relâche sa vigilance.

Angélique revoyait la scène. Elle avait suivi l'homme à travers la baie dégagée par la marée basse. Et dans l'île l'attendait Colin... Et Joffrey de Peyrac avait été averti par un billet anonyme, qu'elle se trouvait dans l'île *avec son amant*. Il s'y était rendu. Il l'avait vue dans l'île avec Colin... Toute une nuit. Eux deux... Et puis, lui, guettant...

Le marquis marqua un temps d'arrêt, attendant qu'elle lui communiquât son secret, puis voyant qu'elle se taisait.

— Bien! fit-il avec un soupir, je n'insiste pas. Vous me raconterez tout cela à Québec quand nous serons assis bien confortablement devant mon poêle hollandais. Pour lors, je me bornerai de constater que votre ennemi Barbe d'Or s'est retrouvé gouverneur de Gouldsboro, M. de Peyrac restant propriétaire du fief. Joli tour, qui n'a pas dû trop plaire à nos comploteurs machiavéliques. Ce doit être à ce moment que *La Licorne* a fait son entrée en scène. Ambroisine a-t-elle eu l'intention dès le début de sacrifier ce navire, son équipage et même les filles dont elle avait la charge, afin de mieux parfaire sa comédie d'arrivée imprévue, ou bien a-t-elle pris cette décision en constatant qu'après tant d'efforts déployés, ni la force armée ni la force morale de M. de Peyrac ne paraissaient particulièrement entamées? Je parierais qu'elle a toujours eu l'intention de commettre ces crimes, poussée par l'obligation de supprimer des personnes qu'on n'avait pu mettre toutes dans la confidence ou qui en savaient trop. Et puis, à un certain moment, pour certains esprits, la folie du meurtre peut devenir démentielle, sans mesure. Seuls l'ampleur des catastrophes et le grand nombre des victimes font vibrer leur sentiment de puissance et même de plaisir érotique. Ces complices l'attendaient sur la côte, armés de lanternes, Job Simon, qui n'était jamais venu dans les parages, s'est cru arrivé au but. Ils ont envoyé un canot pour la prendre, elle, avant que le navire aille s'écorcher sur le fond...

— Pourquoi a-t-elle voulu sauver l'enfant de Jeanne Michaud?

— Comédie encore, qui accréditait son personnage de grandeur morale, personnalité faite de vertus, de dévouement, d'abnégation. Elle doit composer en elle-même sa future « vie de sainte Ambroisine » selon le style de lectures dont elle s'est abreuvée dans les couvents. La scène de son arrivée de naufragée, n'était-elle pas émouvante?

— Oh! combien!

Mais si habile, si rouée, si retorse fût-elle, n'avait-elle pas sacrifié parfois la prudence à sa féminité? Elle rejoignait ses complices et enfilait ses bas rouges, quitte à éveiller la surprise, puis les doutes, les soupçons, même d'une fille naïve comme Marie-la-Douce, qui en tant que chambrière savait exactement ce que sa maîtresse avait emporté de France sur *La Licorne*. Une autre fois, c'était le manteau doublé d'écarlate qu'elle ramenait d'une promenade en mer et Angélique s'étonnait, et son parfum... Mais oui, son parfum! Est-ce que l'on sort d'un naufrage avec une chevelure brillante et parfumée?...

« Et moi, une femme, je me suis laissé prendre à cela! » songea Angélique.

En effet, elle aurait dû avoir les cheveux trempés, poissés d'eau de mer. Or, ce qui avait frappé Angélique au premier abord, ç'avait été le parfum et la beauté de cette sombre chevelure, comme un pelage soyeux épandu. Elle les soignait avec une sorte d'idolâtrie. Elle n'aurait pu se résoudre à les négliger, à se passer de son parfum ne serait-ce que quelques jours. Etourderie féminine aussi quand elle avait dit à Angélique : « Mon parfum... Vous aimez? Je vous en donnerai. » Et Angélique : « Mais je croyais que vous aviez perdu le flacon dans le naufrage. »

Et si Mme Carrère s'était montrée soucieuse à propos des vêtements de la duchesse, répétant à plusieurs reprises : « ces taches, ces déchirures, il y a quelque chose de suspect »..., n'était-ce pas parce qu'en ménagère attentive et expérimentée il lui avait semblé que ces taches, ces accrocs *avaient été faits exprès.* Maquiller des vêtements de belle qualité en hardes de noyée qui ont souffert des injures de la mer, des rochers, du sable et des goémons, n'est pas un art facile et donné à tout le monde et, de plus, Ambroisine, qui paraissait aimer particulièrement cette toilette brillante, n'avait pas dû se résoudre de bon cœur à l'endommager volontairement. Détails infimes, erreurs légères dans l'ensemble du tableau si magistralement composé, mais qui, éveillant obscurément l'étonnement des victimes, leur permettaient peu à peu d'éclairer le piège, d'en démonter les rouages.

— Et lui, le chef de la bande aux gourdins de plomb, l'homme pâle, qui est-il? Pétronille m'a dit : « son frère ».

— Job Simon m'a dit : « son amant, son amant en titre ». Bon! disons : son frère et son amant. L'inceste n'est pas pour l'effrayer.

» Oui, je vois cela : un fils de prêtre maudit ou alors de la grande dame sorcière qui l'engendra une nuit de sabbat avec Satan. Savez-vous, on dit que la semence satanique est glaciale. Cela doit être très désagréable! Qu'en pensez-vous?... Pourquoi riez-vous, chère Angélique?

— Vous avez de curieuses questions, répondit-elle en s'esclaffant.

Les heures du crépuscule étaient venues, d'une sombre pulpe orangée, l'odeur de la morue se faisait plus entêtante, l'angoisse et l'attente plus dramatiques. Mais une faille commençait à se faire jour dans le comportement d'Ambroisine.

En passant, elle avait entendu rire Angélique, et cette sorte de détachement et quiétude, affichés par celle-ci et le marquis de Villedavray, éveillait ses doutes et ses craintes. Elle ne pouvait en deviner les causes et l'on sentait que le soupçon d'avoir affaire à une espèce d'êtres inconnus et plus forts qu'elle-même l'effleurait parfois. L'esprit est prompt mais la chair est faible. Le corps de la Démone fléchissait lui aussi, atteint par la tension de ces heures interminables. Le masque soigneusement entretenu craquait, jusqu'à marquer son ravissant visage des stigmates de l'âge, comme si, sous l'accumulation de la vilenie, de mensonges et de crimes, un abcès mûr commençait d'éclater et de laisser suinter, goutte à goutte au grand jour, l'expression la plus terrifiante des folies.

Mais Angélique toussait maintenant, elle sentait la fièvre la brûler, un cerne soulignait ses yeux agrandis. Encore une nuit à passer.

— Vous n'êtes pas bien, lui dit Villedavray au moment de la quitter. Laissez-moi vous aider à vous dégrafer et à vous mettre au lit.

Angélique le récusa, le remerciant mille fois, ce n'était rien. Seulement un peu de toux qui l'avait saisie. Elle allait dormir et demain se sentirait mieux.

— Vous avez tort de ne pas accepter mon assistance, dit Villedavray, chagrin. Pour mes amis souffrants, je suis une véritable sœur de charité. Vous êtes trop indépendante, Angélique, trop sûre de vous, pour une femme... Enfin!... Au moins faites-vous chauffer un galet pour les pieds.

Lorsqu'il l'eut quittée ce soir-là, elle dut convenir à part elle qu'il avait raison. Elle était brisée et eut toutes les peines du monde à se préparer pour la nuit. Elle n'eut même pas la force de se faire chauffer une pierre dans l'âtre, comme il le lui avait recommandé. Les pieds glacés, le visage brûlant, elle essaya de trouver le sommeil. La couche était dure, la couverture pesante. Elle étouffait. Eveillée après un sommeil agité dont elle ne put estimer s'il avait été long ou bref, elle se leva pour aller débarricader la fenêtre, Piksarett veillait au-dehors et à tour de rôle les hommes du gouverneur ainsi que Barssempuy, Defour... Elle n'avait rien à craindre, mais il semblait qu'aucune garde, ni murs ne pouvaient la défendre réellement de ce qui la menaçait...

Elle voulait laisser la chandelle allumée, mais le vent l'éteignit. Elle ne retrouva pas le sommeil, et maintenant elle avait froid.

Dans l'encadrement de la fenêtre, la nuit se diluait en lueur grise, encore opaque, à peine contrastée avec le noir ténébreux d'un feuillage contre le toit, mais grisaille suffisante pour qu'elle devinât l'ombre humaine qui vivement y passa, masquant un court instant le rectangle de la fenêtre. Aussitôt, elle sut que quelqu'un venait d'entrer chez elle et se tenait contre le mur à droite.

La main sur la crosse de son pistolet, elle resta aux aguets cherchant à surprendre le bruit d'une respiration. Rien. Mais un tintement de coquillages puis une odeur familière. Piksarett! l'Indien!...

Alors elle renonça à battre le briquet. S'il avait décidé de veiller sur elle dans sa propre demeure, c'est qu'il avait ses raisons! Fait surprenant, elle s'endormit presque aussitôt d'un sommeil enfin détendu.

Elle fut éveillée par un bruit de lutte.

On aurait dit d'une bête sautant lourdement sur le plancher. L'aube était encore loin.

Cette fois Angélique donna de la lumière. Elle distingua Piksarett maîtrisant quelqu'un à terre.

— Il s'est introduit dans ta maison.

— Qui est-ce?

La flamme révéla le visage hâve et effrayé d'un jeune matelot, un Breton semblait-il et qui devait appartenir à l'équipage du morutier.

— Que fais-tu chez moi?

Les lèvres du garçon frémissaient et il n'arrivait

pas à articuler un mot. Savait-il seulement autre chose que son patois gaélique?

— Que me voulais-tu?

Il réussit enfin à articuler.

— Vous demander secours..., madame.

— Pourquoi?

— « Ils » me suivent, dit le jeune homme que Piksarett maintenait agenouillé devant Angélique. Depuis quatre jours, j'essaie de leur échapper dans la forêt, mais « ils » ne lâchent pas ma trace. C'est le Pâle qui est le plus mauvais, le plus habile. Je ne sais pas qui « ils » sont mais je sais qu'ils veulent me tuer.

— Pourquoi voudraient-ils te tuer?

— Parce que j'ai vu *qui* a poussé la jeune fille du haut de la falaise l'autre jour. Mais lui m'a vu aussi... depuis j'essaie de leur échapper...

Elle se souvint que le capitaine breton s'était plaint que ses matelots commençaient à déserter, qu'un de ses jeunes avait disparu...

— Tu appartiens aux hommes du morutier, n'est-ce pas?...

— Oui... Je m'occupe du séchage. Faut courir toute la journée tout au long de la « grave ». Je suis moins surveillé. Il faisait chaud. J'ai voulu aller cueillir des framboises. Je connaissais un bon coin du côté de la croix bretonne. Il y avait un navire qui était venu faire l'eau. Le travail se relâchait. J'en ai profité. Je suis monté là-haut. Et... je l'ai vu...

— Qui était-ce?...

Le malheureux garçon regarda autour de lui avec effroi et chuchota.

— L'homme à lunettes, celui qui gratte de la plume pour la duchesse.

— Armand Dacaux?...

Il hocha la tête affirmativement.

Il raconta. Il avait vu la jeune fille arriver et le secrétaire lui parler, lui désigner deux paniers qui se trouvaient près du calvaire. Elle s'était dirigée dans cette direction pour les prendre, alors, sur la pointe des pieds, le secrétaire s'était élancé derrière elle et comme elle n'était qu'à une faible distance du rebord il l'avait poussée avec violence.

— Moi, je n'avais pas songé à me cacher. En se retournant, il m'a vu... Alors je me suis enfoncé dans les bois... Je voulais essayer de regagner la grave, de parler à mon capitaine. Et puis j'ai pensé que cela n'arrangerait rien. Il est fou de cette duchesse. Il a perdu la tête, Marieun Aldouch. Et pourtant c'est un dur. Mais, elle... je pensais essayer de gagner une autre plage vers le nord, m'embarquer avec des Malouins qui retourneraient au pays, la saison terminée. Je connais le coin, je sais m'y diriger. J'y viens chaque année depuis que j'ai eu l'âge d'être mousse. Mais j'ai vite compris que j'avais des hommes sur mes pas. Je me suis terré, caché comme j'ai pu, mais leur échapper, impossible! Alors j'ai pensé à venir vous demander secours, à vous, madame, parce que j'ai compris que vous ne faites pas partie de cette troupe de malandrins. Une nuit, j'étais dans un arbre et ils ne le savaient pas, je les ai entendus parler près du feu, ils parlaient de la duchesse qui est leur chef, ils l'appellent Belialith, ils parlaient aussi de vous, et de M. de Peyrac, votre époux. Ils disaient qu'il fallait qu'elle se décide à vous tuer avant qu'il revienne, parce qu'elle est très forte, mais vous, vous étiez peut-être encore plus forte. C'est cela qui m'a donné l'idée d'essayer de rentrer dans le hameau en profitant de la nuit pour venir vous demander aide et assistance.

Il tendit deux mains jointes, tremblantes.

— Si vraiment vous êtes plus forte qu'elle, noble dame, secourez-moi!...

Piksarett, malgré l'accent rugueux du Breton, semblait avoir suivi l'essentiel de son récit.

— Que peut-on faire? demanda Angélique s'adressant à lui.

— Je vais le conduire à Uniacké, répondit le sauvage, il est retranché dans une bonne place et maintenant nous sommes en force. Des Mic-Macs, ses parents, sont montés du grand village de Truro. Il ferait beau voir que les Malécites fassent les mécontents. Aussi bien, ils sont saouls et ne savent plus ce qu'ils racontent, ni ce qu'ils veulent, un jour ils écoutent les hommes des deux navires qui sont à l'ancre derrière le cap, et qui viennent leur porter de l'eau-de-feu, un jour ils écoutent Uniacké qui est un grand chef et qui leur dit que les oies sauvages déserteront les étangs d'un peuple qui perd l'esprit juste à l'automne, quand elles se préparent à les visiter.

» Eux aussi se joindront à nous quand sera venu le jour de la vengeance, et ce jour est proche où les enfants de l'Aurore vont sortir des bois pour lever les chevelures de tes ennemis et de ceux qui ont tué nos frères.

## 19

Pour s'éloigner et gagner le refuge des bois, il fallait profiter de l'obscurité qui régnait encore. Piksarett avait son arc et ses flèches. Sous la protection de l'Indien, le jeune homme pourrait parvenir sain et sauf au campement des Mic-Macs. Les deux silhouettes se glissèrent au-dehors et se fondirent aussitôt dans l'obscurité.

Angélique grelottait de malaise. La fièvre la tenait bien. Elle toussa et, tentée de se pelotonner à nouveau sous les peu confortables couvertures, elle s'admonesta. Elle devait profiter de ce qu'elle était debout pour s'administrer quelques soins. Se préparer une boisson, poser un pansement sur son pied qui s'envenimait de nouveau, sinon elle perdrait toutes forces et l'on pourrait venir l'étrangler sur sa couche comme les reines maudites de jadis, sans qu'elle puisse seulement presser la gâchette de son arme.

Elle jeta une bourrée de genêts sur les braises encore ardentes et boitilla à travers la pièce pour aller prendre dans le cuveau de l'eau dont elle remplit une petite marmite qu'elle pendit à la crémaillère. Elle déchira un peu de charpie, prépara un baume, choisit des simples à infuser, et s'assit sur la pierre de l'âtre, attendant que l'eau commençât de bouillir.

Ses efforts l'avaient épuisée, elle était trempée de sueur. Elle se drapa dans une couverture, la resserrant autour de ses épaules à la façon indienne. Elle appuya son front à la pierre, regardant danser la flamme, se laissant aller à un état de demi-songe où voguaient ses pensées, lucides, vives, mais sans aucun pouvoir sur ses actes, indolores, aurait-elle pu dire.

Et celle qui entra, profitant de la porte entrebâillée qu'Angélique n'avait pas songé à verrouiller, ni même à clore, après le départ de Piksarett, elle la sentit moins comme une présence humaine que comme un esprit qui se glissait vers elle, un fantôme qui aurait pu aussi bien traverser les murs et perdait son pouvoir effrayant de n'être plus charnel.

Elle songea incidemment que Piksarett n'était plus là pour la défendre, qu'il lui faudrait peut-être appeler, s'armer. Mais son instinct lui confirmait que le danger ne s'adressait pas — pas encore — à sa vie. Et elle ne bougea pas. L'esprit la visitait. C'était un jeu, des coups seraient échangés. Un peu de sang coulerait, une griffure. Ce n'était rien! L'autre se retirerait en léchant ses plaies. Il fallait tenir. Demain, après-demain, Joffrey serait là...

— J'ai vu de la lumière chez vous..., dit Ambroisine. Vous ne dormez donc pas?... Vous ne dormez « donc » plus?

Elle voulait prendre sa revanche. Elle s'appuyait à l'auvent de la cheminée rustique et la lueur de la flamme modelant ses traits de bas en haut leur donnait ce relief qu'on prête volontiers aux représentations de Méphisto, lorsqu'il surgit aux yeux de Faust du brasier de l'Enfer; soulignées de noir ses prunelles allongées avaient un éclat d'or liquide, la courbe de ses sourcils paraissait démesurée, l'ossature accusée effaçait la grâce habituelle de la physionomie et la transformait en un masque fait d'ombres et de méplats d'une chair translucide comme l'albâtre.

Ce n'était ni beau ni laid. C'était étrange. Et l'on eût dit une statue, aux orbites ouvertes par lesquelles des yeux humains auraient regardé.

Angélique songea qu'assise sur la pierre de l'âtre elle bénéficiait d'un autre éclairage et avait l'avantage. Mais cette satisfaction relative resta fugitive. Elle fut saisie d'une quinte de toux, et dut chercher son mouchoir.

— Vous êtes malade, constata Ambroisine avec une intense jubilation. Voyez quel est mon pouvoir. En quelques jours vous avez perdu votre triomphante santé.

— Tout le monde peut s'enrhumer, dit Angélique, ce sont des choses qui arrivent continuellement aux humains sans qu'on ait besoin de convoquer l'arrière-ban des Enfers pour cela.

— Vous plaisantez encore, fit Ambroisine en grinçant des dents, vous êtes incorrigible! Vous ne comprenez donc pas que vous allez mourir... Vous devriez déjà être morte cent fois... Si vous ne l'êtes pas encore, c'est parce que je n'ai pas voulu *vraiment*... Mais le jour où je signerai le décret...

— Non, ce n'est pas pour cela. C'est parce que moi, j'ai la « baraka ».

— La baraka?

— C'est un sort. Les Arabes disaient que j'avais la « baraka ». Mektoub : c'est ainsi. Cela veut dire que je ne peux mourir de la mort voulue par mes ennemis.

— Sottises!

Mais l'explication d'Angélique avait éveillé en la duchesse une inquiétude. Elle se mit à marcher de long en large, drapée dans son grand manteau noir. Elle redevenait belle avec ses cheveux sur ses épaules, son visage parfait, hardi et animé, ses lèvres rouges laissant briller l'éclat des dents à demi révélées.

— Dites-moi, interrogea brusquement Angélique, profitant du trouble qu'elle devinait. Qu'est donc pour vous le père d'Orgeval?

— Je l'ai toujours connu, répondit Ambroisine. Nous étions trois enfants qui couraient dans la campagne, là-bas, en Dauphiné. Il n'y a jamais eu d'enfants aussi forts que nous. Nous étions habités par le feu, par mille esprits ardents. Nos châteaux étaient proches, c'étaient des demeures sombres et hantées et ceux qui les habitaient étaient plus bizarres et imprévisibles que les fantômes. Il y avait son père à lui, farouche et terrifiant, qui l'emmenait massacrer les protestants; il y avait ma mère, la Magicienne, qui connaissait l'art du poison, et mon père, le prêtre, qui convoquait le diable; il y avait ma nourrice, la mère de Zalil, qui était sorcière et lui apprenait à clouer les chauves-souris aux barrières des champs et à déposer les crapauds morts au seuil des portes. Mais lui était plus fort que tous avec son œil bleu magique. Pourquoi nous a-t-il trahis? Pourquoi a-t-il rejoint cette armée d'hommes noirs avec leurs croix sur le cœur. Il a voulu se mettre du côté du bien. Il est fou. Mais on ne peut effacer ce qui a été. Il me connaît, il sait ce qu'il faut obtenir de moi et parfois cela me complaît de le servir comme autrefois. A la limite de l'Enfer, nous devenons complices... Comprenez-vous?... Le jour, par exemple, où vous serez vaincue... Alors je l'aurai rejoint... Et peut-être qu'il se souviendra de moi. Son mépris, son absence, sa supériorité, c'est comme un fer rouge. Un jour, je demanderai à Zalil de le tuer.

— Qui est Zalil?...

Ambroisine ne répondit pas. Elle eut deux ou trois frissons convulsifs et elle ferma les yeux comme revoyant les jours passés.

Les choses se reliaient. Zalil, ce devait être l'homme pâle, le frère dont avait parlé Pétronille Damourt. « Il y avait ma nourrice, la mère de Zalil!... » une alliance infernale, mais qui s'atténuait de rejoindre des formes terrestres : une noble dame, engageant sa fortune, pour réaliser à la fois conquêtes et bonnes œuvres, au nom de Dieu et du roi, son amant, pirate, l'assistant dans cette œuvre. Un complot terrestre. Des trois enfants « traversés » par le feu, chacun avait suivi sa voie. L'un était devenu jésuite, l'autre la noble duchesse de Maudribourg à l'intelligence étincelante, le troisième l'homme-au-gourdin-de-plomb. Seules les passions fanatiques qui n'avaient cessé de les habiter les liaient encore à travers leurs destins disparates.

— Vous voyez, dit Ambroisine en rouvrant les yeux avec un sourire, je vous dis tout et vous commencez par tout savoir. C'est pourquoi il faut que vous mourriez maintenant. J'ai longtemps hésité! Je laissais le sort décider. Cela m'amusait de voir comment vous resurgissiez des dangers. La baraka?... Non, je n'y crois pas. C'est ma non-décision qui vous protégeait. Maintenant ma mission n'a que trop duré. Il faut en finir. Vous mourrez demain.

Elle parlait d'une voix monocorde et affectée. Ce désaccord entre le ton mondain et le contenu de ces paroles traduisait le désordre de sa pensée. Angélique répondit sur le même ton.

— Je vous remercie de m'avertir. Je m'évertuerai de prendre des dispositions nécessaires, en accord avec vos projets.

Ambroisine le regarda farouchement.

— Vous vous amusez donc toujours?

— Oh! non, pas toujours, tant s'en faut...

— Vous avez vraiment mauvaise mine, reprit la duchesse de Maudribourg, que l'évident malaise d'Angélique parut rasséréner. Vous n'êtes pas si forte que vous voulez vous en donner l'air, mais j'aime que vous vous battiez bien. Vous avez la vitalité d'un goéland. Savez-vous qui m'a fait ce compliment à votre propos un jour? Un nommé Desgrez. Un homme fort curieux et trop curieux... Un policier pour tout dire. J'avoue qu'en grande partie j'ai voulu quitter le royaume pour n'avoir pas à le rencontrer souvent. Il s'intéressait un peu trop à mon amie Mme de Brinvilliers, votre voisine à Paris. Vous ne vous souvenez pas! Mais elle se souvenait de vous, des fêtes que vous donniez dans votre hôtel de Beautreillis. Ce François Desgrez, quel monstre!

» J'ai dit à Marguerite qu'elle suive mon exemple, fuir... Cela lui coûtera cher... Tant pis pour elle. Mais c'est lui qui, un jour que nous évoquions Mme du Plessis-Bellière, la maîtresse du roi si mystérieusement disparue, a dit : « Elle avait la vitalité d'un goéland... » Il semblait bien vous connaître... C'est étrange, n'est-ce pas? Vous m'attiriez déjà par votre légende... Et voilà que je vous retrouvais aux côtés de celui que l'on m'avait chargée d'abattre en Amérique... Le monde est dominé par quelques êtres... Les autres ne sont que des comparses, de la poussière... Quelle exaltation d'avoir à vous affronter et à vous vaincre! Mon plaisir en était déjà décuplé... Vous connaître assez pour vous faire trébucher, vous qui aviez tenu tête au roi, vous avoir à ma merci. Tout être humain possède une faille par laquelle la peur s'engouffre et par laquelle fuient ses forces. J'étais décidée à la découvrir. Quel excitant mystère que votre personnalité! Ce ne fut pas facile. Votre perspicacité, votre instinct que je sentais en éveil. Quelle peur j'ai eue lorsque vous m'avez dit un jour : « Ce n'est pas par hasard que vous avez débarqué ici! » Je ne sais plus comment j'ai réussi à détourner votre attention!...

» Mais enfin vous voici vaincue, perdue... C'est pourquoi j'ai décidé que vous deviez mourir.

— Non, ce n'est pas pour cela. En vérité, vous voulez que je disparaisse parce que vous sentez qu'Il approche. Celui dont vous redoutez la confrontation, mon mari, le comte de Peyrac. Demain peut-être il sera là et alors vos mensonges éclateront au grand jour, plus rien ne tiendra de ce que vous avez échafaudé pour abuser l'esprit de ceux qui vous entourent. Vous vous trouverez seule sans aucun recours devant le châtiment qui vous attend.

Ambroisine ne parut pas frappée par ces paroles. Etonnée seulement.

— Vous me surprenez, fit-elle du bout des lèvres avec dédain, n'arrivez-vous donc pas à vous persuader que votre comte de Peyrac ne vous appartient plus? Que faudra-t-il que je vous apporte comme preuves pour que vous soyez convaincue qu'il a été mon amant? Vous êtes bien naïve! Dès qu'il m'a vue à Gouldsboro, il a été fasciné par moi, il me l'a dit...

Dès qu'Ambroisine touchait à Joffrey, Angélique sentait comme son sang se retirer de ses veines. Elle avait l'impression que son cœur s'amenuisant cessait de battre. C'était bien là, en elle, la faille dont tout à l'heure l'autre avait parlé avec une si savante et si diabolique intuition... Cette faille que cache en lui tout être humain par laquelle « la peur s'engouffre et les forces s'écoulent ».

Elle se tut, rassemblant sa volonté à ne rien laisser transparaître.

— Quelle sensation! murmura la duchesse, susciter dès le premier instant l'admiration et le désir d'un tel homme! On m'avait dit de lui : « Quoiqu'il soit de mœurs libres, ce n'est pas un homme facile à séduire. Une seule femme semble avoir retenu son cœur, s'il en a un. Celle qui vit avec lui actuellement et qu'il prétend être sa femme. La partie sera dure... » Oh! certes! Mais d'autant plus exaltante : *vous! lui!* Et dès le premier instant, le premier regard, une telle victoire...

— Vous vous embrouillez, je crois, fit remarquer Angélique avec froideur. Ne m'avez-vous pas fait, il n'y a guère, l'aveu de votre souffrance lorsque vous éveillant vous nous avez vus tous deux à votre chevet et que vous avez compris que nous nous aimions...

— Ah! oui, mais j'étais bien sotte de me tourmenter... Dès le lendemain, il me fit porter un message d'amour. Et vous, maintenant, vous vous rassurez en pensant aux paroles ardentes qu'il vous a dites ce soir-là... Mais déjà il m'avait vue, il voulait endormir vos soupçons, afin d'être libre de me faire la cour...

Joffrey! Joffrey! Debout au chevet d'Ambroisine, son regard énigmatique fixé sur ce corps de déesse, que dans sa comédie de malade égarée par le délire elle découvrait impudiquement. Et Adhémar, jocrisse de tragédie, ponctuant la scène de ses réflexions : « Pour une femme bien roulée, on peut dire que c'est une femme bien roulée, pas vrai, monsieur le comte! »

Infâme! Insoutenable! Voici qu'Angélique sentait un rire nerveux la gagner à la seule évocation d'Adhémar. Il fallait se contenir, ne pas se laisser aller. Malgré tout, la tête d'Adhémar se superposait dans sa vision à la scène insupportable. C'était irrésistible! Oh! quelle douleur... de ne pas savoir ce que Joffrey pensait à cet instant! Quelle douleur qu'il lui fût encore si inconnu! Serait-elle toujours seule sur la terre?

— Comme vous êtes difficile à atteindre! chuchota Ambroisine qui l'observait avec une attention cruelle... Vous êtes si belle et si émouvante!... Que je voudrais presque... vous donner la victoire!... Mais c'est impossible... Je veux que vous sachiez tout... Oui, le lendemain de ce jour il m'a fait porter un billet, presque une missive, où il me disait en termes inoubliables quelle impression j'avais faite sur lui, qu'il connaissait aussi mes titres en Sorbonne, qu'il s'enchantait de m'avoir en ses domaines, se réjouissant de pouvoir discourir enfin avec un véritable esprit savant, car il était cruellement sevré de tels plaisirs en Amérique, mais qu'au delà de cette satisfaction celle de rencontrer une aussi jolie femme dominait encore, et tant de fins compliments que j'ai dû relire à plusieurs reprises ces lignes pour m'en pénétrer...

Le bras d'Angélique s'était levé presque machinalement vers Ambroisine.

— Que voulez-vous? demanda celle-ci s'interrompant et regardant sans comprendre la main ouverte.

— Montrez-moi ce billet.

Une lueur traversa le regard fauve de son ennemie.

— Décidément vous êtes étonnante! Vous ne craignez pas de souffrir!

— J'ai connu pire, répondit Angélique d'un air détaché, et songeant, à part elle, que ce n'était pas vrai, qu'elle n'avait jamais rien connu de pire que ce qu'elle traversait en cet instant, cette angoisse taraudante d'avoir à douter de lui, d'être sur le point de recevoir la preuve tangible de sa trahison et de le perdre à jamais.

— Et si je vous disais que je n'ai pas conservé ce billet.

— Alors je vous dirais que vous en avez menti et je ne croirais pas un mot de ce que vous venez de me raconter.

— Dans ce cas... tant pis pour vous.

Ambroisine porta la main à l'aumônière brodée de perles qu'elle portait toujours à sa ceinture.

— Je l'ai conservé. J'aime relire ces mots qu'il m'a adressés en ces premiers jours de notre rencontre... Je sais goûter ce qui vient de lui. Les hommes aiment être flattés. Peut-être n'avez-vous pas su apprécier assez ce qu'il vous accordait puisqu'il s'est lassé de vous.

La vie d'Angélique était suspendue à ces doigts féminins, cherchant parmi les objets de l'aumônière.

« Si elle ne le trouve pas c'est qu'elle ment », se répétait-elle.

— Ah! le voici, dit Ambroisine.

Angélique reconnaissait le vélin qu'utilisait le comte de Peyrac à Gouldsboro et lorsque Ambroisine, ayant déployé le feuillet, le tourna vers elle, elle put également reconnaître de loin sa rapide écriture de savant.

— Donnez! répéta-t-elle.

Ainsi, recroquevillée sur la pierre de l'âtre, enveloppée frileusement dans sa couverture et tendant la main, elle avait conscience de son attitude de pauvresse.

Mais elle était sans force pour se lever et affronter Ambroisine à égalité.

— Vous êtes livide, remarqua celle-ci avec un mauvais sourire, vous défaillez... C'est curieux, vous êtes vraiment la seule personne qui m'ait jamais inspiré comme un sentiment de pitié.

Puis paraissant se décider.

— Non, je ne veux pas que vous lisiez ces mots

d'amour qu'il m'adressait... Ils vous achèveraient... Je veux vous épargner.

Et elle se pencha pour enflammer la missive qu'elle tenait.

Mais plus prompte qu'elle Angélique se détendit, lui attrapa la main pour la retenir et lui arracha la lettre.

— Tigresse! cria Ambroisine.

Effrayée, elle regarda perler à son poignet quelques gouttes de sang. Les ongles d'Angélique s'étaient enfoncés dans sa chair.

« En brûlant cette lettre elle voulait me condamner au doute, pensait Angélique, à ne jamais savoir ce qu'il lui avait écrit *vraiment.* »

Elle tremblait tellement qu'elle dut attendre avant de pouvoir déchiffrer les mots qui dansaient sous ses yeux. Elle savait déjà, à cause du geste d'Ambroisine, qu'elle ne lirait que des termes anodins.

En effet, ce n'était que des formules mathématiques, accompagnées de chiffres.

Mais si dure avait été l'épreuve à traverser qu'elle n'éprouvait même pas de soulagement à constater le mensonge d'Ambroisine.

— Ainsi, une fois de plus, dit-elle en regardant celle-ci, une fois de plus vous avez voulu m'abuser... jamais vous n'avez reçu de lui une lettre d'amour... Encore une de vos infâmes comédies. Ces mots, vous lui avez demandé de vous les rédiger sous un prétexte quelconque ou bien vous les lui avez subtilisés à Gouldsboro, comme vous avez réussi à subtiliser son pourpoint. Vous furetiez partout. Vous prépariez vos pièges. Mais vos ruses sont grossières...

Un coq chanta au-dehors. Le jour se levait.

Ambroisine tamponnait avec précaution sa peau délicate meurtrie.

— Vous êtes d'une méchanceté et d'une brutalité inouïes, dit-elle.

Elle se reculait vers la porte avec cet air sournois et puéril qu'elle prenait chaque fois que cela ne « marchait pas » comme elle l'avait voulu...

— Ne me regardez pas ainsi. Vos yeux me hantent. Quand vous serez morte, je les crèverai.

## 20

A bout de forces, Angélique barricadait sa porte et allait s'abattre sur son lit. Oh! ces apparitions d'Ambroisine! Chaque fois versant un fluide corrosif qui sapait sa résistance. « La prochaine fois... je ne pourrai plus... je ne pourrai plus... la supporter... »

Toute la verve de Villedavray, avec son courage tellement à la française de petit marquis en dentelles, n'arriverait plus à la défendre de l'emprise démoniaque qui se resserrait.

Un démon succube, au ravissant visage, passant et repassant dans les tourbillons du vent. Un cachemar! Un symbole! L'ennemi éternel rôdant à son chevet, cherchant à forcer sa porte, la porte de la forteresse de son cœur, où elle gardait son amour... Déjà une fois, les légions maudites avaient tout ravagé.

Elle grelottait de fièvre. Son esprit vacillait. Elle avait dit à Colin : « Ne crains rien, je ne deviendrai pas folle! »

Et voici que la Démone l'amenait aux frontières du péril. Et dans un sursaut : « Non, je ne te donnerai pas cela, vile créature, esprit démoniaque, esprit impur! » De tenir serrée entre ses doigts la feuille froissée couverte de signes cabalistiques ne la soulageait pas. Trop profonde avait été la peur; elle rejoignait celle qui l'avait hantée de si longues années et que réveillait l'évocation curieuse de noms anciens, tellement inattendus en ce lieu, au point qu'elle croyait avoir rêvé les entendre tomber des lèvres d'Ambroisine : Desgrez le policier, l'hôtel de Beautreillis, la marquise du Plessis-Bellière... la belle marquise si mystérieusement disparue — elle —, échouée aujourd'hui dans une masure d'Amérique, jouant une fois de plus son destin, comme si la vie jamais ne finirait d'aiguiser sa plume pour y inscrire en face d'elle, en termes chaque fois plus exigeants, un éternel défi.

Tout réuni en un seul point. Cela faisait comme ces boules d'épineux que la tempête transporte sur les plages, cela se ramassait, roulait vers elle pour l'écraser. Il y avait comme une avalanche de visages qui dégringolaient alentour : le Pâle, le Borgne, le Morne, l'Invisible, quatre-vingts légions!...

## 21

— Madame de Peyrac! Madame de Peyrac!...

On tambourinait à la porte et des voix de femmes l'appelaient. Elle émergea avec peine d'une torpeur douloureuse et alla en titubant ôter la barre qu'elle avait placée sur la porte après le départ d'Ambroisine.

Le soleil était déjà haut levé et il faisait très chaud. Il parut tout d'abord à ses yeux brouillés qu'il y avait, plantés sur son seuil, deux troncs d'arbres assez élevés, encadrant un minuscule coquelicot, puis la vision troublée se précisant lui découvrit peu à peu la grande Marcelline et sa fille Yolande tenant par la main, entre elles, le chérubin au bonnet rouge.

— C'est nous que voilà, dit joyeusement Marcelline. On se faisait du souci pour vous. Alors nous deux, Yolande, on s'est dit, on va aller faire un tour sur la côte est.

Elle entra, et après avoir refermé la porte.

— A vrai dire, j'ai reçu un mot de votre amie de Gouldsboro, Mme Berne. Elle me mandait de veiller sur vous, que des appréhensions la tourmentaient à votre sujet, qu'elle était certaine que vous étiez en danger... Si j'en juge à votre mine, madame la comtesse, il semble qu'elle ne s'est pas tellement trompée.

— Je suis malade, murmura Angélique.

— C'est ce que je vois, pauvrette. Mais ne craignez plus. Maintenant je suis là et remettez-vous au lit et je vais bien vous soigner!...

Chère Abigaël! Angélique sentait son affection à travers la présence de Marcelline qui se mettait à éplucher des légumes pour lui faire du bouillon.

— Vous avez pris froid. C'est toujours comme ça sur la côte. C'est pourri! Le jour on brûle, la nuit le brouillard glacé vous pénètre. Tout le monde tousse et graille...

Le marquis, averti par la rumeur publique, arriva et leva les bras au ciel en apercevant Yolande et Chérubin.

— Malheureuse, s'écria-t-il s'adressant à Marcelline, comment oses-tu amener cet enfant si sensible et cette pure jeune fille dans une pareille saturnale! J'ose à peine le dire, mais nous sommes littéralement en but à l'assaut des démons.

— Y a pas de démons qui tiennent, riposta Marcelline en calant son Chérubin sur ses genoux, je ne pouvais le laisser derrière, il aurait fait trop de sottises. En fait de démons, il peut d'ailleurs prendre sa place dans la ronde, ce petit-là. Quant à Yolande, elle est capable d'assommer Satan lui-même d'un coup de poing. Pas vrai, Yolande? Ne vous en faites pas pour nous, gouverneur! Par contre, vous n'auriez pas dû abandonner ainsi, sans soins, Mme de Peyrac, malade comme elle est, ce n'est pas bien de votre part...

— Mais je lui ai proposé de la soigner, elle n'a jamais voulu..., gémit Villedavray. Les grandes dames manquent de simplicité.

Le vent tournait. Par sa seule présence, la grande Marcelline au verbe haut, et qui ne laisserait pas aisément Ambroisine venir distiller son venin, repoussait le cercle de ténèbres.

Cela se précisa plus encore lorsque au soir un navire étranger entra dans le port et qu'on vit le capitaine harponneur basque, Hernani d'Astiguarza, monter la grève suivi d'une partie de son équipage. Un baleineau s'était entortillé dans quarante toises de filet et depuis la veille les Bretons essayaient de dégager celui-ci. Les hommes étaient très excités par ce contretemps. Ils prirent d'assaut les Basques venus récupérer leur prise, les insultant, les couvrant d'horions et même leur jetant des pierres. La réaction fut vive.

Hernani n'était pas homme à se laisser faire.

— Arrière, Malouins, cria-t-il en brandissant son terrible harpon, ou bien votre grave puante va devenir la grave sanglante. Ma parole, votre saumure vous monte à la tête!

— Ils sont fous, lui dit Angélique un peu plus tard lorsque après s'être fait reconnaître de lui elle l'invita à se rafraîchir chez elle.

Elle n'avait plus le tonnelet d'armagnac qu'il lui avait offert, mais ils en parlèrent, et de Monégan et de la nuit de la Saint-Jean.

Bien dorlotée par Marcelline, elle allait déjà mieux.

La venue du grand capitaine basque qui lui avait été si amical lui paraissait de bon augure.

Il l'examinait avec attention de ses yeux de

braise, et notait sans doute la tension qui subsistait sur ses traits pâlis.

— Oui, le vent d'automne est satanique sur ces rivages, convint-il. Ne vous laissez pas atteindre, madame. Souvenez-vous que vous avez sauté dans le feu de la Saint-Jean. J'y avais jeté une pincée d'armoise qui chasse les mauvais esprits. Celui qui traverse le feu, le Diable ne peut rien contre lui pour l'année.

Alors elle lui conta brièvement l'impasse dans laquelle elle se trouvait. Il comprit sans peine. Il était intuitif et une affaire de diables, c'est une affaire de Basques. Ça remonte à très loin dans les traditions de ce peuple aux origines inconnues.

— Rassurez-vous, dit-il, je ne vous abandonnerai pas. J'ai gardé de vous un souvenir trop vif. Une fois encore, il faut que je vous aide à traverser le feu, je le ferai. Je vais rester dans les parages jusqu'à ce que M. de Peyrac de Morens d'Irristru revienne. L'occasion pour moi de saluer un frère de mon pays illustre et de lui prêter main-forte au besoin.

Marcelline et sa jovialité audacieuse, Hernani et ses hommes, tenant la dragée haute aux Bretons et surveillant du coin de l'œil les comparses d'Ambroisine, qui, armés de mousquets, s'étaient de plus en plus implantés dans la place, c'était déjà un renfort non seulement moral mais aussi matériel. Comme une certitude que Joffrey était proche, qu'il arrivait. Cantor avait dû le trouver, lui dire de se hâter.

Et voici que c'était le dixième jour.

Angélique se hâtait sur le chemin de la croix bretonne, afin de retenir Piksarett qu'on annonçait avançant avec sa troupe d'Indiens dans le dessein de scalper tout le monde à Tidmagouche.

Or, ce n'était pas le moment de déclencher un carnage.

Au matin, un homme était arrivé au poste criant que les Indiens arrivaient. Ils avaient déjà blessé un de ses compagnons d'une flèche. Le grand Narrangasett les menait. On fit quérir Angélique, qui grâce aux soins de Marcelline, et après une nuit paisible, était sur pied.

Les gens se rassemblaient et s'armaient. On recommandait aux femmes et aux quelques enfants de se mettre au centre du hameau. Nicolas Parys faisait pointer ses couleuvrines.

— Voici des années que les naturels du pays ne se sont pas montrés hostiles, expliqua-t-il s'adressant à Angélique qui arrivait, ils sont indolents, peu pressés de se mettre en guerre. Mais aussi, excités par l'eau-de-feu, ils peuvent suivre un grand chef de renom, comme le sagamore qui vous accompagne, madame. Que leur a-t-il conté? C'est son affaire. Mais nous voici dans l'ennui. Il paraît qu'ils sont nombreux et très décidés à venir lever les chevelures des Blancs de Tidmagouche. Nous allons être obligés de tirer dedans et cela va faire du vilain. Il faudrait les calmer et surtout que vous raisonniez ce chef des Patsuikett. Parce qu'il est le plus grand guerrier de l'Acadie, il se croit tout permis.

— Par où arrivent-ils?

— Par le promontoire de la croix bretonne. On les a aperçus se déployant à la lisière du bois et sans doute vont-ils essayer d'encercler à demi l'établissement avant de fondre sur nous.

— Je vais au-devant d'eux, dit-elle.

Villedavray voulut l'accompagner, mais elle le récusa ainsi qu'Hernani et Barssempuy qui se proposaient également. La vue d'un homme armé quel qu'il fût indisposerait peut-être le sauvage. Il n'aimerait pas céder au gouverneur, ni à un Basque ni à un quelconque lieutenant de pirates, toute personne qui n'avait rien à faire avec les Enfants de l'Aurore. Angélique, sa captive, trouverait peut-être mieux les arguments pour le convaincre.

— Ce n'est rien, affirma-t-elle. Tout va s'arranger promptement.

Au moment où elle allait les quitter et s'engager, Ambroisine poussa une exclamation et s'élança vers elle.

— N'y allez pas, s'écriait-elle, ils vont vous tuer. N'y allez pas... Je ne veux pas... Je ne veux pas que vous mourriez!

Elle l'étreignait avec une force désespérée et Angélique suffoquait presque sous la violence de cette emprise. Ambroisine, ce jour-là, avait revêtu les vêtements qu'elle portait le jour de son arrivée à Gouldsboro, le corsage rouge, la jupe jaune, le manteau de robe bleu canard, et c'était comme un cauchemar renouvelé que cet enlacement qui semblait conclure dans une convulsion démente, le drame, le duel à mort qui les avait mises face à face.

— Pas vous! criait-elle. Pas vous! Je ne veux pas qu'ils prennent votre vie! Oh! je vous en prie. N'allez pas à la mort!

— Lâchez-moi, murmurait Angélique les dents serrées, résistant à l'envie de la repousser avec violence, en la tirant par les cheveux.

Aussi bien, elle ne l'aurait pu. La force d'Ambroisine en cet instant avait quelque chose de supranormal. On eût dit la force d'une pieuvre, d'un serpent se lovant sur sa proie pour l'étouffer. Villedavray, Barssempuy, Defour durent s'y mettre à trois pour l'écarter. Elle tomba à genoux, recroquevillée sur elle-même, pâmée, poussant des cris stridents, se tordant dans une crise violente.

— Une folle hystérique, se répétait Angélique se hâtant sur le chemin. Dieu nous en délivre avant que nous soyons tous à son image. Et maintenant c'est Piksarett qui perd la tête!

Il fallait que tout cela cessât vite! car il devenait de plus en plus difficile de retenir le déchaînement des instincts à bout... Puis, elle marqua un temps d'arrêt. Elle venait d'apercevoir la croix bretonne. Encore un détour et elle déboucherait sur le terre-plein. Or, quelque chose l'arrêtait au moment de se remettre en route. Elle ne savait pas exactement quoi. C'était quelque chose qui *n'aurait pas dû être!...*

Elle songea à la croix bretonne. Par là était venu l'assassin de Marie-la-Douce... Par là aussi venaient les hommes louches des navires. Clouée sur place, elle attendait. Elle attendait de savoir ce qui retenait son élan et lui interdisait d'avancer plus loin.

Quelque chose qui n'aurait pas dû être!...

Puis dans le calme bucolique de ce sentier longeant d'un côté la falaise, de l'autre les bois embroussaillés, la chose devint claire, évidente...

*Les oiseaux chantaient...*

Et il lui revenait en mémoire certains récits des coureurs de bois parlant de leurs expériences des Indiens : « Ils peuvent s'avancer en troupe nombreuse sans qu'un craquement de brindilles, un froissement de feuilles ne les trahissent. Seul symptôme qui peut révéler leur approche : les oiseaux se taisent. Un silence soudain dans la forêt doit les mettre en alerte : les Indiens sont proches... »

Or, les oiseaux chantaient.

Donc il n'y avait pas d'Indiens. Aucune troupe ne se dissimulait dans les frondaisons proches.

Il n'y avait pas de Piksarett.

Piksarett! Les Indiens! Simplement un prétexte pour l'attirer seule, hors de l'établissement.

Un piège! Et un piège dans lequel elle était en train de donner tête baissée.

Elle se jeta dans le couvert des arbres. Puis, là, à l'abri, elle essaya de réfléchir.

Point de Piksarett, point d'Indiens. Encore une

fable. Mais à leur place sans doute des assassins qui l'attendaient, là-bas, près de la croix bretonne pour la tuer. Ambroisine ne lui avait-elle pas dit l'autre nuit : « Vous allez mourir! »

En prenant garde de se dissimuler et se glissant d'un tronc à l'autre, elle avança plus loin.

Et elle « les » aperçut à l'orée du bois.

Ils étaient cinq.

Cinq bandits armés de pistolets et de coutelas, mais aussi chacun tenant en main, comme un signe de reconnaissance, l'arme meurtrière, un court bâton noir. Et parmi eux, elle reconnut le Pâle, l'homme dont avait parlé Colin, l'homme au gourdin de plomb, le Démon blanc, le frère maudit de la Démone.

Ainsi, arrivant par le sentier, elle se serait trouvée en face d'eux. Peut-être même ne les aurait-elle aperçus qu'un peu plus tard après s'être avancée tout à fait à découvert.

Alors c'en était fait d'elle.

Si les oiseaux n'avaient pas chanté!...

Certes, elle avait son arme, aurait-elle pu l'armer à temps?

Maintenant, il lui fallait agir avec la plus grande prudence, essayer de battre en retraite vers le hameau sans attirer leur attention, le sous-bois étant très clairsemé, et, pour parer à toute éventualité, s'armer.

Elle sortit son pistolet afin de le charger. Mais ses doigts cherchèrent en vain à sa ceinture le sac de balles et la petite boîte d'amorces qu'elle y avait vérifié le matin même.

Elle comprit avec horreur qu'Ambroisine, au moment où elle s'était accrochée à elle avec des protestations désespérées, les lui avait subtilisés...

« Elle m'a eue! pensait Angélique, effarée. Elle m'a eue... jusqu'au trognon!... »

L'expression populaire lui paraissait à peine suffire pour traduire sa stupeur.

Quoique prévenue, quoique sur ses gardes, quoique payée pour savoir qu'ils vivaient dans le voisinage d'une des plus dangereuses créatures qu'eût jamais compté l'espèce humaine et à chaque seconde en danger de perdre leur vie, elle s'était laissé une fois de plus berner complètement.

Oh! Ambroisine! Ambroisine la Maudite, jouant de l'impulsivité des humains, des élans de leurs cœurs, pour les envoyer s'empaler d'eux-mêmes sur ses pièges tendus.

Si les oiseaux, par leur chant, ne l'avaient pas arrêtée, elle se serait trouvée en face des bandits, entièrement *désarmée*.

Mais les démons ne comptent jamais avec les oiseaux.

Elle les vit de loin qui commençaient à s'agiter et à se consulter. Sans doute s'étonnaient-ils de ne pas la voir arriver. L'un d'eux s'avança avec précaution vers le chemin, un autre entra dans le bois sur sa gauche.

Elle se tapit derrière un buisson. Elle n'avait d'autres ressources pour l'instant que se tenir immobile.

A ce moment critique, un coup de canon lointain, suivi de plusieurs autres, retentit vers le sud. C'était peut-être des navires appelant des indigènes à la traite comme cela arrivait souvent.

Mais la canonnade continuant, les hommes à l'affût contre elle parurent s'inquiéter. Ils se réunirent à nouveau et elle les vit, de loin, discuter violemment. Puis, se décidant, ils quittèrent la place et s'éloignèrent rapidement dans la direction d'où venaient ces sourdes détonations.

Elle eut l'impression que le danger immédiat était passé. Par prudence, elle resta immobile encore de longues minutes.

Elle sentait qu'elle pouvait essayer de regagner Tidmagouche, mais ce vacarme lointain, qui apportait comme l'écho d'une bataille, l'intriguait.

Elle se décidait à risquer quelques pas hors de sa cachette, lorsqu'elle crut distinguer, venant du sud, la silhouette d'un Indien qui marchait rapidement, se faufilant entre les arbres et, peu après, Piksarett surgit à quelques pas d'elle. Il l'aperçut.

— Que fais-tu là! s'exclama-t-il, mécontent. Tu manques de prudence de t'éloigner ainsi des habitations! Je t'ai avertie que les bois étaient infestés de tes ennemis. Tu veux donc perdre la vie!...

Elle n'avait pas le temps de lui expliquer le guet-apens dans lequel elle était tombée.

— Piksarett, que se passe-t-il par là-bas?...

Un sourire illumina la physionomie de l'Indien. Il tendit le bras dans la direction d'où venaient les bruits de canonnade et de mousqueterie.

— Il arrive!

— Qui cela?

— Ton époux! L'Homme-du-Tonnerre. Ne reconnais-tu pas sa voix?

Angélique, follement, s'élança.

Piksarett bondit sur ses traces pour la précéder et lui montrer le chemin.

Ils coururent ainsi pendant quelques instants et le bruit de la bataille se rapprochait.

Tout à coup, ils se trouvèrent au bord de la falaise par-delà le cap où s'étaient abrités les deux navires des bandits. La fumée et l'odeur de la poudre montaient jusque sous les arbres et s'exhalaient de la crique, mais le vacarme paraissait se calmer, hors l'éclatement de quelques coups de feu isolés et de la rumeur des voix lançant des ordres ou d'autres « criant mercy ». Les malandrins se rendaient...

Angélique aperçut le *Gouldsboro* bord à bord avec un des navires — le navire à la flamme orange — qu'il avait harponné. Sur le pont, on liait les poignets des hommes d'équipage. Quatre ou cinq autres voiliers de différents tonnages occupaient la crique, fermant toutes issues, empêchant quiconque de s'échapper.

Avidement, Angélique cherchait des yeux le comte de Peyrac. Elle ne le voyait pas.

Elle l'aperçut enfin, montant en courant la plage, ses pistolets en main, suivi de quelques hommes afin de s'assurer d'un groupe de bandits retranchés derrière une chaloupe renversée.

C'était *lui!*... Non ce n'était pas lui... Sa haute silhouette se déplaçait si vite, trop vite, parmi les fumerolles et les nappes de fumée stagnante. C'était comme dans un rêve... Une vision... Lui... disparaissant... reparaissant... Lui, toute sa vie!... Toute sa vie en avait été ainsi. Lui! passant et repassant dans les brumes du souvenir... dans ses rêves... l'image de l'amour... le paradis... pour elle... Elle le voyait, le reconnaissait... C'était lui. Il remettait ses armes à sa ceinture tandis que le comte d'Urville s'assurait des prisonniers. Il se tournait dans la direction d'Angélique... C'était lui!

Elle se mit à crier, l'appelant de toutes ses forces, sans même savoir si elle prononçait son nom... Paralysée par le paroxysme de sa joie, elle ne pouvait bouger, puis retrouvant la faculté de se mouvoir, volant sans avoir la sensation d'effleurer le sol, elle dévalait la pente qui la menait vers lui, l'appelant toujours dans la crainte affreuse qu'il s'effaçât de nouveau de sa vue, qu'il ne disparût encore, la laissant seule sur la terre...

A ses appels, il s'élança les bras ouverts.

Ils s'atteignirent, se jetèrent sur le cœur l'un de l'autre.

Et là tout s'effaçait, le doute, la peur, les menaces, le pouvoir du Mal!...

La force de ses bras, ce rempart, sa poitrine comme un bouclier pour la défendre et sa chaleur contre le froid glacé de la solitude, et à travers son embrassement fou, passionné, la sensation de son amour pour elle, incommensurable, sans limites, comme un rayonnement qui la traversait toute, l'enveloppait, la comblait d'une félicité intraduisible.

— Oh! vivante!... vivante! répétait-il d'une voix entrecoupée, oh! quel miracle! J'ai souffert mille morts!... Ma folle chérie! Dans quel piège encore êtes-vous allée vous jeter!... Là, là, c'est fini... Ne pleurez plus...

— Mais je ne pleure pas, disait Angélique sans s'apercevoir que son visage était inondé de larmes. Oh! que ce fut long, disait-elle entre deux sanglots, tout ce temps... tout ce temps sans vous... tout ce temps loin de vous!...

— Oui! terriblement long!...

Il la berçait contre lui et elle se laissait aller à tous ces pleurs qu'elle s'était interdit de verser au cours des derniers jours afin de conserver ses forces.

Ne plus douter! Le savoir là! Vivant! L'aimant toujours! Quelle félicité sans mesure! Il l'écarta un peu afin de mieux la contempler. Le ciel d'opale au-dessus d'eux. Et le bonheur les isolant de tous.

— Que disent vos yeux? murmura-t-il.

Et il baisa ses paupières avec ferveur.

— Ils ont gardé leur pouvoir d'aveu bouleversant, mais ils sont tout cernés de noir. Que vous est-il arrivé, mon trésor? Que vous a-t-on fait, mon amour?...

— Ce n'est rien! Maintenant, vous êtes là! Je suis heureuse.

Ils s'étreignirent encore. On sentait que Joffrey ne pouvait se convaincre du miracle de tenir Angélique saine et sauve entre ses bras, après l'affreuse crainte qui l'avait poigné lorsqu'il avait appris par Cantor qu'elle se trouvait à Tidmagouche, affrontant la haine et la hantise démoniaques de cette créature folle et perverse qui avait nom Ambroisine de Maudribourg.

Un nom redoutable. Une épreuve indescriptible. Mais qui semblait prendre, pour tous deux, en cet instant merveilleux, sa signification. Les lèvres contre sa chevelure, il prolongeait son baiser.

— Le temps n'existe pas, dit-il de sa voix profonde. Voyez mon cœur... les heures qu'il nous faut vivre... toujours nous sont données... quand Dieu le veut. L'élan que nous n'avions pas eu jadis en nous retrouvant après quinze ans d'absence nous venons de l'avoir aujourd'hui. Oh! comme je vous sens mienne enfin!

## 22

Angélique se tint derrière la maison, près de la fenêtre ouverte. Joffrey de Peyrac lui avait dit : Restez là.

Lui-même, contournant la masure, gagna le seuil et entra.

Angélique sut qu'il apparaissait dans l'encadrement de la porte et que le regard d'Ambroisine de Maudribourg se levait vers lui.

Et sans rien voir de la scène, elle devina l'expression qui se jouait sur les traits séraphiques, l'éclair des magnifiques yeux noirs aux reflets d'or.

Au même instant, les hommes de Peyrac venus par terre cernaient l'établissement et se rendaient maîtres du fort, tandis que les navires de sa flotte, traînant leurs deux prises de guerre, entraient dans la rade.

La chaleur était intense. Une sorte de torpeur, de charme terrifié, planait sur Tidmagouche.

La capture de la grève et du hameau se fit presque sans bruit, sans coups de feu. Les hommes aux ordres d'Ambroisine se retrouvèrent poings liés sans avoir compris ce qui leur arrivait. *Elle,* la Démone, ne le savait pas encore.

Elle regardait Peyrac debout devant elle. Angélique entendit la voix au timbre doux, un peu voilé et fragile, dire :

— Vous voici!

Et un frisson la traversa. Jusqu'à quel point Ambroisine n'avait-elle pas réussi à l'atteindre, pour que le seul son de cette voix la bouleversât d'horreur et de crainte?

« Il était temps, se dit-elle, qu'il arrivât, elle m'aurait détruite... Oh! Joffrey, mon amour! »

Elle perçut son pas à lui calme, assuré, alors qu'il pénétrait dans la pièce.

Elle savait que son regard restait fixé sur le ravissant visage de la Démone, mais que rien ne transparaissait de ses pensées.

— Vous avez beaucoup tardé, dit encore Ambroisine de Maudribourg.

Puis il y eut un silence, et Angélique crut qu'elle allait s'évanouir. Chaque seconde qui passait était chargée d'une tension insupportable où semblait devoir se décider la victoire ou la défaite d'un combat gigantesque. Deux forces en jeu et toutes deux également puissantes, également armées, également sûres d'elles-mêmes et de leur pouvoir.

Ce fut Ambroisine qui parla la première. Et sa voix trahit sa nervosité sous le regard indéchiffrable qui l'observait.

— Oui, vous arrivez trop tard, monsieur de Peyrac.

Et sur un ton d'indicible triomphe, où frémissait une joie satanique :

— Vous arrivez trop tard! *Elle est morte!*

Elle devait sourire en parlant ainsi et ses prunelles devaient étinceler.

— Le chasseur vous a-t-il apporté son cœur?... interrogea Peyrac.

Cette allusion ironique au conte populaire où

les mauvais projets de la reine sont déjoués la mit hors d'elle.

— Non... mais il m'apportera ses yeux. Je l'ai exigé.

Puis la folie faisant dévier sa pensée hagarde :

— Ce sont deux émeraudes. Je les ferai enchâsser d'or et je les porterai sur mon cœur.

Angélique comprenait maintenant. Joffrey de Peyrac avait toujours deviné qu'Ambroisine de Maudribourg était une créature perverse, à l'esprit déjà égaré ou possédé. La regardant aujourd'hui, il devait avoir la même expression que lorsque, à son chevet, il écoutait songeusement son délire. Son expérience et aussi un sens particulier à l'homme envers ce genre de femmes avaient dû l'avertir.

— Je vois que vous ne me croyez pas, reprit Ambroisine de cette voix abrupte et un peu aiguë qu'elle prenait devant ceux qui paraissaient ne pas faire cas de ses paroles, vous êtes comme elle! Elle ne voulait jamais me croire. Elle riait... oui, elle riait! Maintenant, il s'est éteint, ce rire! Elle ne rira plus! Jamais! C'est votre faute. Vous êtes comme elle, vous voulez faire croire que l'Amour existe, que *votre amour* personne ne peut l'atteindre. Insensés... Il n'y a pas d'amour... Tant pis pour vous d'avoir voulu me prouver cette folie... Votre amour, je l'ai brisé... Elle est morte, vous entendez : morte, morte! Allez voir, sous la falaise vous trouverez son corps disloqué et des trous noirs à la place de ses yeux... Ah! Enfin! elle ne me regardera plus... comme elle seule pouvait regarder un être humain. Personne ne m'a jamais regardée ainsi... Elle me regardait et elle me voyait « avant », elle voyait mon apparence humaine « après », elle voyait mon esprit, mais elle ne s'est jamais détournée de moi et elle ne m'a jamais fuie. C'est cela qui est intolérable. Elle m'a toujours regardée en face et elle m'a toujours adressé la parole à moi, à moi seule. Elle savait à qui elle parlait et pourtant elle n'avait pas peur. Et maintenant plus personne ne me regardera ainsi et ne me verra vraiment... Oh! quelle douleur!

La crise approchait. Des gémissements hachaient le débit de ces mots précipités.

Angélique, à bout, aurait voulu se boucher les oreilles.

— Elle est morte, vous entendez? Elle est morte! Que vais-je devenir maintenant!... Et c'est votre faute, votre faute à vous, homme maudit! Pourquoi m'avez-vous repoussée! Pourquoi m'avez-vous traitée avec dédain et moquerie! Comment avez-vous osé! Vous n'êtes pourtant rien... Où donc allez-vous chercher votre force?... Si j'avais pu vous asservir comme les autres, je ne l'aurais pas tuée... Je l'aurais plutôt vue souffrir, dépérir de douleur et cela aurait ravi mon être...

» Ma mission près de vous aurait été accomplie. Tandis que maintenant!... Elle est morte et vous vous triomphez! Que vais-je devenir! Comment vais-je pouvoir demeurer sur cette terre immonde! Tuez-moi! Qu'on en finisse!... Tuez-moi! Pourquoi ne me tuez-vous pas? Vous est-il donc indifférent qu'elle soit morte? Vous ne pleurez même pas! Alors que moi, je voudrais pleurer... devant un tel désastre... Et je ne peux pas. *Je ne peux pas!...*

Un gémissement rauque échappa de la gorge de la Démone, proche de ce cri inhumain qui, déjà par deux fois, avait retenti dans la nuit, où, mêlé à une rage impuissante, à une haine implacable, s'exhalait l'écho d'un désespoir insondable.

— Tuez-moi!

La voix de Peyrac s'éleva, égale et comme indifférente, et cela fit tomber immédiatement la tension insoutenable.

— Pourquoi êtes-vous si pressée de mourir, madame? Et de ma main? Vous souhaiteriez mettre encore quelque méfait à mon actif? Un piège ultime?

Non, je ne vous offrirai pas cela... Votre mort viendra à son heure. Maintenant, sonne celle de la révélation de vos crimes. Veuillez m'accompagner afin que l'on vous voie avec vos complices.

— Mes complices?

La duchesse de Maudribourg parut tout à coup avoir retrouvé son aplomb.

— Je n'ai pas de complices! Qu'est-ce encore que cette histoire?

— Veuillez m'accompagner, répéta le comte. Je vais vous confronter avec eux.

Angélique entendit la duchesse se lever. Elle et le comte sortirent ensemble de la maison.

La duchesse ne remarqua pas tout de suite Angélique. Elle regardait vers la rade maintenant envahie de voiles et d'embarcations, puis vers la plage noire de monde. De loin il était difficile de distinguer entre les différents équipages, les Bretons et les Basques, les hommes de Peyrac et les prisonniers.

— Descendons jusqu'à la plage, voulez-vous, l'invita le comte.

Il accentuait la courtoisie.

Elle se tourna vers lui et c'est alors qu'elle vit Angélique à quelques pas.

Aucun tressaillement ne marqua ses traits. Très vite, elle détourna les yeux comme si elle eût voulu effacer cette vision, annuler le fait.

Elle passa ses mains sur ses avant-bras nus avec un frisson.

— Voulez-vous me donner mon manteau, Delphine? dit-elle à voix haute d'une façon naturelle. Il fait si froid.

Le soleil était brûlant mais cette requête ne sembla pas étrange. Si pénible était l'instant qu'Angélique elle-même se sentait glacée jusqu'à l'âme.

La duchesse se drapa dans sa grande cape de satin noir doublée d'écarlate, brodée du lion griffu et noir des Maudribourg et elle commença de descendre vers le rivage.

Là, elle s'arrêta, considérant la foule tournée vers elle. Et se mêlant aux visages anonymes des équipages et des hommes armés, des pêcheurs et des prisonniers, certains visages ressortaient. Ils étaient tous là : Job Simon et son mousse, Cantor, Aristide et Julienne, Yann Le Couennec, Jacques Vignot, le Basque Hernani d'Astiguarza, le comte d'Urville, Barssempuy, le marquis de Villedavray, Enrico Enzi, les quatre gardes espagnols de Peyrac...

Angélique reconnut tout à coup le frère Marc. Il accompagnait un groupe de Français parmi lequel se détachait un homme mis avec soin quoique sans éclat, à l'air autoritaire et madré, et qui considérait la scène avec un mélange d'intérêt et de scepticisme. Il avait salué Villedavray et échangé quelques mots avec lui. Elle saurait plus tard qu'il s'agissait de l'intendant Carlon, ce haut fonctionnaire canadien que Peyrac avait tiré d'un mauvais pas à la rivière Saint-Jean. L'autre était M. de Wauvenart et aussi il y avait Grand Bois et un cartographe de Québec qu'Angélique avait rencontré à Katarunk.

Les yeux d'Ambroisine s'étaient attardés sur certains, connus ou inconnus, mais elle ne bronchait pas. Elle n'avait fait qu'effleurer du regard ceux qui se tenaient en tête des prisonniers dont l'homme au visage pâle et marmoréen. Enfin elle se tourna vers Peyrac, qu'elle affecta seul de voir désormais et dit à mi-voix de façon à n'être entendue que de lui.

— Vous êtes très fort, monsieur de Peyrac. Je commence à comprendre pourquoi vous avez tant d'ennemis et pourquoi ceux-ci veulent avec tant de force votre perte.

Puis plus haut, de sa voix de sirène enjôleuse :

— Que désirez-vous de moi, cher comte, et quel

est le but de tout ce rassemblement? Je suis à votre disposition, mais j'aimerais savoir...

Peyrac s'avança de quelques pas.

— Madame, voici M. Carlon, l'intendant de la Nouvelle-France. Vous connaissez M. de Villedavray, gouverneur de l'Acadie. En présence de ces deux hauts fonctionnaires français je veux vous accuser, madame, de nombreux crimes et malversations commis dans cette région, dans celle de la Baie Française, par vous-même et ces hommes ici présents, agissant sous vos ordres, crimes dont la violence et la noirceur demandent condamnation et réparation devant le tribunal des hommes, sinon celui de Dieu. Je vous accuse entre autres d'avoir causé la perte du navire *La Licorne,* frété en grande partie aux frais de la Couronne de France, et d'avoir de sang-froid ordonné le massacre de son équipage ainsi que des jeunes femmes destinées au peuplement du Canada et qui se trouvaient à bord, d'avoir causé également la mort d'un jeune seigneur canadien Hubert d'Arpentigny dans le naufrage de sa chaloupe où se trouvait ma femme, d'avoir fait couler par minage le navire l'*Asmodée,* attentat auquel M. de Villedavray et un grand nombre de personnes n'ont échappé que par miracle, d'avoir enfin, ici même, fait exécuter une jeune fille, d'avoir empoisonné une vieille femme de votre main...

» Sans compter de nombreuses tentatives de meurtres en différents lieux, des actes de piraterie sur nos côtes, etc., la liste est longue... Je m'en tiendrai à ces quelques déclarations précises.

L'intendant Carlon avait écouté avec attention. Son regard allait de Peyrac à la duchesse de Maudribourg.

C'était la première fois qu'il voyait celle-ci, et, certes, quoique prévenu puisqu'il avait été mis au courant à l'avance par Peyrac, on voyait qu'il n'arrivait pas à faire coïncider dans son esprit l'ampleur de tels crimes sordides, avec cette ravissante jeune femme qu'on venait de lui présenter et qui se dressait devant eux, seule, frêle, avec ses longs cheveux noirs flottant au vent, son air d'enfant effrayée. Elle regardait Peyrac, les yeux agrandis, comme s'il était subitement devenu fou, et elle secouait la tête doucement en murmurant :

— Mais que dites-vous?... Je ne comprends pas.

Et Angélique qui examinait Carlon vit qu'il était en train de se laisser prendre au piège de cette fragilité d'orpheline.

Il avança d'un pas et toussota.

— Etes-vous bien certain de ce que vous énoncez, comte, fit-il d'un ton abrupt, ça me semble un peu gros!... Comment? Une seule jeune femme peut-elle accomplir tout cela?... Où sont ses complices auxquels vous faites allusion?

— Les voici, dit Peyrac en désignant le groupe des prisonniers en tête desquels se trouvait le Pâle, leur capitaine. Parmi eux il y avait aussi l'homme aux perles de lambi, le Morne, le Borgne, l'Invisible, celui qu'on envoyait en éclaireur se mêler aux populations ou aux équipages parce qu'il ressemblait à n'importe quel matelot et qu'on avait toujours l'impression de l'avoir déjà vu et de le connaître un peu. « Tous triés sur le volet », avait dit Clovis, car choisis par Ambroisine et son frère avec cet instinct sûr de leurs possibilités malfaisantes qui en feraient des alliés habiles, tous attachés à elle secrètement par le don qu'elle leur avait fait, au moins une fois, de son corps de déesse.

On ne les ferait pas trahir. Ils ne sourcillèrent pas lorsque Carlon, désignant Ambroisine, leur cria :

— Connaissez-vous cette femme?

L'homme pâle posa son regard de pierre sur elle, puis secoua lentement la tête en grommelant.

— Jamais vue.

Il s'exprima d'une telle façon qu'une partie de l'assemblée reçut l'impression d'être la victime d'une monstrueuse erreur.

Carlon fronça les sourcils et fixa Peyrac sans aménité.

— Il me faut des aveux, dit-il, ou des témoins.

— J'en ai un, répondit le comte sans s'émouvoir, et de taille! Et j'ai eu assez de mal à mettre la main dessus. Il m'a fallu courir jusqu'à Terre-Neuve. Mais le voici.

## 23

Il fit un signe et un homme d'une cinquantaine d'années se détacha d'un groupe derrière lui et vint se placer devant Carlon. Il était chaussé de gros sabots, et de grossiers vêtements de laine. Cet accoutrement contrastait avec son visage distingué à l'expression douce et bienveillante.

— Je vous présente M. Quentin, Oratorien. Il est monté à bord de *La Licorne* à titre d'aumônier. Il n'a pas tardé à découvrir le véritable caractère de cette expédition et de la « Bienfaitrice » qui la menait. Elle pensait se l'attacher facilement, mais il repoussa ses avances et comme il en savait trop long, on décida de s'en débarrasser. Il fut jeté à l'eau au large de Terre-Neuve. Heureusement, une barque de pêche l'a recueilli à temps. Les Filles du roi ici présentes ainsi que le capitaine de *La Licorne,* Job Simon, ne peuvent nier qu'ils reconnaissent en lui l'aumônier qui les a accompagnés une partie du voyage et dont on leur a dit qu'il s'était noyé par accident.

— J'ai sans doute péché par naïveté, déclara l'Oratorien s'adressant à Carlon. M'apercevant dès le début de la déplorable moralité qui régnait à bord de *La Licorne,* du fait de cette femme, j'ai cru qu'il suffirait que je lui en fasse remontrance pour que tout rentre dans l'ordre. Mais je m'attaquais à très forte partie. Je me suis trouvé moi-même en but à ses assauts et tous les jours c'était une lutte incessante à la fois pour garder l'honnêteté religieuse à laquelle je me dois par mes promesses ecclésiastiques et préserver les âmes innocentes tombées en son pouvoir. Croyez, monsieur l'intendant, que quand de telles choses arrivent sur un navire de quelques toises qu'on ne peut fuir, c'est très... embarrassant.

— Voulez-vous dire que Mme de Maudribourg vous proposait d'être... son amant? interrogea Carlon d'un ton dubitatif.

Apparemment, la chose l'amusait et il n'y croyait pas.

Ambroisine s'écria sur un ton désespéré.

— Monsieur l'intendant, je ne sais pas si cet homme a été jeté à la mer ou s'il s'y est jeté lui-même, mais ce dont je me suis aperçue dès les premiers temps c'est lui qui était fou, et au contraire c'est moi qui ai eu toutes les peines du monde à échapper à ses tentatives lubriques...

— Mensonges! cria une voix.

Et le frère Marc sauta dans le cercle.

— M. Quentin n'a pas été le seul ecclésiastique que Mme de Maudribourg a essayé d'induire en tentation. Je peux en témoigner, car moi aussi j'ai été une de ses victimes.

— Vous, c'est plus compréhensible, marmotta l'intendant en regardant le beau visage du jeune Récollet.

Il commençait à être un peu dépassé.

— Si je comprends bien, des hommes de l'équipage de *La Licorne* ont jeté M. Quentin à la mer?... Alors le capitaine Job Simon est complice aussi.

Le vieux Simon poussa un cri sauvage.

— C'est pas mes hommes qui ont fait le coup,

beugla-t-il en s'élançant, ce sont ces trois salauds qu'elle m'avait forcé à embarquer avec nous, au Havre. Oui, je suis un grand c... Elle me tenait. Je savais qu'on n'allait pas à Québec mais à Gouldsboro, je savais qu'il ne fallait pas le dire, je savais que c'était une putain et une garce, et j'ai su qu'ils avaient assassiné l'aumônier, mais ce que je ne savais pas...

Hérissé, gigantesque, il se déployait tragiquement sur le ciel blanc de lumière.

— ... ce que je ne savais pas c'est qu'on trouverait là-bas des bandits à ses ordres pour envoyer mon navire par le fond et massacrer mes hommes...

Il s'agitait en tous sens tirant sur sa barbe, s'arrachant les cheveux, lançant les bras au ciel, et avait l'air lui-même si parfaitement privé de raison qu'on voyait que Carlon commençait à se demander s'il n'était pas tombé parmi des fous.

— Vous perdez l'esprit, capitaine! Si Mme de Maudribourg se trouvait à bord, elle n'a pu vouloir l'échouage de votre navire sur les écueils. Elle risquait sa propre vie.

— Elle a quitté le bord avant... juste avant. Moi, je ne me posais pas de questions. Après, j'ai compris... peu à peu... à Gouldsboro. J'ai continué à faire celui qui ne comprenait pas parce que je savais que si elle ne me prenait pas pour un idiot, elle me tuerait... comme les autres... tuer, ce n'est pas ça qui l'embarrasse... Quand j'y pense!... Ma *Licorne!* Mon beau navire! Et tous mes hommes, mes frères, massacrés...

Il tendit le poing vers Ambroisine et ce fut lui qui lança l'accusation terrible.

— Démone! Démone!...

# 24

Soudain quelqu'un cria :

— Attention! Il s'enfuit!...

Profitant de ce que tous les regards étaient fixés sur Job Simon et s'étaient entièrement détournés des captifs, le Pâle venait de s'élancer. Il courait vers le rivage puis il commença de bondir à travers les rochers découverts par la marée basse. Sa fuite était insensée. Même s'il atteignait la mer et s'y jetait, y nageait des heures, quelles seraient ses chances d'échapper, de survivre?

Mais la créature était si diabolique que tous eurent l'impression en voyant s'amenuiser à travers les nappes frémissantes de chaleur et de lumière des brumes, la silhouette du Démon blanc, qu'il allait disparaître à leurs yeux, happé par l'horizon, comme il en était apparu un soir parmi la plaine miroitante des algues à nu et que rien ne l'empêcherait de reparaître un jour pour poursuivre ses méfaits sur la terre.

— Rattrapez-le, criait-on. Rattrapez-le.

On eût dit maintenant un lutin follet, dansant à la pointe des roches, tout au loin. Il atteignait la mer, la mer qui toujours avait été la complice de l'assassin-au-gourdin-de-plomb, il allait la rejoindre et elle le dissimulerait aux yeux des hommes. C'est alors qu'Hernani d'Astiguarza bondit, venu de la droite. Les grandes jambes se déployaient comme celles d'un danseur dans ses bonds, de roche en roche. Il fit halte, campé en silhouette noire sur le ciel jaunâtre, et son bras tenant le harpon se déploya puis se détendit avec la force d'un ressort.

Le trait siffla, entraînant le filin qui se déroula, sautant et tressaillant comme un serpent fou tronçonné.

Un cri atroce vogua sur la baie.

Hernani le Basque remonta la grève, la corde passée sur son épaule, halant derrière lui sa proie.

Parvenu devant le comte de Peyrac et Angélique, il attrapa son harpon par une extrémité et jeta devant eux, comme il aurait fait d'un requin, le corps de l'homme empalé. Puis il l'empoigna par les cheveux et le redressa afin que tous pussent voir et reconnaître cette face hideuse aux yeux fixes et vitreux, à la bouche ouverte, et à peine plus livide dans la mort que dans la vie.

Morte la Bête...

## 25

Et dans le silence horrifié, un cri s'éleva, tellement inhumain qu'on ne sut pas d'où il jaillissait.

Encore moins pouvait-on le prêter à la gracieuse créature qui se tenait là dans sa mante sombre, victime frêle au visage archangélique.

On ne comprit que lorsqu'elle s'élança, hurlant toujours, et s'abattit follement en travers du corps sans vie.

— Zalil! criait-elle, mon frère, mon frère! Non, pas toi... Reste! Tu es ma force!... Ne me laisse pas sur cette terre immonde! Ils se joueront de moi. Zalil!... Si tu es parti, je ne peux pas rester... Souviens-toi du pacte!... Ton sang entraîne mon sang... Tu vas m'arracher de mon corps... Je ne veux pas, je ne veux pas... Ne fais pas cela, maudit!... Reviens! Reviens!

La stupeur pétrifiait les témoins de ce désespoir hystérique et il y eut tout à coup parmi eux comme une convulsion, comme si, la panique se saisissant d'eux, ils allaient se disperser pour fuir. Mais, au contraire, ce mouvement les mua en un groupe compact, pénétré d'horreur, de révolte et de soif de vengeance et qui se rua d'un seul élan sur la femme abattue.

Arrachée du cadavre auquel elle se cramponnait, frappée à coups de poing et de pied, les cheveux arrachés par poignées, les vêtements mis en lambeaux, elle ne fut plus bientôt qu'un corps sanglant et défiguré dont les appels déchirants même s'éteignirent sous l'effet de la souffrance...

Mue par un réflexe incontrôlé, Angélique s'était jetée dans la mêlée, essayant d'arrêter les furieux, et de leur arracher leur proie.

— Arrêtez! Je vous adjure, suppliait-elle, ne vous déshonorez pas... Barssempuy, reculez. Frère Marc, pas vous, vous êtes un homme de Dieu... Job Simon, vous êtes trop fort pour abuser de votre force... Ne soyez pas lâche!... C'est une femme! Et vous, capitaine, de quel droit frappez-vous?

Hors d'eux, les hommes criaient, jetant au vent l'aveu de leur désespoir, de leur tragédie secrète, irréparable.

— Elle m'a induit en tentation...

— Elle a fait sombrer mon navire...

— Elle a fait périr mes frères...

— Elle a assassiné ma fiancée...

— Mon navire!... Mes frères!... ma bien-aimée morte, par sa faute! Elle! la Démone!... C'est un serpent! Il faut l'écraser. C'est un monstre. Un monstre!

— Marcelline, Yolande. A moi! cria Angélique.

Les deux grandes femmes bâties en force vinrent à son aide et toutes trois réussirent à traîner, hors de la foule, le corps disloqué de la duchesse, tandis que Peyrac, usant de son autorité, calmait les plus déchaînés, et que les soldats espagnols croisant leurs piques retenaient les hésitants sur le point de se jeter à leur tour dans la curée. Tout cela en quelques secondes à peine animées d'une rage si dévastatrice et cruelle que chacun en restait pantelant et comme épuisé.

On les laissa passer. Elles étaient femmes. C'était leur droit de sauver cette femme livrée à la violence des hommes.

Mais Angélique se refusait de juger l'égarement de ces malheureux, pas plus qu'elle ne se félicitait de son geste salvateur, qui avait été plus un réflexe contre ce déchaînement de violence bestiale qu'un désir de secourir son ennemie.

Aurait-elle eu la vertu d'accomplir un tel geste si elle avait dû à cette horrible créature la mort d'Abigaël ou celle de Cantor ou la perte de Joffrey?... Et si à l'issue d'un combat épuisant, où elle avait mesuré toutes ses faiblesses, elle ne demeurait pas victorieuse.

Oui, c'était elle la victorieuse.

Ambroisine-la-Démone n'était plus qu'une épave aveugle et défigurée, dénoncée par elle-même à la face du monde et que rien ne pourrait sauver de la justice des hommes si elle échappait, en survivant, à celle de Dieu.

Les preuves de ses crimes étaient trop évidentes, les témoignages trop abondants.

C'était la fin de son règne et de ses pouvoirs sur la terre. Son frère maudit, le Démon blanc, l'entraînait avec lui dans la défaite et la mort.

Elle ouvrit les yeux et dit dans un souffle :

— Ne me livrez pas à l'Inquisition.

Jetée sur la couche de varech, dans la maison d'Angélique, sanglante, meurtrie, les haillons de ses atours de satin jaunes, bleus et rouges, livrant aux regards une chair qui n'était plus que plaies, elle eût pu inspirer de la pitié si le regard qui luisait entre ses paupières boursouflées n'eût continué à faire peser sur les trois femmes la sensation d'être guettées par un être acharné à leur perte.

— Pourquoi l'avez-vous sauvée? demanda Marcelline à mi-voix.

— Oui, pourquoi? répéta derrière elle le marquis de Villedavray qui entrait, accompagné du comte de Peyrac et de l'intendant Carlon.

Cependant, malgré eux, ils frémissaient, devant l'état déplorable de cette malheureuse, tout à l'heure d'une vie et d'une beauté triomphantes.

— Son dernier piège! chuchota Villedavray, le piège ultime de Satan : la pitié. L'enveloppe humaine livrée à la fureur aveugle est pitoyable. Nous aimons trop l'image de notre propre chair et pleurons sur sa misère. Pourtant méfions-nous, amis. Tant qu'il lui restera un souffle, nous serons en danger. Et morte, cela ne vaudra guère mieux. Elle deviendra un esprit malfaisant de plus à errer du côté de l'île des démons, pour faire naufrager les navires.

Il hocha la tête.

— Ah! l'âme immortelle! Une sale invention! Nous voilà bien! Avez-vous une solution à nous proposer, monsieur l'Intendant, vous qui vous vantez de faire face à tous les problèmes?

Carlon secoua la tête. Les événements dépassaient nettement les préoccupations habituelles de son esprit rassis et méthodique. Ses regards allaient de ce corps maltraité mais que cependant l'on ne se préoccupait pas de soigner aux visages des autres personnes présentes. La signification de leur expression lui échappait, car il n'avait pas encore compris ce que pour chacun d'eux représentait la vision de cette femme étendue et blessée. Il était pâle comme la mort et l'on voyait qu'il se demandait sans cesse s'il ne rêvait pas.

La grande Marcelline en dressant subitement la tête, comme sous le coup d'une alerte soudaine, l'acheva.

— Les Indiens, dit-elle.

— Les Indiens! Que voulez-vous dire? gémit Carlon.

— Ils arrivent!

Le comte de Peyrac bondit sur le seuil et ils le suivirent.

De la forêt avoisinante, cernant l'établissement, montait une rumeur grondante faite du ronflement des tambours de guerre et des cris par instants lancés en chœur des guerriers s'avançant.

— Piksarett!

On les avait presque oubliés!... Piksarett et ses frères! Piksarett et son peuple! Piksarett qui avait dit : « Prends patience! Uniacké et les siens, et toutes les tribus des Enfants de l'Aurore se rassemblent dans la forêt. Ils attendent l'heure où je leur ferai signe pour la vengeance contre ceux qui ont assassiné nos frères de sang, nos alliés, et qui ont voulu t'humilier et te faire périr, toi, ma captive!... »

Tout à l'heure, les Blancs avaient essayé de régler leurs conflits selon leurs lois, mais maintenant l'heure des Indiens sonnait. La longue garde patiente du grand Abénakis aux côtés d'Angélique, le partage qu'il avait conservé en son cœur des peines et des dangers qu'elle avait encourus et dont à aucun instant il ne s'était dissimulé la gravité et la sournoiserie, l'irritation enfin, qu'il avait conçue contre ces Blancs étrangers et mauvais, venus troubler la paix de ses amis, de celle qui lui avait offert un manteau couleur d'aurore pour les ossements de ses ancêtres et qui pervertissait vilainement les sauvages de la côte, tout cela devait trouver son aboutissement le jour venu, dans un carnage sans merci.

— Ça y est! murmura Marcelline. Ils se sont mis à courir!

Le ronflement cadencé avait changé de rythme. C'était maintenant une rumeur de tempête, de raz de marée, la mer sortant de ses limites et s'avançants vers les humains.

Presque aussitôt la lisière des bois se garnit

d'une frange fauve qui parut enfler à vue d'œil.

Certes, Angélique, le comte de Peyrac et leurs fidèles n'avaient rien à craindre, puisque c'était pour eux qu'aujourd'hui Piksarett et les tribus souriquoises et malécites s'avançaient sur Tidmagouche, mais l'on ne pouvait assurer que même les habitants du hameau et les pêcheurs du morutier breton seraient épargnés.

Déjà de la plage on avait entendu la rumeur perçue par l'oreille exercée de la grande Marcelline, et l'on vit passer Nicolas Parys poussant des gens devant lui.

— Courez vite vous mettre à l'abri dans le fort!...

— Restez là! Monsieur l'Intendant, jeta le comte à Carlon. Les Indiens ne vous connaissent pas et vous pourriez être en danger. Ne quittez pas M. de Villedavray et ma femme. En leur compagnie vous n'avez rien à craindre... Mais ne bougez pas de cette demeure.

Il se hâta vers le rivage.

— Où sont les Filles du roi? s'informa Angélique.

Elle les aperçut plus haut, du côté du fort où Nicolas Parys entassait tous ceux qu'il pouvait à l'abri de la palissade. Deux soldats espagnols de Peyrac se tinrent sur la tourelle. Leur présence, que Piksarett reconnaîtrait, sauvegarderait ceux qui étaient sous leur protection.

Déjà, on apercevait Cantor et le comte d'Urville galopant à travers la plage en criant aux morutiers bretons :

— Prenez garde! Les Indiens arrivent! Ils veulent scalper les étrangers! Montez dans vos canots... Venez vous mettre à l'abri du fortin!... Dépêchez-vous!

— Les Basques! hélait Peyrac. Abritez-vous sous ma bannière et surtout ne tirez pas!...

La marée rouge déferlait, surgissant de partout,

avec ce mouvement de s'épandre, irrésistible, qui avait déjà frappé Angélique à la prise de Brunschwick-Falls, et qui submergeait tout en quelques instants.

On pouvait craindre que, sous ce flot aveugle, des innocents ne fussent sacrifiés, aussi bien les hommes de Peyrac que les matelots de l'équipage basque qui l'avait assisté dans la prise des bandits.

Mais Piksarett, archange vengeur et véloce, parut voler d'un bout à l'autre du front de son armée, désignant les coupables, que son œil exercé avait appris à reconnaître à coup sûr, au cours de sa longue patience.

Pas un qui n'échappât. Uniacké et ses MicMacs, venus de Truro, scalpèrent eux-mêmes de leurs mains vengeresses les suppôts de Zalil, l'équipe des naufrageurs qui avait à son actif la perte de *La Licorne* et celle de la chaloupe d'Hubert d'Arpentigny ainsi que l'attentat contre le yacht *Asmodée.*

Angélique, Marcelline et Yolande, ainsi que le gouverneur et l'intendant, étaient restés au seuil de la masure.

— Et s'ils veulent se saisir de la duchesse? émit le marquis. Ils ne seront pas longs à savoir où elle se cache, la femme pleine de démons...

— Ils n'entreront pas, dit Angélique. Je parlerai à Piksarett.

Ils écoutaient, tendus, les cris montant alentour, où se mêlaient les cris de la victoire et ceux de la terreur, de la douleur et de l'agonie, quelques coups de feu d'une défense désespérée éclatèrent.

Etrangement, l'espace devant eux demeurait vide, on eût dit que l'assaut des troupes indiennes avait volontairement évité de passer par le centre du hameau déserté.

Soudain, il y eut sur la petite place un homme seul qui errait, vêtu de noir. Il se détachait à quelques pas, insolite et comme absent, bizarre, tournant autour de lui un regard d'aveugle, miroitant car chaque fois le soleil, à son zénith dans le ciel en fusion, venait frapper les verres de ses grosses lunettes. Elles reconnurent le secrétaire de la duchesse, Armand Dacaux, le plumitif au menton lourd et sensuel, l'homme à l'éternel sourire bienveillant, l'assasin de Marie-la-Douce.

Il continuait de sourire d'un air égaré. Et les apercevant au seuil de la maison, il fit un pas hésitant dans leur direction et ils eurent un recul instinctif.

— Ne restez pas là, lui cria Marcelline en le chassant du geste. Courez au fort si vous tenez à la vie. Les Indiens vous cherchent...

Il eut un rire suffisant.

— On a déjà crié au loup! Et c'était faux!

— Cette fois c'est vrai! Ecoutez! N'entendez-vous pas! Si les Indiens vous attrapent vous êtes un homme mort.

— Pourquoi me tueraient-ils?

— Parce que vous êtes un criminel, lui jeta Angélique, vous avez assassiné Marie-la-Douce en la poussant du haut de la falaise, et ce n'est pas la première fois que vous frappiez pour le service de votre maîtresse diabolique...

Il se redressa, rougeoyant d'une vanité extatique.

— J'ai toujours œuvré pour le bien, pour la plus grande gloire de Dieu.

Sa folie de s'absoudre des pires crimes, sa complaisance envers lui-même avaient quelque chose de repoussant. Talonné par l'approche de la mort et du châtiment, il refusait la fuite qui aurait constitué un aveu. Sa monstrueuse vanité le paralysait, niant les avertissements du danger, comme au long de sa vie il avait nié ceux de sa conscience, alors que peu à peu il se laissait asservir par sa passion pour une femme perverse et démoniaque.

Quand les Indiens débouchèrent sur la place, il se réfugia derrière Angélique, se jetant à ses pieds, s'agrippant à elle, la suppliant de le sauver.

— Laisse-le-nous! dit Piksarett farouche.

Deux sauvages se saisirent de l'homme par les poignets et le traînèrent sur les genoux un peu plus loin. Le poing de Piksarett armé d'un couteau se déploya sur le ciel, tandis que du genou il bloquait la nuque de sa victime et que de l'autre main il empoignait les rares cheveux du plumitif assassin.

On entendit son cri terrible.

Ainsi peu des complices de la Démone échappèrent aux couteaux des Indiens. Tous les matelots des deux équipages à son service trouvèrent la mort.

Cinq Bretons du morutier furent aussi les victimes de ce massacre qui mérita à Tidmagouche le nom de « grève sanglante ».

Le comte de Peyrac sauva *in extremis* par son intervention le capitaine du Faouët et Gontran le Jeune qui n'avaient pas eu le temps de se réfugier dans le fort avec son père.

Piksarett et ses Indiens négligèrent de poursuivre ceux qui avaient réussi à s'enfuir avec leurs canots vers les navires à l'ancre ou qui s'étaient cachés dans les rochers.

Ralliant ses troupes, le grand guerrier de l'Acadie repassa par le hameau et vint prendre congé d'Angélique qui se tenait toujours sur le seuil de la maison encadrée de Marcelline et de Yolande, ainsi que du marquis de Villedavray et de l'intendant Carlon, plus ou moins médusé.

— Je dois accompagner Uniacké et ses frères à Truro, déclara l'Abénakis, s'adressant à sa captive, mais je te retrouverai à Québec. Tu auras encore besoin de mon aide là-bas.

Et se tournant vers Peyrac qui l'accompagnait :

— J'ai veillé sur elle dans des dangers innombrables, sache-le, Tekonderoga (1) mais je ne regrette pas ma peine, puisque les démons n'ont pas prévalu contre elle. C'est une supplication que l'on adresse à Dieu dans les prières du prône de la messe : « Que les démons ne prévalent pas contre nous », et Dieu nous a écoutés puisque voici ses ennemis anéantis.

Il se dressait dans toute sa superbe, bariolé de peintures de guerre et, des chevelures pendues à sa ceinture, le sang descendait en rigoles le long de ses jambes.

Devant lui, Angélique paraissait frêle, une femme blanche, venue d'ailleurs, d'un monde étranger, mais c'était celle que les Iroquois nommaient Kawa, et Piksarett était fort satisfait de partager avec ses lointains ennemis irréductibles le privilège de la défendre. Il abaissa sur elle son regard malicieux et triomphant.

— Te souviens-tu, toi, ma captive, lorsque à Katarunk, tu te tenais debout devant une porte. Je savais qu'Outtaké l'Iroquois, mon ennemi, était derrière cette porte, mais j'ai consenti à te laisser sa vie. Te souviens-tu?

Elle inclina affirmativement la tête.

— Eh bien, reprit le sauvage, je sais aussi aujourd'hui qui est derrière cette porte (et il désigna le vantail de la maison où se trouvait la Démone blessée) mais comme jadis, je te laisse sa vie, car c'est ton droit d'en décider.

Il simula un départ solennel, puis se retournant une dernière fois avant de s'éloigner, lui jeta :

— Elle était ton ennemie! Sa chevelure t'appartient!

La chevelure d'Ambroisine! Ce pelage somptueux au parfum envoûtant!... Une chose féminine, vivante, une chose douce, une expression de la beauté terrestre, créée pour la saveur de vivre,

(1) Surnom donné par les Indiens au comte de Peyrac.

pour le plaisir et pour l'amour, et comme toute chose humaine créée pour le bonheur, la joie, la tendresse, comme sa chevelure à elle, Angélique, sur laquelle elle sentait passer la main de Joffrey en une caresse possessive et ardente.

— Sa chevelure! Qu'en ferais-je?

Le crépuscule tombait sur une grève sanglante au-dessus de laquelle s'amoncelait rapidement un nuage sombre d'oiseaux.

Avec les sauvages s'éloignait l'odeur du meurtre, et de l'âpre vengeance. Il faudrait faire vite pour dégager et enterrer les corps qui revêtaient dans l'abandon résigné de la mort une sorte d'innocence.

Etourdie d'une subite lassitude, Angélique imaginait, à sa ceinture, la chevelure d'Ambroisine sombre et parcourue de reflets de feu et c'était peut-être cela mûrir, même grandir, s'assagir, atteindre la sérénité, que de ne garder de tant de turpitudes, de peur, de haine, d'indignation brûlante et de désir de mort, un sentiment de pitié pour une chevelure de femme, en déplorant que les démons eussent le pouvoir d'user de la beauté humaine pour l'avilir et la vouer, par le mal, à l'horreur et à la répulsion.

On avait dépassé les notions communes. Cela se sentait dans les propos, la façon particulière de ceux qui avaient vécu le drame en profondeur, d'aborder avec simplicité des sujets, qui, d'autre part, auraient exigé l'effroi et le murmure, attitude qui n'était pas sans choquer les « étrangers », ceux qui n'étaient entrés que depuis quelques heures dans l'affaire.

— Ce Piksarett est merveilleux! commentait Villedavray satisfait. Nous voici tranquilles. Le nettoyage a été vivement mené. Tout est en ordre. Pas de procès, de tribunal religieux ou séculier. Nous n'aurons pas à nous déranger pour des témoignages sans fin qui nous feraient retrouver sur le banc des coupables et, qui sait? sur le bûcher de l'Inquisition. Parfait! Parfait! Ces Indiens sont précieux parfois, je le reconnais, malgré leur détestable habitude de s'oindre de graisses malodorantes.

— Mais vous êtes infâme, s'écria Carlon indigné. Je ne vous reconnais pas. Vous, un homme si délicat! Vous avez une façon de traiter ce carnage inhumain et incompréhensible qui me stupéfie avec un cynisme!...

— Croyez-moi, c'était la meilleure solution. On sait où mènent les procédures d'empoisonnements et de magie...

— Mais j'ai été mêlé à cette escarmouche, s'écria l'intendant effrayé. Il faudra que j'en réfère au grand conseil de Québec.

— N'essayez pas surtout! C'est trop compliqué. Effaçons! Effaçons! Comme le vent et les oiseaux vont effacer toutes traces de ce jour sur cette plage. Pour quelques crânes décalottés, il n'y a pas de quoi nous plonger volontairement dans un merdier qui pue le soufre à plein nez. Tenez-vous coi! Pour vous récompenser, je vous raconterai l'histoire de bout en bout. Je connais tous les détails. Cela occupera nos soirées d'hiver.

— Mais... il reste cette duchesse de Maudribourg.

— Vous avez raison. Morte ou vive elle n'a pas encore fini de nous tourmenter.

Ambroisine de Maudribourg vivait toujours, bien qu'elle parût sur le point d'expirer.

Marcelline, dévouée et courageuse, trouva, seule, la force morale de lui prodiguer quelques soins.

Pendant ce temps, le vieux Nicolas Parys convoquait la compagnie dans la salle de son fortin.

— Voilà! déclara-t-il à Peyrac. J'ai une proposition à vous faire pour vous débarrasser de cette femme. Vous savez que je veux m'en aller et vous laisser mes terres. Le prix est à fixer mais je ne serai pas gourmand. Ce que je veux, c'est épouser cette duchesse de Maudribourg. J'aime ce genre de diablesse et je lui croquerai ses écus. Et quand il n'y en aura plus, elle me donnera le secret de la fabrication de l'or, elle le connaît.

— Mais, vous êtes fou, s'écria Villedavray. Cette sorcière vous nouera l'aiguillette et vous empoisonnera comme le duc son mari et pas mal d'autres de ses amants.

— C'est mon affaire, grommela le vieux roi de la côte est. Alors on s'entend comme ça?...

Et comme la nuit tombait, il fit allumer ses torchères fumantes afin de dresser le bilan et l'estimation de ses biens à remettre à son successeur, le comte de Peyrac.

## 26

Mais vers le soir de ce jour, dans l'obscurité déjà profonde, il y eut un cri.

— Elle s'est enfuie!...

Un vent de panique souffla et Angélique ne fut pas loin de partager la terreur superstitieuse de certains.

Vivante ou morte, l'ombre d'Ambroisine continuait à planer sur les lieux. On avait eu trop à pâtir de sa malice et de ses ruses pour se croire si vite à l'abri de ses maléfices.

Or, voici qu'on retrouvait la grande Marcelline à moitié assommée contre le montant de l'âtre et vide la couche où l'on avait étendu la Démone et ouverte la fenêtre qui donnait sur les bois.

— Je tisonnais le feu, raconta l'Acadienne, et je tournais le dos. Allais-je m'imaginer qu'elle se lèverait, elle qui était quasi mourante, ne remuait même pas le petit doigt de toutes ces heures!... Elle est venue par-derrière et m'a bousculée avec une force incroyable. Je crois qu'elle voulait me faire choir dans les flammes. J'ai lutté. En me retournant j'ai entr'aperçu sa face. Horrible! Ses cheveux, on aurait dit des serpents qui se tordaient. Au milieu de toutes ces plaies et ces plaques noires des coups, ses yeux qui luisaient comme ceux du diable, et ses dents... ses dents, croyez-moi, il y en avait deux plus longues, plus pointues que les autres... des dents de vampire... Le cœur m'a manqué. Je crois que je me suis évanouie pour de bon et que j'ai cogné contre la cheminée en tombant. Quand je me suis reprise, j'ai vu qu'elle avait sauté par la fenêtre. Regardez voir si elle ne m'a pas mordue avec ses crocs!... Si oui, je suis bonne pour l'Enfer!... Ah! Pauvre de moi!

Courageusement, elle offrait son beau cou blanc et solide à l'examen. Elle était prête à tout, mais Villedavray lui assura de la façon la plus savante et théologique qu'elle ne portait aucune trace de morsures et n'avait rien à craindre de cette suprême attaque d'un suppôt de Satan.

Malgré tout, l'émotion était à son comble. Joffrey de Peyrac apaisa les esprits en disant qu'il se pouvait qu'une personne, douée de propriétés psychiques hors du commun comme la duchesse de Maudribourg, retrouvât subitement, malgré la gravité de ses blessures, une force surhumaine, lui permettant certes de se lever, de courir, de fuir devant elle dans un dernier sursaut de vitalité forcenée, mais dans la forêt de toute façon elle n'irait pas loin.

On envoya quelques hommes sur ses traces, ils revinrent sans avoir relevé aucun indice.

Aussi bien l'obscurité était profonde, la forêt hostile, et une lourde atmosphère régnait sur ce rivage où l'on achevait d'ensevelir les morts, et où personne cette nuit-là ne trouva le courage de prendre du repos.

Une vision s'imposait à Angélique et elle sentait, au long de son échine, un frisson la parcourir. Elle voyait... oui, elle voyait...

Il semblait qu'avant de se rompre définitivement et de la délivrer, le lien qui l'avait enchaînée par la violence d'une lutte sourde et acharnée à son ennemie la plus redoutable, envoyée pour la perdre, ce lien une fois encore la reliait à celle qu'elle avait appris à connaître dans le secret afin de s'en défendre, et « elle la voyait »...

Elle voyait cette femme démente, fuyant dans ses robes de satin haillonneuses, fuyant follement à travers la sauvage forêt d'Amérique... Et, lancée sur ses traces, une sombre boule luisante, dévalant les ravines à sa suite, se coulant sous les halliers, se rapprochant, se rapprochant de la fugitive, bondissant sur ses épaules, l'abattant et la déchirant de ses griffes, tandis que se révélaient les yeux de feu et le rictus démoniaque retroussé sur les canines aiguës de la bête. Le monstre!... Le monstre dont parlait la prédiction. « ... Et je vis sortir des taillis une sorte de monstre velu qui se jeta sur la démone et la déchiqueta, et la mit en pièces, tandis qu'un jeune archange à l'épée étincelante s'élevait dans les nuées... »

— Où est Cantor? s'écria Angélique.

Et elle se mit à le chercher de tous côtés, allant d'un groupe à l'autre, essayant de discerner sa silhouette déjà altière, sa chevelure blonde. Si elle l'avait rencontré, elle l'eût hélé : « Cantor! Où est ton glouton? Où est Wolverines? » Mais elle n'aperçut ni Cantor ni le glouton. Marcelline, que son agitation étonnait et qui était remise de ses émotions, lui dit :

— Pourquoi vous inquiétez-vous? Qu'est-ce que vous voulez qu'il lui arrive à votre Cantor! Il y a belle lurette qu'il n'est plus un poupon, ce petit gars-là? Mais je vous comprends! Nous autres les mères, nous sommes toutes pareilles!

De guerre lasse, Angélique s'assit sur le banc qui se trouvait devant sa maison. Elle serra son manteau contre elle. C'était la suprême anxiété, la dernière attente, la dernière fois qu'elle se recueillait dans l'isolement de cette tragédie, perceptible à elle seule, et qu'elle allait quitter comme on quitte un pays visité au passage, où l'on ne voudra certes jamais revenir, mais d'où l'on ramène quelques précieux trésors.

Le clair de lune se leva derrière les falaises. Les yeux restaient partout allumés sur la plage. Les lumières des navires dansaient, nombreuses dans l'eau du bassin. Des bâtiments à la rive il y avait une animation incessante. Les Bretons rescapés, mornes et dolents, commençaient de plier bagage, halaient à leur bord les derniers tonneaux de morue salée.

Le comte de Peyrac sortit de l'ombre.

Il vint s'asseoir près d'Angélique. Il mit son bras autour de ses épaules et l'attira contre lui. Elle voulut lui parler de Cantor et de la vision qui la tourmentait, mais elle se tut.

Il fallait goûter ces minutes, savoir émerger du cauchemar, se guérir du cruel face à face.

Il lui semblait qu'elle était différente ou plutôt qu'elle avait acquis quelque chose qui lui était inaccessible jusqu'alors et qui la rendait différente. Cette chose encore mal définie ajoutait à sa personnalité tout en la fortifiant. Mais elle ne savait pas très bien ce que lui réservait l'avenir et c'est pourquoi elle éprouvait le besoin de se taire. Plus tard elle découvrirait qu'elle était devenue plus indulgente, plus tendre à la faiblesse humaine, mais aussi plus distante, moins concernée par l'entourage, plus libre d'esprit et de cœur, plus amicale envers elle-même, plus apte à goûter la saveur de la vie, plus intimement reliée à l'invisible, à ce qui n'est jamais prononcé, et qui régit en profondeur les actes des humains. Richesses sans prix, trésor inappréciable que laissait sur son âme, en se retirant, la vague maléfique.

En elle l'attente peu à peu changeait de signification, débouchait vers la confiance, le bonheur, la joie des certitudes.

Joffrey, par instants, baisait son front, caressait ses cheveux.

Ils parlèrent peu au cours de cette nuit, qui était encore, entre l'inconnu du lendemain et le poids d'une journée tragique, pleine de sang et d'anathèmes, une nuit d'attente.

Le comte expliqua seulement pourquoi le mois dernier il avait fait voile vers le golfe Saint-Laurent sans s'arrêter même à Gouldsboro.

Alors qu'il se trouvait encore sur la rivière Saint-Jean à régler l'affaire de Phipps et des officiels de Québec, il avait reçu un message de la côte est l'avertissant qu'on pouvait lui fournir des renseignements de la plus haute importance concernant *La Licorne*, la duchesse de Maudribourg et un complot contre lui ourdi.

C'est pourquoi, hâtivement, il se rendit sur le golfe. Cet avertissement corroborait sa propre intuition que la duchesse de Maudribourg et le navire à l' « oriflamme orange » qui les espionnait et leur tendait des pièges, avaient d'une certaine façon partie liée entre eux. Ce soupçon lui en était venu à l'esprit dès le jour où la duchesse avait débarqué si glorieusement à Gouldsboro. Lui aussi avait été sensible — mais d'une façon plus nette qu'Angélique — à ce qui sonnait faux dans la mise en scène de la belle « Bienfaitrice ». De plus, ayant examiné l'épave de *La Licorne* et les cadavres des victimes de naufrage, il en avait déjà retiré l'impression que l'affaire était suspecte, et les réticences de Simon à propos de son erreur de pilotage l'intriguaient...

Après l'arrivée spectaculaire de la duchesse, si miraculeusement — et élégamment — sauvée des eaux, s'évanouissant à leurs pieds, accaparant l'attention et l'attendrissement, son inquiétude s'était accrue. Que signifiait cette convergence vers Gouldsboro d'êtres et de navires si disparates et si divers? Son instinct refusait de n'y voir que la main du hasard.

Aussi, au cours de cette même journée où Angélique veillait dans le fort, au chevet de la duchesse, il avait eu de nouveau un entretien avec Colin Paturel, l'interrogeant minutieusement. Il voulait tout savoir des conditions dans lesquelles Colin Barbe d'Or avait acquis ses lettres de courses pour une expédition en Amérique du Nord, en quels termes on lui avait présenté la place à conquérir, Gouldsboro — « Un pirate et quelques comparses à déloger!... » lui avait-on dit — et Colin se souvenait maintenant qu'à plusieurs reprises pour l'encourager, dans l'aventure, on avait fait allusion « qu'il ne serait pas seul là-bas », qu'il y serait assisté à l'occasion, qu'il y avait un grand nom derrière tout cela, et une des plus grosses fortunes du royaume, et qu'en somme on saurait reconnaître le service rendu par lui de nettoyer la place et d'y établir une colonie bonnement française. A la lueur un peu vague encore de ce récit, Peyrac prenait mieux conscience de la coalition dont il était l'objet et qui, sans doute, s'était fomentée à Paris sur des instigations précises, venues du Canada; il sentait se cristalliser les menaces vagues, la volonté cachée mais certaine de les détruire sans merci, lui et les siens, et tout à coup...

— Tout à coup, je ne sais pourquoi, il m'est apparu que la chose la plus urgente à faire c'était de me réconcilier avec vous... ma chérie!... J'ai envoyé Enrico vous chercher...

Il y avait eu les apparences, les faits, et puis il y avait eu la trame invisible des pièges tendus à la bonne volonté des âmes et des cœurs. Ce soir-là à Gouldsboro, la Démone était déjà dans la place. Mais l'Amour l'avait prise de vitesse. Et c'est pourquoi, dans le pressentiment de sa défaite, elle avait poussé ce cri de l'autre monde, qui les avait glacés d'épouvante.

— Quand je pense à elle, dit Angélique, je commence à comprendre la peur et la méfiance de l'Eglise pour les femmes...

— Etait-ce seulement une femme!...

L'aube se levait avec un éclat inhabituel et, dans les premières lueurs du soleil étincelant, ils virent venir Cantor par le chemin qui suivait la côte au-desssus du village.

Il marchait paisiblement en regardant vers la mer sur laquelle le soleil levant répandait une nappe d'or.

Effet de cette profusion glorieuse, sa beauté juvénile en était rehaussée encore, avec ses cheveux blonds auréolés de lumière, son regard limpide étincelant, la fraîcheur de son teint comme touché par l'éclat de la rosée, la grâce fière et sûre de sa démarche, et l'on ne sait quoi de pur et d'incorruptible qui émanait de toute sa personne.

« L'archange justicier! » Ambroisine elle-même ne l'avait-elle pas désigné ainsi?...

— D'où viens-tu? lui demanda son père lorsqu'il s'arrêta devant eux.

Et Angélique :

— Où as-tu dormi?

— Dormi? répondit Cantor avec une certaine hauteur. Qui donc a dormi cette nuit sur cette grève?

— Et Wolverines? ton glouton? où est-il?

— Il court les bois. Après tout, il ne faut pas oublier que c'est une bête sauvage.

Et il s'approcha pour saluer son père et baiser la main de sa mère. Puis, traversé d'une idée soudaine, redevenant enfant, il dit avec animation :

— Que fait-on de ces bruits qui circulent que vous allez vous rendre à Québec et que nous y passerons l'hiver? Voilà qui me plairait fort. Après Harvard et la théologie, et Wapassou et la famine, je ressens le besoin d'un petit air de cour. Ma guitare se rouille de ne pouvoir vibrer pour le plaisir des jeunes filles avenantes. Père, qu'en dites-vous?...

On retrouva le corps d'Ambroisine de Maudribourg affreusement mutilé, au bord d'un marécage. On pensa qu'elle avait été attaqué par un loup ou par un chat sauvage. Seuls des lambeaux de ses vêtements aux couleurs voyantes, jaunes, rouges et bleus, permirent de l'identifier.

L'aumônier de Tidmagouche, qui avait fort à faire avec tous ces gens à enterrer et qui en oubliait ses libations habituelles, vint trouver Peyrac.

— Dois-je donner l'absoute? interrogea-t-il inquiet, on me raconte que cette femme était possédée du Démon.

— Absolvez! répondit Peyrac. Aussi bien, ce n'est plus qu'un corps sans vie. Il a droit au respect des humains.

## 27

Sur la sortie de l'aumônier, entra Villedavray, qui dissipa l'impression pénible, en déclarant tout de go :

— Décidément, je les ai tous deux bien examinés. C'est le plus petit qui me plaît.

— Le plus petit? s'enquit Peyrac avec un demi-sourire.

— De vos deux navires, en butin... Car je ne doute pas, mon cher ami, que vous allez me faire don d'une de vos prises de guerre? L'amitié que je vous porte ainsi qu'à Mme de Peyrac m'a coûté assez cher! Entre autres, la perte de mon *Asmodée*. Sachez que pour sa beauté j'avais englouti une fortune. Sans compter les mille morts que cette Démone lancée à vos trousses m'a fait courir à moi-même, du fait que je me trouvais dans vos parages et, plus ou moins forcé par les circonstances d'être votre allié. Aussi, j'estime que ce n'est que justice que je devienne propriétaire d'un des navires de ces pirates, pour compenser ma perte... N'est-il pas vrai?

— Je partage entièrement votre avis, confirma Peyrac, et j'ajouterai que je désire prendre à mes frais la réfection du château arrière, et aussi le décor de la tutelle. Je suis prêt à faire venir de Hollande un des meilleurs peintres qui soient pour y exécuter un tableau à votre goût. Et encore, ceci sera peu pour reconnaître les inestimables services que vous nous avez rendus, marquis!

Le gouverneur de l'Acadie rougit de plaisir et son rond visage s'illumina de son sourire enfantin.

— Alors? Vous ne me trouvez pas trop gourmand? Comme vous êtes aimable, cher comte! Je n'en attendais pas moins de vous. Mais nous n'aurons pas besoin d'ameuter la Hollande. J'ai sous la main, à Québec, un excellent artiste, le frère Luc... Nous allons créer une merveille...

Tout doucement l'on rentrait dans la vie normale. Ayant combattu la Démone avec vaillance et le meilleur de lui-même, Villedavray redevenait pointilleux, soucieux de ses intérêts et de ses jouissances.

Mais Angélique n'oublierait jamais quelle personnalité valeureuse se cachait sous les gilets brodés du petit marquis en dentelles.

— Il a été merveilleux! dit-elle à Joffrey. Si vous saviez! Durant ces derniers jours à Tidmagouche, c'était terrible. Elle, Ambroisine, elle me torturait de mille façons. Elle avait une façon de surgir et d'apporter chaque fois la menace, le doute et le désespoir qui finissaient par user toute résistance. Sans lui, notre Villedavray, je ne sais si j'aurais pu tenir, faire face à tant d'habile méchanceté! Il dispersait l'angoisse, simplifiait par ses boutades les situations les plus dramatiques... Il m'a aidée à garder la certitude que vous alliez revenir et qu'alors tout s'arrangerait. Etait-ce pour aller chercher ce témoin décisif, M. Quentin, l'aumônier, que vous vous êtes rendu à Terre-Neuve?...

— Oui! Le message qui m'avait atteint à Saint-Jean parlait de renseignements importants. Ici, j'ai appris l'histoire de l'aumônier de *La Licorne* qui avait été repêché sur les côtes de Terre-Neuve et qui paraissait en savoir long sur ce navire et sa propriétaire.

— Mais qui donc vous a envoyé ce message sur la rivière Saint-Jean?

— Nicolas Parys!

Angélique ouvrit de grands yeux.

— Lui? Je le croyais dangereux!...

— Il l'est, et rusé et sans scrupule, et paillard et mauvais, mais nous ne sommes pas ennemis. Cette histoire de l'aumônier jeté à la mer qu'on lui rapportait de Terre-Neuve et à laquelle était mêlé Gouldsboro lui a paru suspecte et il m'a fait prévenir afin que je vienne moi-même éclaircir l'histoire. De toute façon, il exècre toutes intrusions de nouveaux venus dans les affaires de l'Acadie dont il se considère le roi d'une bonne part, et comme il comptait s'entendre avec moi pour ses terres, il a préféré jouer franc jeu et m'avertir qu'on rôdait par là pour me faire trébucher. Cela ne l'a pas empêché lorsqu'il a connu la ravissante duchesse de se laisser prendre à son charme empoisonné.

— Mais comment est-elle parvenue jusqu'ici?

— Sur le *Gouldsboro*. Je l'ai trouvée à La Hève, où Phipps, terrifié, s'était débarrassé d'elle, préférant se priver de ses otages que de demeurer aux prises avec une telle tentatrice. Il m'était difficile de laisser des femmes dans ce lieu abandonné. J'ai dû les amener jusqu'ici, où elles avaient plus de chance de trouver un navire pour Québec.

— Et ça a été votre tour d'être aux prises avec la tentatrice?

Peyrac sourit sans répondre. Angélique continua.

— Et c'est sans doute au cours de cette traversée qu'elle a subtilisé votre pourpoint. Par quelle divination diabolique savait-elle qu'elle pourrait un jour en jouer pour me désespérer, comment savait-elle que je viendrais l'affronter à Tidmagouche?... Elle pressentait tout... Avant de quitter Gouldsboro, vous avait-elle donné rendez-vous à Port-Royal?...

— A moi? Un rendez-vous? Qu'aurais-je eu à faire d'un rendez-vous avec cette sorcière?

— Elle voulait me le faire croire.

— Et vous l'avez crue?

— Ou-oui!... par moments.

— Et vous avez un peu tremblé à votre tour?

Il souriait en la regardant dans les yeux.

— Vous? la séductrice qui ne connut jamais de défaites même sur le cœur des plus grands monarques ou des tyrans les plus redoutables?

— N'était-elle pas une rivale de taille? Terriblement habile et armée, non? Mieux armée que moi en bien des choses qui pouvaient vous complaire : le savoir, par exemple, et...

— Un savoir artificiel et touché de folie qui ne pouvait que m'inquiéter plutôt que m'attirer. Comment avez-vous pu douter, mon amour? Comment avez-vous pu craindre quoi que ce soit de ma part?... Etes-vous si peu consciente de votre incomparable séduction et de votre envoûtant pouvoir sur moi? Comment pourriez-vous avoir des rivales en mon cœur? Quelle folie! Ne savez-vous pas qu'une personnalité de femme authentique, à la fois mystérieuse et sans artifices, ce qui est un don rare, attache plus profondément la passion d'un homme, que les rouées ne se l'imaginent.

» Certes, l'attraction de la chair sur nous autres, hommes, n'est pas à mésestimer, et des moins sots peuvent se laisser prendre aux capiteuses saveurs d'un beau corps, mais, moi-même, déjà enchaîné au joug de votre beauté et de votre charme ensorcelant, qu'aurais-je été chercher auprès de cette femme, malgré ses incontestables atouts? Aussi bien, elle a deviné, dès le début, ma suspicion... Et ne pouvant jouer desdits atouts sur moi, elle feignait de quitter Gouldsboro, devinant que c'était la méfiance qu'elle m'inspirait qui me retenait céans, puis, dès que j'avais tourné le dos, ayant mis la voile pour Saint-Jean, tranquillisé que j'étais par ce départ, elle revenait pour vous prendre dans ses filets, vous, mon amour, mon trésor le plus précieux. Vous voyez que moi aussi, tout méfiant que je suis, je n'ai pu déjouer toutes les ruses d'une créature aussi diabolique!

— Elle était effrayante! murmura Angélique avec un frisson.

On n'en finirait pas, de longtemps, de recenser les pièges que leur avait tendus Ambroisine, ceux dans lesquels ils étaient tombés, ceux que, par miracle, et comme protégés invisiblement, ils avaient pu éviter... Et comment, poussée par sa jalousie et sa haine démoniaque, elle avait voulu faire mourir Abigaël, parce que Angélique l'aimait, soit en la privant de secours possibles pendant son accouchement — et elle faisait porter par ses complices de l'alcool à la vieille Indienne, ou la nouvelle qu'un parti d'Iroquois approchait afin d'éloigner maître Berne, et elle versait une potion stupéfiante dans le café d'Angélique, mais c'était Mme Carrère qui l'avait bu... Alors Ambroisine feignait aussi d'avoir été droguée pour détourner les soupçons.

Et plus tard, retournant visiter Abigaël, elle versait un poison dans la tisane qu'elle savait préparée par Angélique pour l'accouchée.

Voici que l'homme aux épices et son Caraïbe, débouchant de la forêt sur la grève de Tidmagouche, éclairaient l'affaire de la taie écarlate. C'était lui qui avait vendu à la duchesse de Maudribourg le poison violent qu'elle avait versé dans la tisane. Il avait un peu de tout sur lui, cet homme! Joffrey de Peyrac détermina qu'il s'agissait non d'un extrait de plantes mais de l'arséniate de fer.

Il avait aussi aidé de ses lumières à la fabrication du cordon de mèche explosive qui avait fait sauter l'*Asmodée*.

Apprenant tout cela, Villedavray voulait arrêter le pirate. Mais il apparut que cet errant des antipodes avait lui aussi été quelque peu victime de la démone et de ses complices sataniques. Pourchassé par eux parce qu'il en savait trop long et comprenant que, comme Clovis, il y allait de sa vie, il avait erré misérablement dans la forêt pour leur échapper; il était à bout de forces.

— C'est bon! accepta le gouverneur de l'Acadie. J'ai eu le hamac de son Caraïbe et sa pierre verte. Je lui laisserai la vie.

Le pauvre diable se coucha sur la plage les bras sous la nuque, son esclave olivâtre accroupi à côté de lui, et attendit le *Sans-Peur*, qui devait venir le rechercher par là vers l'automne, et le ramener aux îles.

Ce fut Phipps qui arriva le premier. L'Anglais se risquait dans les dangereuses eaux françaises pour essayer de joindre le comte de Peyrac.

Il avait entendu dire que celui-ci se rendrait à Québec pour négocier la situation du Maine et il était porteur de la part du gouverneur du Massachusetts de diverses recommandations à cet égard. Il était également chargé d'enquêter sur la mort du pasteur anglais qui avait été tué à Gouldsboro par un Jésuite.

Enfin il ramenait le soldat français Adhémar. Les puritains s'étaient déclarés incompétents à statuer sur le sort d'un tel personnage. Il était aussi difficile de le juger que de le pendre. Autant le refiler en douce aux Français.

Adhémar débarqua en héros. En revanche, Phipps avait perdu beaucoup de son mordant. Craintif, il regardait de tous côtés avec appréhension, et les affirmations qu'il se trouvait ici en territoire neutre et n'avait à craindre aucun coup de main des Canadiens, ne suffisaient pas à le rassurer. Il ne se rasséréna que lorsqu'il eut appris incidemment la fin de la duchesse et qu'il ne courrait plus aucun risque de se retrouver en face d'une femme aussi inquiétante.

Cette fin tragique avait affecté profondément le propriétaire du lieu, Nicolas Parys. Le vieux bandit avait mal accusé le coup qui le frappait dans ses visées sur la fortune de la duchesse de Maudribourg, et, qui sait? dans la passion sénile qu'elle lui avait inspirée.

Il blanchit en deux jours, se voûta, brada ses terres au comte de Peyrac en quelques accords hâtifs, et malgré les protestations de Villedavray qui faisait remarquer que le gouvernement de Québec devait être mis au courant de ces tractations, et les cris de son gendre qui parlait d'héritage et de droits de succession : « Canso, c'est assez pour toi, gros lard », lui jeta-t-il — il descendit une dernière fois la grève de son royaume d'Amérique par un matin venteux qui annonçait l'arrière-saison, afin de s'embarquer sur le morutier breton.

La brise était aigre, ce matin-là. Et l'on s'impatientait devant le môle, de voir le gouverneur-marquis de Villedavray et le vieux Nicolas Parys chuchoter sans fin à l'écart, têtes rapprochées et nez à nez comme au confessionnal. Enfin ils en terminèrent avec cette conversation qui devait être, si on en jugeait à leurs mines, d'une extrême importance.

Le vieux seigneur de la côte est, enveloppé dans sa houppelande et serrant sa cassette sous le bras, monta dans la chaloupe qui l'attendait. Peu après, le morutier breton hissait les voiles et s'éloignait. Il ne reviendrait jamais à Tidmagouche.

Villedavray remonta la grève en se frottant les mains.

— Bonne affaire! Au moment des adieux j'ai dit à ce vieux filou : « Je vous laisse quitte de l'argent que vous me devez sur l'an passé. Mais à une condition, c'est que vous me donniez votre recette de préparation du cochon de lait tel que celui que nous avons dégusté dans votre bouge mal éclairé, le premier soir de notre arrivée. » Vous vous souvenez, Angélique?... Non?... Evidemment nous étions tous un peu préoccupés, ce soir-là, mais le cochon de lait croustillant, c'était délicieux. Et je sais que le bougre est gourmet et à l'occasion met la main à la pâte. Il a été cuisinier avant de se faire naufrageur et propriétaire de grèves. Bref! Je le tenais, et il m'a tout confié, aussi bien, il n'avait pas d'autre alternative. Je sais tout de son secret à un grain de poivre près... C'est une recette des Caraïbes que lui a enseignée un boucanier de ses amis et qui, en fait, tient ses origines d'un détour vers la Chine... On creuse un grand trou, on y met des braises..., il faut aussi une laque spéciale, mais ici nous avons d'excellentes résines, je vais envoyer des sauvageons en quérir en forêt... Marcelline, Yolande, Adhémar, venez tous... Au travail...

Il ôta son chapeau, sa redingote, releva ses manchettes de dentelles.

— Maintenant que nous voilà entre gens de bonne compagnie, nous allons nous préparer un festin royal... Et vous aussi, l'Anglais, ôtez votre couvre-chef en pain de sucre et venez m'assister à la rôtisserie... On va vous faire festoyer à la française. Ça vous changera de vos bouillies d'avoine de la Nouvelle-Angleterre.

On finirait donc par admirer la grande Marcelline ouvrant ses coquillages à la vitesse de l'éclair, tandis que les tréteaux dressés sur la plage, dans le soir tombant, se garniraient de mets odorants et croustillants. Chacun avait voulu jouer sa partie et même l'intendant Carlon s'était lancé dans la fabrication d'une sauce.

On alluma des torches quand la nuit vint et des feux tout alentour.

— Dansons, les Basques! s'écria Hernani d'Astiguarza... Une dernière farandole avant de regagner l'Europe!...

Malgré les efforts des démons pour attrister les humains de bonne volonté, la saison d'été se terminait en beauté.

Le lendemain, les Basques mirent à la voile, vers l'Europe, puis Phipps vers sa Nouvelle-Angleterre.

Qu'attendait-on sous ce ciel d'opale? La pluie ne s'annonçait pas encore. La poudre tombait des arbres, des sapins, des épinettes noires, en quenouilles hérissées tout le long des falaises. Des relents d'incendie venaient de l'arrière-pays.

Son séjour comme captif des puritains paraissait avoir fort débrouillé Adhémar. Il s'était promu cuisinier-chef pour toute la noble société. Et s'étant fabriqué une toque blanche qui s'associait on ne peut mieux à son uniforme avachi, il annonçait triomphalement, quand sonnait l'heure du dîner :

— Nous deux Yolande, on vous a préparé un de ces homards! Venez goûter ça.

— Il est très bien ce garçon, estimait Villedavray, j'ai envie de le prendre à mon service. Et vous, Angélique, vous devriez vous attacher la petite Yolande comme chambrière. Elle est charmante, cette enfant, sous ses dehors bourrus. Je l'aime beaucoup et je voudrais lui donner l'occasion de sortir de son trou sauvage. D'autant plus qu'elle a l'air de bien s'entendre avec ce nommé Adhémar...

Angélique regardait la « petite » Yolande transportant des couffins de coquillages ruisselants avec l'aisance d'un débardeur turc. Elle la voyait mal en soubrette.

— Eh bien! Elle vous servira de garde du corps, proposa Villedavray. A Québec, cela pourra vous être utile...

— Mais, je vous en prie, intervint Carlon qui se trouvait là ainsi que quelques gens de sa suite, confirmez-moi, comte — et il se tournait vers Joffrey de Peyrac également présent — confirmez-moi s'il s'agit d'une plaisanterie ou d'un projet sérieux. J'entends sans cesse le marquis s'adresser à Mme de Peyrac comme s'il ne faisait aucun doute que vous-même et votre épouse comptiez vous rendre en Nouvelle-France et même en sa capitale et y passer l'hiver.

— Mais, bien sûr qu'ils s'y rendront, affirma Villedavray en pointant du nez. Je les ai invités chez moi et je n'admettrais pas que quiconque se montre incivil envers mes hôtes...

— Mais enfin vous dépassez les bornes, s'emporta l'intendant de la Nouvelle-France, vous en parlez comme s'il s'agissait de se rendre à médianoche dans le quartier du Marais ! Quand vous avez quelque chose en tête, vous! Vous refusez de regarder la réalité en face. Nous ne sommes pas au cœur de Paris, mais à des milliers de lieues, et responsables de territoires immenses, déserts et dangereux. La position de M. de Peyrac est celle d'un intrus que nous avons plus ou moins le devoir de déloger de ses positions et s'il s'avisait de se rendre sous Québec nous devrions le considérer en ennemi franchissant les eaux territoriales. De plus, vous n'ignorez pas que la ville est fort divisée au sujet de la comtesse, son épouse. Pour des raisons plus ou moins rationnelles, on s'est monté la tête à son propos, on lui prête des pouvoirs obscurs, on a colporté sur elle des horreurs. Si elle a l'imprudence de venir à Québec, on lui lancera des pierres!...

— J'ai des boulets pour répondre aux pierres, riposta Peyrac.

— Parfait! J'enregistre votre déclaration! triompha Carlon, sarcastique. Vous entendez, marquis?... Ça commence bien!

— Pax! dit Villedavray impérieux. Nous venons de déguster ensemble un excellent homard. C'est la preuve que tout peut s'arranger. Je parlerai votre langage, monsieur l'intendant. Politiquement, la visite de M. de Peyrac s'impose. Puisque nous sommes loin du soleil, c'est-à-dire des caprices de Versailles et de ses fonctionnaires parisiens, profitons-en pour œuvrer en personnes raisonnables, c'est-à-dire qui ont la sagesse de s'asseoir autour d'une table de discussion avant d'en venir aux mains. C'est pourquoi, et non par simple légèreté comme vous l'insinuez, que j'insiste tant pour que cette visite ait lieu. Et il est indispensable que Mme de Peyrac accompagne son mari, précisément pour dissiper par sa présence, en se faisant mieux connaître, l'inquiétude et l'hostilité suscitées par des ragots. Ragots sans fondement mais systématiquement répandus, à seule fin de dresser l'opinion contre toute solution autre que violente du conflit qui nous oppose au comte.

— Répandus par qui? interrogea Carlon, agressif.

Villedavray n'insista pas. Il savait que Carlon, gallican invétéré, était tout dévoué aux jésuites. Ce n'était pas le moment de remuer ce feu couvant sous braises.

— Convenez que j'ai raison, reprit-il persuasif. Vous avez pu vous rendre compte aussi bien ici qu'à la rivière Saint-Jean que M. de Peyrac qui a fondé le port de Gouldsboro et s'est implanté, au surplus, le long du Kennebec, n'est ni un plaisantin ni homme à se laisser déloger facilement, et que la sagesse, je le répète, est le compromis si nous voulons ménager la paix de la Nouvelle-France, en général, et de l'Acadie en particulier.

— Je vois! Je vois! constata Carlon, amer. Je gage que vous avez dû déjà vous arranger avec lui pour vos dividendes...

— Hé! Qui vous empêche d'en faire autant? riposta Villedavray.

Devant cet échange fiévreux de paroles décisives, Angélique avait en vain essayé d'ouvrir la bouche. Elle estimait qu'elle avait tout de même son mot à dire. Mais elle s'aperçut que Joffrey lui faisait signe de ne pas intervenir.

Plus tard, l'attirant à l'écart, il lui dit qu'il y avait un certain temps qu'il partageait l'opinion de Villedavray sur la nécessité d'aller en personne s'expliquer avec le gouvernement de Québec. Malgré l'audace d'une telle démarche dangereuse pour lui, non seulement considéré en allié des Anglais, mais ancien condamné de l'Inquisition, comme pour elle, banni du roi de France, malgré le risque de tomber dans un guet-apens, de se trouver pris comme dans une souricière au sein de Québec la française, leur position en Amérique du Nord était désormais telle qu'il pouvait envisager de parler d'égal à égal avec les représentants de l'autorité royale, dans ses colonies lointaines. Cet éloignement même changeait les données de la rencontre. Et l'isolement dans lequel vivaient les Canadiens, ces Français du Nouveau Monde, loin de la mère patrie, pour ne pas dire l'abandon dans lequel on les laissait quelque peu, les rendait plus indépendants, plus aptes à régler les questions qui les concernaient directement, selon les impératifs du présent, et sans se soucier du passé.

Peyrac était déjà assuré de la sympathie du gouverneur, un Gascon comme lui, M. de Frontenac, ce qui était un atout d'importance.

Autre pion à considérer, au centre des passions et qui ne s'était pas prononcé encore à leur sujet, l'évêque, Mgr Laval, une forte personnalité, dont l'adhésion ou la réserve pouvait décider de bien des choses.

Restait les jésuites, franchement hostiles et surtout le plus influent de tous, ce père d'Orgeval qui semblait se trouver l'instigateur du complot diabolique dont ils avaient failli être les victimes. Jusque-là, il s'était dérobé au face à face. La présence de ses adversaires à Québec l'obligerait à se montrer et à les affronter le visage nu ou s'il voulait se dérober encore, de voir affaiblir, à coup sûr, sa position, car il ne devait pas ignorer que dans de telles rencontres politiques les absents ont toujours tort.

Tout militait donc pour encourager le comte de Peyrac dans cette expédition, et même avant de quitter Gouldsboro pour la rivière Saint-Jean, il avait pris secrètement sa décision, se réservant d'y renoncer si des événements imprévus s'opposaient, avant l'automne, à son exécution. Cependant, en vue de cette visite dans la vivante petite capitale de la Nouvelle-France, il avait donné rendez-vous au *Sans-Peur* sur le golfe Saint-Laurent, dans les premiers jours d'octobre, après avoir chargé Vaneireick de se rendre dans les riches villes espagnoles du golfe des Caraïbes faire l'acquisition de présents qu'il se réservait d'offrir aux notables de Québec.

Et n'ignorant pas que le principal obstacle qu'opposerait Angélique à ce projet de voyage, ce n'était pas certes la crainte d'affronter Québec, mais l'ennui d'être séparée, un hiver entier, de sa fille, et sans grande possibilité d'avoir des nouvelles fréquentes de l'enfant, il avait envoyé un message à l'Italien Porgani, chef de son poste de Wapassou. Il le chargeait de faire escorter la petite Honorine jusqu'à Gouldsboro, d'où, suivant des instructions ultérieures qu'il avait remises à Colin, un navire l'amènerait sur le golfe Saint-Laurent, où ses parents l'attendraient. Elle devait déjà être en chemin, contournant la presqu'île de la Nouvelle-Ecosse, à bord du *Rochelais.* Il s'en fallait de quelques jours.

Les obstacles tombant, Angélique se laissa aller à la joie de revoir bientôt sa petite fille, dont il lui semblait qu'elle ne lui avait jamais été si chère, et aussi à l'excitation qui l'envahissait à l'idée de cette expédition de Québec. Elle prêta une oreille plus attentive aux descriptions dithyrambiques de Villedavray, qui se préparait minutieusement et presque heure après heure, pour son hiver québecois, un programme de festivités et de réjouissances près desquelles pâliraient les meilleurs divertissements de Versailles.

— Versailles! Ne m'en parlez pas! C'est une trop grosse machine à remuer. C'est surfait. Il faut être en petit comité pour s'amuser...

Des deux navires attendus, le *Sans-Peur* arriva le premier. Il eut la bonne idée d'aller s'embosser dans les criques rougeâtres de l'île Royale, et Vaneireick, seul avec son second, vint visiter le comte de Peyrac à Tidmagouche, et apporter les marchandises qu'il avait été chargé d'acquérir.

On n'eut pas à subir les trognes patibulaires de son équipage et si Aristide Beaumarchand rencontra son frère de la côte de pénible mémoire, Hyacinthe Boulanger, afin de trafiquer des résidus de mélasse pour la fabrication de son « coco-merlo », cela ne dérangea personne.

Le choix de Vaneireick quant aux présents à offrir aux dames et aux personnages influents de Québec était des meilleurs. Les couvents se réjouiraient de recevoir en don des tableaux religieux de belle facture. Il y avait des ornements d'église et des objets du culte d'or et de vermeil, et dans le domaine profane des bibelots, des bijoux, un petit ange en or et émail d'un artiste italien réputé du XV^e siècle, une coupe en or massif, également d'origine italienne, représentant un coquillage et dont le pied était formé d'une tortue d'or ciselé, incrustée d'écaille et qui portait sur sa carapace un lézard de jade vert.

Joffrey de Peyrac mit de côté cette petite merveille en disant : « Pour Mme de Castel-Morgeat. »

Le plus précieux était représenté par deux « Agnus Dei », sortes de petits reliquaires d'or contenant une pastille de cire. Les conditions dans lesquelles étaient fabriquées ces pastilles au cours de la messe pascale du Pape à Rome en faisaient des amulettes très recherchées parce que fort rares et passant pour apporter la protection toute spéciale des saints et de la Vierge Marie. Vaneireick les avait obtenues d'un évêque espagnol, on ne savait pas si c'était en échange d'un service rendu ou sous la menace, mais elles étaient absolument authentiques et sans aucune falsification possible.

Peyrac en réserva un pour Mgr Laval et l'autre — on s'étonna un peu — pour cette femme qui tenait un estancot dans la Basse-Ville, et qui avait de ce fait un certain pouvoir souterrain sur la population mâle de la cité : Janine Gonfarel.

Il y avait également profusion d'étoffes de toutes

sortes : velours et soieries, robes et colifichets, qu'Angélique répertoria et rangea avec l'aide des Filles du roi.

Celles-ci seraient naturellement du voyage. Et l'on espérait qu'en suivant leur destin prévu, celui d'épouser quelque bon célibataire canadien, elles oublieraient la terrible aventure à laquelle elles avaient été mêlées. Delphine les avait prises en charge avec autorité et compétence. Elle s'entretenait souvent avec Angélique. Les événements qu'elle avait vécus l'avaient profondément marquée. Elle demanda à Angélique si celle-ci voudrait la prendre comme demoiselle de compagnie lorsqu'elle serait à Québec.

Angélique avait déjà accepté Yolande comme chambrière. Elle pensait que ces projets étaient prématurés et que Delphine se remettrait et serait contente d'être présentée à Québec à de jeunes officiers, selon les conventions de son engagement. Elle lui dit de continuer de s'occuper de ses compagnes jusqu'à leur arrivée dans la capitale de la Nouvelle-France.

— Aussi bien, nous ignorons l'accueil qui nous y sera fait. Vous serez peut-être obligée de vous dissocier de nous.

Il fallait aussi régler le sort du pauvre Job Simon, l'ex-capitaine de *La Licorne* naufragée, qui errait comme un corps sans âme, avec le mousse rescapé à sa suite.

Le comte de Peyrac lui proposa le commandement d'un morutier qui appartenait à la flotte de Gouldsboro et qui croiserait désormais dans les parages de Tidmagouche, assurant plus ou moins la colonisation du lieu par un trafic de poissons séchés, d'accueil et de ravitaillement d'eau douce et de vivres frais pour les navires arrivant d'Europe et qui feraient là leur première escale après la traversée de l'Océan.

Un portage établi par l'isthme de Chignecto

maintiendrait les liens avec la Baie Française et Gouldsboro.

Angélique avait été intriguée de voir reparaître sain et sauf le vieux capitaine à la tache de vin. Dans le guêpier où ils se trouvaient tous au moment où il avait décidé de fuir avec son mousse, elle n'avait pas envisagé un seul instant que le pauvre homme pût échapper aux assassins qui hantaient les bois. Il lui confia sa ruse.

— Je ne suis pas parti par la forêt. Je savais qu' « ils » m'y rattraperaient vite. Je suis allé me fourrer dans un trou de rocher, une grotte que j'avais repérée. On est resté là, cachés avec le gamin, les quelques jours qu'il a fallu encore à M. de Peyrac pour arriver.

— Mais comment vous nourrissiez-vous?

— Un des Bretons, un gars que j'avais repéré et qui est de l'île de Sein, comme moi, nous apportait chaque jour à manger. On était peinards...

Lui aussi se remettrait de son aventure invraisemblable, le pauvre capitaine, et la vue de la Licorne dorée, à la pointe d'ivoire, affrontant l'écume de la mer, le consolerait peu à peu.

Avant de regagner sa concession sur la Baie Française, la grande Marcelline vint trouver Angélique.

— M. de Villedavray voudrait que je lui confie Chérubin pour qu'il le fasse élever à Québec, expliqua-t-elle. Jusqu'ici j'ai refusé. Il est encore bien petit et un enfant, ça n'est tout de même pas un jouet à montrer dans les salons. Mais maintenant que vous allez aussi là-bas et que Yolande vous accompagne, c'est différent. Si le petit est avec sa sœur et sous votre proctection, je serai plus tranquille et, pour cette année au moins, je peux faire ce plaisir à M. le gouverneur. Mais à condition que ce soit vous qui décidiez de tout pour le petit...

Puis la voile du *Rochelais* pointa à l'horizon et ce fut un moment de grande liesse.

Tout le monde était sur la plage lorsque la chaloupe amena les passagers parmi lesquels on distinguait la coiffe blanche d'Elvire Malaprade et la petite silhouette d'Honorine engoncée dans son capuchon.

Angélique entra dans l'eau pour s'en saisir la première et la serrer sur son cœur. Elle ne se lassait pas de l'embrasser, de la contempler, de la trouver changée et grandie et plus belle que jamais.

La vie reprenait des dimensions paisibles, familières, aux couleurs du bonheur.

Octave Malaprade et son épouse, la gentille protestante rochelaise Elvire, avaient tenu à accompagner eux-mêmes Honorine jusqu'au terme de son voyage. Ils apportaient toutes sortes de nouvelles détaillées sur la vie de Wapassou, et retourneraient ensuite hiverner à Gouldsboro où ils avaient laissé leurs deux garçons Thomas et Barthélemy. Octobre s'avançait et il devenait hasardeux d'entreprendre sans nécessité un retour vers le Haut-Kennebec.

On avait tant parlé à Tidmagouche d'Honorine de Peyrac que même ceux et celles qui ne la connaissaient pas, en particulier les Filles du roi, étaient enchantés de son arrivée. Elle passa de bras en bras, et l'on admirait sa bonne mine et sa chevelure de cuivre sur ses épaules. Cantor accourut, Wolverines sur les talons.

— Ah! voilà la petite rouquine! s'écria-t-il, comment vous portez-vous, damoiselle?...

Il l'attrapa par les deux mains et se mit à danser le gigue avec elle en scandant.

— Nous irons à Québec! Nous irons à Québec!...

Lorsque le brouhaha de l'arrivée se fut un peu calmé et qu'Honorine eut repris son souffle, elle alla se planter devant Angélique et lui annonça avec solennité :

— Le petit chat est là aussi! Je l'ai apporté pour toi. Il voulait te revoir.

Ainsi tout finissait bien.

Le petit chat était là, ce petit chat de navire pitoyable et hardi, qui avait surgi devant Angélique alors qu'en un soir qui paraissait maintenant lointain elle veillait pour la première fois la duchesse de Maudribourg. Le petit chat, esprit mutin, innocent, s'incarnant pour se mêler à la vie des humains et y jouer on ne savait quel rôle d'avertissement et de protection.

Il était là sur la table, dans le salon du château arrière du *Gouldsboro*, et Honorine et Chérubin de chaque côté de la table le regardaient tandis qu'il se livrait consciencieusement à sa toilette. Il avait grandi lui aussi, le petit chat. Il avait une belle queue fournie, un long cou, une tête fine. Il avait gardé sa grâce et ses sentiments exclusifs pour Angélique.

La houle berçait le *Gouldsboro*, beau navire, remontant toutes voiles tendues vers le nord, à travers les îles du golfe Saint-Sauveur.

Au passage, on avait fait halte à Shédiac où Villedavray voulait reprendre ses bagages et particulièrement son poêle hollandais. Caisses et ballots attendaient intacts et épargnés par miracle, mais, naturellement, Alexandre n'était plus là depuis belle lurette.

— Pleurez pas, dit au gouverneur de l'Acadie le grand Defour qui les quittait là, on vous le renverra votre blondin... un jour... Quand il sera fatigué de sauter les rapides. Que voulez-vous : il faut que jeunesse se passe!

La flotte que le comte de Peyrac amenait sous Québec se composait de cinq bâtiments. Le *Gouldsboro*, les deux navires razziés aux pirates d'Ambroisine et dont le comte d'Urville et Barssempuy assuraient chacun le commandement, puis deux petits yachts hollandais, dont *Le Rochelais* que Cantor avait repris en main, tandis que Vanneau dirigeait le second.

A bord du *Gouldsboro* se trouvaient à titre d'hôtes Carlon, son géographe et Villedavray.

— A titre d'hôtes ou... d'otages, interrogeait parfois l'intendant Carlon, mi-figue mi-raisin.

Le marquis haussait les épaules et jouissait de la vie. Tout s'arrangerait! Il lorgnait de loin « son » navire, et méditait sur les enjolivements et le nom à lui donner.

— Qu'est devenu votre aumônier? lui demanda un jour Angélique. Il vous avait rejoint à Gouldsboro, mais depuis on dirait qu'il s'est évanoui dans la nature.

— C'est à peu près cela... Il ne voulait pas m'accompagner à Tantamare. Il n'aime pas Marcelline. Il voulait rentrer à Québec. Je lui ai dit : « Qu'importe! Allez-y à pied, à Québec. » Eh bien! c'est ce qu'il a fait. Il est parti... à pied. Il y a dans l'air en Acadie, quelque chose qui peut rendre déraisonnable le plus rassis des Oratoriens. Mais ne craignez rien. Il sera, je parie, le premier que nous apercevrons sur le quai...

On croisa une flottille d'Indiens du Nord qui étaient petits, rabougris, jaunes. On les disait cannibales et on les appelait Eskimos, ce qui veut dire : mangeurs de viande crue. On leur troqua un peu d'eau-de-vie contre une magnifique peau d'ours blanc, dont le comte de Peyrac fit faire un manteau pour Angélique. Il en restait encore pour Honorine. Elle était ravissante là-dedans, une véritable petite princesse des neiges avec ses cheveux d'or rouge sur ce blanc somptueux.

— Votre fille est exquise, comte, disait Villedavray, elle a un port de reine et un visage des plus intéressants. Mais d'où tient-elle cette chevelure d'un blond vénitien?...

Il s'attendrissait en regardant Chérubin.

— Je lui ferai tailler un petit costume de velours bleu... Ah! la vie de famille. Au fond, c'est charmant!... Si j'épousais Marcelline, qu'en dites-vous?

On se récriait. Marcelline à Québec! Impensable! La Baie Française perdrait l'un de ses fleurons.

Un autre enfant se mêlait aux jeux d'Honorine, de Chérubin et du chat. C'était le jeune Abbial, l'orphelin suédois recueilli sur les quais de la Nouvelle-York par le père de Vernon.

On l'avait vu descendre de la chaloupe le jour de l'arrivée d'Honorine. Et c'était un soulagement pour tous d'apprendre que le petit étranger n'avait pas été aussi une victime des criminels, complices d'Ambroisine.

A Gouldsboro, on l'avait vu sortir de la forêt peu après le départ d'Ambroisine et d'Angélique pour Port-Royal. Mené devant Colin Paturel, il avait expliqué qu'il s'était enfui par peur de cette femme démoniaque contre laquelle le père de Vernon l'avait mis en garde, lui recommandant, s'il lui arrivait malheur, de porter son bagage et la lettre qu'elle contenait à Mme de Peyrac et à elle seule. Le jésuite avait donc eu le pressentiment de sa mort prochaine. Après la disparition de son protecteur, l'enfant avait cherché à pénétrer dans Gouldsboro pour joindre Angélique. Mais un homme était venu vers lui et, mû par un secret instinct, il avait deviné que cet homme lui voulait du mal. Il s'était enfui. Pendant quelques jours, il avait senti des inconnus menaçants sur ses pas. Enfin, un soir, il avait réussi à se faire introduire dans le fort pour y attendre Angélique. Mais alors qu'il lui remettait la missive, Ambroisine avait surgi à nouveau devant lui. Terrifié, il s'était enfui, une fois de plus, se réfugiant dans la forêt où il vivait comme une bête des bois, rôdant à la lisière de l'établissement jusqu'au jour où, comprenant que la femme mauvaise était partie, il avait osé reparaître et se présenter au gouverneur Colin Paturel.

On l'emmènerait à Québec puisqu'il était baptisé et que le père de Vernon en aurait voulu ainsi. Et puis son frêle témoignage soutenant la lettre écrite par l'éminent Jésuite ne serait peut-être pas inutile.

Les pions prenaient leurs places sur l'échiquier de cette partie qui s'était jouée au cours de l'été. Cantor rappelait que, chargé par son père d'explorer les îles de la baie du Mont-Désert, devant Gouldsboro, il avait trouvé, sur un îlot, récemment abandonné par un équipage qui y avait radoubé, un étendard aux armes d'un lion griffu. Là, avait dû jeter l'ancre le navire à la flamme orange. Là, la Démone venait rejoindre son frère afin d'y prendre son manteau doublé d'écarlate, ses bas rouges...

— Pourquoi ne m'as-tu pas communiqué ce fait? demanda Angélique à son fils. J'ai eu assez de peine à établir qu'Ambroisine avait des complices... Cela m'aurait aidée. Nous aurions gagné du temps.

— Cela l'aurait peut-être alertée contre moi. Vous ne la soupçonniez pas encore et ma position était inconfortable.

Certaines choses s'éclairaient. D'autres restaient dans l'ombre et il faudrait du temps pour démêler l'écheveau de cet esprit trompeur, Ambroisine, et quelles avaient été, à plusieurs reprises, ses intentions exactes. Une chose semblait certaine, le complot dirigé à la fois contre Gouldsboro et contre la force morale de ceux qui l'avaient créé, avait été ourdi de longue date et, sans doute même avant qu'Angélique y abordât. Sa venue ainsi que celle des protestants n'avaient fait qu'ajouter à l'usage de détruire un établissement qui se posait en Etat indépendant, allié des Anglais. Déjà à Paris, on avait vendu ces mêmes terres à un corsaire Barbe d'Or, à charge de s'y établir, et la duchesse de Maudribourg avait été priée, pour la rémission de ses péchés, d'y amener une recrue de Filles du roi. Et de plus elle avait dû recevoir carte blanche afin de s'implanter à Gouldsboro.

Certes le choix était bon. Qu'était le pauvre Pont-Briand, envoyé pour ébranler la fidélité d'Angélique, à côté de ce chef-d'œuvre de séduction, Ambroisine la Démone? Tentatrice en tous genres, disait Villedavray avec ironie.

Le père d'Orgeval avait-il envisagé le déchaînement criminel possible de sa « pénitente » ou celle-ci, se heurtant à des adversaires d'une force imprévue, avait-elle outrepassé les consignes reçues? Ceci serait à éclaircir à Québec, entre gens de bon sens et de bonne volonté.

Et Angélique pensait parfois à la ville à conquérir, la ville sur son roc rouge et qui les attendait aux rives du grand fleuve tandis qu'ils voguaient sur les eaux troubles de cette mer déjà hivernale, dans la pourpre des couchants et la nacre des aurores polaires.

Au large de la grande île d'Anticosti, peuplée d'ours blancs monstrueux et d'oiseaux criards, Joffrey de Peyrac fit rassembler sa flotte.

Tandis que les navires dispersés prenaient le temps de se rapprocher et de se ranger sous le vent, à proche distance les uns des autres, le comte de Peyrac entraîna Angélique dans la luxueuse pièce du château-arrière qui était leur refuge à tous deux sur ce navire.

Cette pièce du *Gouldsboro* était déjà pour eux évocatrice de souvenirs. Là, Angélique était venue supplier le Rescator de sauver ses amis protestants, là, une seconde fois, à genoux devant lui, elle avait demandé leur grâce, là, pour la première fois, il avait ôté son masque lui montrant — oh! joie trop violente à recevoir! — son visage ressuscité, là, pour la première fois, après quinze années d'absence, il l'avait reprise dans ses bras et l'avait aimée, et la chambre aux objets précieux, au confort oriental, qu'éclairait d'un jour blafard la grande fenêtre cloisonnée de bois doré, raconterait toujours les étapes à la fois déchirantes et merveilleuses du renouveau de leur amour.

— J'ai un cadeau pour vous, dit Joffrey de Peyrac en désignant sur la table un écrin. Vous souvenez-vous de ce que nous nous sommes dit l'autre jour?... Que nous ne nous quitterions plus jamais?...

— C'était peut-être présomptueux! Pourtant, je sentais en cet instant que, même si la vie, dans sa réalité, nous contraignait encore à nous séparer momentanément, les liens qui nous unissaient ne pourraient plus jamais être rompus.

— Oui, et c'est bien le même sentiment que j'ai partagé. Alors le moment me semble venu de...

Il s'interrompit et, prenant les deux mains d'Angélique, il les tint un moment dans les siennes, comme s'il se recueillait.

— Le moment me semble venu d'affirmer à la face du monde les liens sacrés qui nous unissent depuis si longtemps et dont le symbole nous a été, jadis, si cruellement arraché.

Il ouvrit l'écran et elle vit, posés sur un velours noir, deux anneaux d'or. Il passa l'un d'eux à l'annulaire de sa main gauche comme il l'avait fait jadis sous la bénédiction de l'évêque de Toulouse puis l'autre au doigt d'Angélique. Puis il baisa à nouveau les deux mains qu'il tenait, en murmurant avec ferveur :

— A la vie, à la mort, et pour l'éternité, n'est-ce pas mon enfant chérie, mon amour, ma femme bien-aimée?...

Les navires étaient rangés sous le vent. Au signal ils s'ébranlèrent, poursuivant leur marche vers le nord-ouest.

Le lendemain, deuxième jour du mois de novembre, par un ciel clair et un froid pur d'hiver, ils franchissaient le cap de Gaspé et ils entraient dans l'embouchure du Saint-Laurent.

*Les personnages de ce roman qui figuraient déjà dans* Angélique, marquise des Anges, tomes I et II, Angélique et le chemin de Versailles, tomes I et II, Angelique et le roy, tomes I et II, Indomptable Angélique, tomes I et II, Angélique se révolte, tomes I et II, Angélique et son amour, tomes I et II, Angélique et le Nouveau Monde, tomes I et II, La tentation d'Angélique, tomes I et II, Angélique et la Démone, tome I, *se retrouveront dans* Angélique et le complot des ombres, *tous parus ou à paraître aux Editions J'ai Lu.*

# SCIENCE-FICTION et FANTASTIQUE

**Dans cette série, Jacques Sadoul édite ou réédite les meilleurs auteurs du genre :**

**ALDISS Brian W.**
520** Le monde vert

**ASIMOV Isaac**
404** Les cavernes d'acier
453*** Les robots
484** Tyrann
542** Un défilé de robots
552** Cailloux dans le ciel

**BLISH James**
752** Semailles humaines (juin 1977)

**BOULLE Pierre**
458** Les jeux de l'esprit

**BRACKETT Leigh**
734* Le secret de Sinharat
735* Le peuple du talisman (mai 1977)

**BROWN Fredric**
625** La nuit du Jabberwock

**CLARKE Arthur C.**
349** 2001 - L'odyssée de l'espace

**CURVAL Philippe**
595** Le ressac de l'espace

**DEMUTH Michel**
693*** Les Galaxiales

**DERLETH August**
622** La trace de Cthulhu
638** Le masque de Cthulhu

**DICK Philip K.**
547* Loterie solaire
563** Dr Bloodmoney
567*** Le maître du Haut-Château
594** Simulacres
613** A rebrousse-temps
633** Ubik

**DOUAY Dominique**
708** L'échiquier de la création

**ELLISON Harlan**
626*** Dangereuses visions — T. 1
627*** Dangereuses visions — T. 2

**EWERS H.H.**
505** Dans l'épouvante

**FARMER Philip José**
537** Les amants étrangers
581* L'univers à l'envers
621** Ose
712** Des rapports étranges

**HAMILTON Edmond**
432** Les rois des étoiles
490** Le retour aux étoiles

**HARRISON Harry**
741*** Prométhée en orbite (mai 1977)

**HEINLEIN Robert**
510** Une porte sur l'été
519** Les enfants de Mathusalem
541** Podkayne, fille de mars
562** Etoiles, garde-à-vous!
589** Double étoile

**HIGON Albert**
640** Les animaux de justice

**JANIFER Laurence M.**
656* Mémoires d'un monstre

**KEYES Daniel**
427** Des fleurs pour Algernon

**KING Vincent**
664** Candy man

**KLEIN Gérard**
628** Les seigneurs de la guerre

**LEIBER Fritz**
608**** Le vagabond
694** A l'aube des ténèbres

**LEVIN Ira**
342** Un bébé pour Rosemary
434** Un bonheur insoutenable
649* Les femmes de Stepford

**LOVECRAFT H.P.**
410* L'affaire Charles Dexter Ward
459*** Dagon

**LOVECRAFT et DERLETH**
471** Le rôdeur devant le seuil

**MALZBERG Barry N.**
637* La destruction du temple

**MATHESON Richard**
612*** La maison des damnés

**MERRITT Abraham**
557** Les habitants du mirage
574** La nef d'Ishtar
618*** Le gouffre de la lune

**MOORE Catherine L.**
415** Shambleau
533** Jirel de Joiry
700** La nuit du jugement

**OTTUM Bob**
568** Pardon, vous n'avez pas vu ma planète?

**PADGETT Lewis**
689* L'échiquier fabuleux

**PELOT Pierre**
728** Les barreaux de l'Eden

**PRIEST Christopher**
688*** La machine à explorer l'espace
725*** Le monde inverti

**SADOUL Jacques**
551** Les meilleurs récits de « Amazing Stories »
579** Les meilleurs récits de « Weird Tales » — T. 1
580** Les meilleurs récits de « Weird Tales » — T. 2
617** Les meilleurs récits de « Planet Stories »
663** Les meilleurs récits de « Wonder Stories »
713** Les meilleurs récits de « Unknown »
731** Les meilleurs récits de « Famous Fantastic Mysteries »

**SCHACHNER Nat**
504** L'homme dissocié

**SILVERBERG Robert**
495** L'homme dans le labyrinthe
585** Les ailes de la nuit

**SIMAK Clifford D.**
373** Demain les chiens
500** Dans le torrent des siècles
609** Le pêcheur

**STEINER Kurt**
657* Le disque rayé
701* Les enfants de l'histoire
753* Brebis galeuses (juin 77)

**STURGEON Theodore**
355** Les plus qu'humains
369** Cristal qui songe
407** Killdozer - Le viol cosmique

**TOLKIEN J.R.R.**
486*** Bilbo le Hobbit (juillet 77)

**VANCE Jack**
707** Cugel l'astucieux
721** Cycle de Tschaï T. 1 Le Chasch
722** Cycle de Tschaï T. 2 Le Wankh
723** Cycle de Tschaï T. 3 Le Dirdir
724** Cycle de Tschaï T. 4 Le Pnume

**VAN VOGT A.E.**
362** Le monde des Ã
381** A la poursuite des Slans
392** La faune de l'espace
397** Les joueurs du Ã
418** L'empire de l'atome
419** Le sorcier de Linn
439** Les armureries d'Isher (juin 1977)
440** Les fabricants d'armes (juin 1977)
463** Le livre de Ptath
475** La guerre contre le Rull
496** Destination Univers
515** Ténèbres sur Diamondia
529** Créateurs d'univers
588** Des lendemains qui scintillent
659** L'homme multiplié

**VEILLOT Claude**
558** Misandra

**VONNEGUT Kurt Jr.**
470** Abattoir 5
556** Le berceau du chat
660*** Le breakfast du champion

**UNIVERS 01**
598*

**UNIVERS 02**
614*

**UNIVERS 03**
629*

**UNIVERS 04**
650*

**UNIVERS 05**
665*

**UNIVERS 06**
695*

**UNIVERS 07**
714*

**UNIVERS 08**
732*

**UNIVERS 09**
754* (juin 1977)

# DOCUMENTS

**ALBARET Céleste**
D. 56**** Monsieur Proust

**BERNARD Jean Pr**
D. 54** Grandeur et tentations de la médecine

**BODARD Lucien**
D. 36**** Le massacre des Indiens

**BONNEFOUS Edouard**
D. 20*** L'homme ou la nature?
D. 46** Le monde est-il surpeuplé?

**BORTOLI Georges**
D. 31** Mort de Staline

**BOURDON Sylvia**
D. 88** L'amour est une fête

**BROUILLET J.-C.**
D. 41**. L'avion du blanc

**CARELL Paul**
D. 50*** Ils arrivent!

**CARS Jean des**
D. 61** Guy des Cars, j'ose
D. 92*** Louis II de Bavière (juin 1977)

**CHANCEL Jacques**
D. 58** Radioscopie I
D. 69** Radioscopie 2

**CHARON Jacques**
**récit de Fanny Deschamps**
D. 86*** Moi, un comédien

**CHOW CHING LIE**
D. 83*** Le palanquin des larmes

**CURTIS Jean-Louis**
D. 60* Questions à la littérature

**DECAUX Alain**
D. 78**** Les grands mystères du passé

**DEROGY Jacques et GURGAND J. N.**
D. 73**** Israël, la mort en face

**DESCHAMPS Fanny**
D. 6* Vous n'allez pas avaler ça
D. 32* Journal d'une assistante sociale

**DUCHE Jean**
D. 80* Les semeurs d'espoir

**DURRELL Gerald**
D. 2** Féeries dans l'île

**FONTAN Alain**
D. 90** Le roi Pelé

**FRISCH Karl von (Prix Nobel 1973)**
D. 34** Vie et mœurs des abeilles

**GERARD Nicole**
D. 44**** Sept ans de pénitence

**GRAY Martin**
D. 82** Le livre de la vie

**GREER Germaine**
D. 8*** La femme eunuque

**GUILLAIN France et Christian**
D. 72*** Le bonheur sur la mer

**HALLE Jean-Claude**
D. 91*** François Cevert (mai 77)

**HAMBURGER Jean Pr**
D. 27* La puissance et la fragilité

**HOLLANDER Xaviera**
D. 64*** Madam'

**HUNZINGER Claudie**
D. 68* Bambois, la vie verte

**JACQUEMARD Simonne**
D. 57* Des renards vivants

**KESSEL Joseph**
D. 28** Les mains du miracle

**LAGUILLER Arlette**
D. 53* Moi, une militante

**LA MAZIERE Christian de**
D. 29*** Le rêveur casqué

**LANCELOT Michel**
D. 65** Je veux regarder Dieu en face
D. 79*** Le jeune lion dort avec ses dents...

**LAWICK-GOODALL Jane van**
D. 7** Les chimpanzés et moi

**LEFEBURE Ségolène**
D. 39* Moi, une infirmière

**LORENZ Konrad (Prix Nobel 1973)**
D. 4** Tous les chiens, tous les chats
D. 23* Il parlait avec les mammifères, les oiseaux, les poissons

**MARQUET Mary**
D. 81*** Ce que j'ose dire...

**MASSACRIER Jacques**
D. 74*** Savoir revivre

**MICHAUD Jacques Dr**
D. 62*** Pour une médecine différente

**NAGATSUKA Ryuji**
D. 49** J'étais un Kamikaze

**PELLAPRAT H. P.**
D. 21*** La cuisine en 20 leçons

**POLLAK Me Emile**
D. 71**** La parole est à la défense

**POULIDOR Raymond**
D. 87** La gloire sans maillot jaune

**REVEL Jean-François**
D. 1** Ni Marx ni Jésus

**RIOU Roger**
D. 76**** Adieu, la Tortue

**ROBERTSON Dougal**
D. 52** Survivre

**ROUET Marcel**
D 84* Virilité et puissance sexuelle

**SADOUL Jacques**
Histoire de la science-fiction moderne :
D. 66**** 1. Domaine anglo-saxon
D. 67* 2. Domaine français
D. 75*** Panorama de la bande dessinée

**SALINGER Pierre**
D. 42**** Avec Kennedy

**SCHNEEBAUM Tobias**
D. 63* Au pays des hommes nus

**SERVAN-SCHREIBER Jean-Louis**
D. 33**** Le pouvoir d'informer

**THOMAS G. et WITTS M.M.**
D. 85*** Le volcan arrive!

**TOCQUET Robert**
D. 55** Meilleurs que les hommes

**TOLEDANO Marc**
D. 12** Le franciscain de Bourges

**VALENSIN Georges Dr**
D. 59*** Science de l'amour
D. 70*** La femme révélée
D. 77*** Adolescence et sexualité

**VILALLONGA José-Luis de**
D. 37** A pleines dents

**ZWANG Dr Gérard**
D. 89*** Le sexe de la femme

**ÉDITIONS J'AI LU**
*31, rue de Tournon, 75006-Paris*

*diffusion*

*France et étranger : Flammarion - Paris*
*Suisse : Office du Livre - Fribourg*
*Canada : Flammarion Ltée - Montréal*

---

IMPRIMÉ EN FRANCE PAR BRODARD ET TAUPIN
7, bd Romain-Rolland - Montrouge.
Usine de La Flèche, le 18-03-1977.
1718-5 - Dépôt légal 1er trimestre 1977.